현대복지국가론

K. G. Myrdal
Beyond The Welfare State

K. G. 미르달 저 / 최광열 역

서음미디어

이 책의 독자들에게

이 졸저(拙著)는 부유하고 진보적인 서구적 국가들에서의 경제계획을 지향하는 추세와 이러한 추세가 갖는 국제적인 의미관련을 다룬 것이다.

제1부에서는 이러한 추세를 가져오게 한 사회적인 모든 힘의 상호작용과, 그리고 거기에서는 어떠한 형태의 국민사회가 출현하고 있는가를 밝혀 보고자 했다.

제2부는 이들 서구적 국가들의 국민경제계획이 서구적 국가 상호간, 그리고 이들 여러 나라와 나머지 다른 세계, 특히 비소련적 세계에 있는 저개발국과의 경제적인 관계에 대해서 어떠한 효과를 미치고 있는가에 바쳐질 것이다.

국민경제계획은 물론 소련권의 여러 나라에서 경제정책의 더욱 두드러진 특징의 하나로 되어 있다. 소련권 이외의 저개발국에 있어서는 거의 어디에서나 국민경제계획은 비록 그 완전한 실시는 아직은 우발적이거나 아주 결여되어 있는 것이 보통이라 할지라도, 일반적으로 크게 환영을 받는 이상(理想)으로 되어 있다. 그러나 가장 넓은 세계적인 전망에서 본다면, 국민경제계획은 이제는 조직적 사회에서 협동생활을 하고 있는 사람들이 더욱 절실하고 공통적으로 경험하는 것으로 되어가고 있다고 말해도 좋을 것이다.

실제에 있어서 부유한 나라이건 빈곤한 나라이건 가릴 것 없이 모든 나라에 경제개발에 대한 강한 요청이 급속하게 파급되고 있다는 것, 민주적이건 독재적이건 가릴 것 없이 모든 정부가 경제개발을 가져오기 위해서 공공정책을 수립하거나 정합하는 데 관심을 높이고 있다는 것 등은, 이제는 우리들의 사고(思考)나 목적 설정이 근본적으로는 같은 방향을 지향하고 있다는 일상의 경험을 입증하는 것들이다.

환경의 차이, 즉 생활양식과 생활수준의 차이, 그리고 각 개인의 운명이 얽혀 있는 사회형태—국민적·지역적 및 부문별—의 차이가 있다는 것은 사실이다.

어느 점에 있어서는 이러한 차이는 증대하고 있으며, 모든 점에 있어서도 이들 차이에 대한 우리들의 자각은 증대하고 있다. 이데올로기의 대립은 더욱 혹심하게 되고 우리들은 세계적 변혁이 일어날 것 같은 위기의 징조마저 깨달을 수 있다.

이데올로기와 정치의 대립과 더불어, 차이와 불평등에 대한 자각의 증대는 그 자체가 주로 통신의 신속화와 개량의 결과인 것이며, 이러한 통신의 발전은 동시에 또한 사상이나 포부의 상호작용의 강화를 가능하게 하는 것이며, 경제계획을 지향하는 세계적인 추세도 그 자체로는 실은 이러한 상호작용을 예증하는 것에 지나지 않는다.

마찬가지로 명백한 것은 국제적 경쟁과 국제적 상극의 강력하고 보편적인 구체화는 모든 나라의 경제계획에 대해서 더 한층 박차를 가하게 되었다는 점이다. 그처럼 아주 광범위한 고찰을 끝까지 하고 난 뒤에 경제계획이 세계의 어느 곳에서 그리고 어떠한 조건하에서 실시된다 할지라도, 경제계획 일반에 관해서 무엇을 확인할 수 있는가 하는 것을 문제로 한다는 것도 물론 흥미가 없는 일은 아니다. 그렇지만 경제학자가 오늘의 정세하에서 강조하지 않으면 안 되는 것은 경제계획이 소련적 세계와 비소련적 세계 간, 그리고 부유국과 비소련적 세계의 빈곤국 간에는 그 방법에 있어서 결정적인 차이가 있다는 점이다. 이 차이를 간과한다면 어떠한 논의도 실천적 효과가 거의 없는 일반론 이상으로 나아갈 수 없을 것이다. 이들 3개의 권(圈)은 전혀 다른 형(形)의 계획을 가지고 있다. 현재는 이들 각 형의 계획은 저마다 역사적·물질적·문화적·이데올로기적·제도적 및 정치적으로 각각 상이한 제도적 배경 속에서 전개되고 있다.

경제계획은 그 목표의 설정, 정책수단의 선택, 목적의 결정 및 정책의 실시에 대한 아주 크게 상이한 문제에 직면하고 있다. 계획에 내포되어 있는 공공정책을 결정하는 방법도 아주 다르고, 또한 정책의 실시를 목적으로 적용되는 규약도 다르다. 공산주의 국가와 여타의 세계를 구별하는 경계선은 이들 여러 나라의 정부 자체에 의해서 명확하게 그어지고 있으므로 이에 대해서는 더 이상의 논의가 필요 없을 것이다.

부유국과 비소련적 세계의 빈곤국간의 구분은 통계적 위계의 문제이기는 하지만, 그러나 그 구분을 명확하게 할 수는 거의 없다. 비소련적 세계의 여러 나라를 1인당 실질 국민소득으로 분류한다면, 어떠한 방법으로든 두 개의 상당히 명확한 여러 나라의 경제적 계층을 볼 수 있다. 즉 비교적 유복한 나라에 속하는 상층의 작은 집단과 매우 가난한 나라에 속하는 하층의 큰 집단 등이 그것이다.

이들 두 개의 집단에 속하는 각국 간에는 이미 이루어진 구분을 무효로 할 정도는 아니지만 평균소득 수준의 격차가 있다. 그리고 중간층에 속하는 보다 작은 집단도 있다. '소득'은 여기에서는 경제적 복지를 가리키는 근사적 지표가 된다. 주요한 두 개의 집단만을 대비한다면 뚜렷한 불균등을 영양·주택·교육·보건 기타 모든 생활수준을 통해서 볼 수 있다. 빈곤한 나라에 있어서는 일반적으로 국내의 경제적 불평등이 비교적 크고, 또한 그 사회적 계급화도 보다 불평등하고 경직한 것이 보통이다.

제1집단, 즉 내가 '부유한' 혹은 '서구적인' 나라라고 말하고 싶은 그룹에는 북미 각국과 호주·서북유럽 및 중앙유럽이 속한다. 그 총인구는 소련권을 제외한 전세계 인구의 6분의 1을 거의 넘지 않는다. 나머지 모든 나라는 각지에 분산되어 있는 약간의 중위층의 나라를 제외하고서는 이곳에서 이것을 '빈곤한' 나라로 간주하기로 한다. 중위층의 나라로는 남미의 수개 국, 아시아에서는 오직 일본 그리고 아마 이스라엘 및 저개발국이라고 하기에는 명확치 않은 남유럽의 여러 지역이 있다. 내가 '저개발'이라는 용어를 사용하는 경우에는 그것은 '빈곤'과 동의어로 이해해 주기 바란다.

비소련적 세계의 2대 국가집단 상호간에 이러한 경제적 지위의 차이가 오늘날과 같이 존재하게 된 것은 상층의 국가집단이 수 세대에 걸쳐 급속한 발전을 즐겨 왔다는 사실에 연유하고 있다.

때때로 불황이나 전쟁이 있었음에도 불구하고 이들 나라에서는 생산과 소득의 추세는 급속하게, 그리고 착실하게 상승 경향을 유지하고 있었다. 이 집단 내의 수개 국에서는 생활수준은 속도는 다르다 할지라도 계속 상승하고 동시에 개인에 대한 기회균등도 점차 증대하고 있다.

한편, 빈곤한 나라는 대체로 발전이 있었다 하더라도 훨씬 완만하게 진전했다. 오늘날에 있어서조차도 빈곤한 나라의 발전은 크게 낙후되어 있으며, 나라에 따라서는 정체하고 있거나 혹은 쇠퇴하고 있다. 비소련적 세계에서 진행되고 있는 자본형성이나 공업화는 주로 이미 공업화된 부유국의 생산 능력이 계속 증대하고 있다는 사실에 의하는 것이다. 국가집단 상호간의 격차는 항상 확대를 계속하고 있었으며 오늘날에도 역시 확대가 계속되고 있다.

세계가 명확하게 두 개의 경제적 국가집단으로 구분된 것은 이처럼 오래된 일이다. 오늘날 세계사회의 특권적인 상층집단을 형성하고 있는 소수의 나라는 이미 금세기 초 아니 그보다도 빨리 최상위를 차지하고 있었다. 그렇지만 당시의 그들 나라는 오늘날만큼 부유하지는 못했었다.

소련권 국가의 대부분은 당시에는 아직도 저개발국권에 속하고 있었다. 그렇기는 하나, 그들 중의 약간은 이미 불안정하나마 중위층의 지위를 달성했거나 혹은 달성하는 과정에 있기도 한다.

비소련적 세계에 있어서는 집단 내의 상대적 지위에는 물론 아주 중대한 변화가 일어나기도 했지만, 위계의 경계선을 넘을 만큼 결정적인 움직임은 거의 없었다. 상층집단에서는 미국이 절대적으로, 뿐만 아니라 집단 내의 다른 나라에 비해서도 부와 복지의 꾸준한 상승을 보이고 있었다. 바로 뒤를 쫓아 백인 자치령 특히 캐나다와 또한 스칸디나비아 제국이 있고, 반면에 영국과 프랑스는 그 계층 내에서의 상대적 지위를 낮게 하고 있다.

지난 10년 동안에 서독은 제2차 대전 중의 완전붕괴 이후로 힘찬 전진을 계속하고 있었으므로, 전에 차지하고 있었던 계층 내에서의 상대적 지위를 회복해 가고 있으며, 멀지 않아 그것을 넘어서게 될 것이다. 그러나 이들 여러 나라는 모두가 오늘날까지 아주 여유 있는 생활을 하고 있으며, 그 평균 실질소득은 이미 저개발세계를 훨씬 넘는 데까지 이르고 있다. 더욱이 이들은 가일층 꾸준하고 급속하게 진보를 계속하고 있다. 세계적인 관점에서 강조되어야 할 중요한 사실은 이들 모든 나라가 상대적으로 아주 부유하고 더구나 언제나 점점 부유하게 되어가고 있다는 점이다.

제2차 세계대전 후에 이르러 비로소 빈곤한 나라에 있어서의 경제개발이나 개발계획이라는 문제가 표면화되기에 이르렀지만, 이것은 전후에 일어난 거대한 정치적 변화의 결과인 것이다. 그리고 특히 이와 같이 경제적 논의가 새로운 방향을 취하게 된 것은, 세계열강의 식민지 체제의 붕괴와 저개발국 자체 내에서의 '위대한 각성'에 연유하는 것이다.

이들 국민은 물론 20년 내지 50년 이전에도 지금과 마찬가지로 빈곤했고, 또한 개발을 필요로 하고 있었지만, 당시의 권력 상황은 이들 나라의 개발문제에다 실천적인 정치적 중요성을 부여하지 않고 있었다. 그렇지만 오늘날에 있어서는 경제학자나 그 밖의 사회과학자가 저작한 매우 많은 부분, 그리고 끊임없이 증대해 가는 부분이 이 문제에 충당되고 있다. 사회과학의 이러한 큰 방향전환의 흐름 속에서 저자는 현재 저개발세계의 커다란 지역인 남아시아의 개발문제를 연구 중에 있다.

내가 예일대학교에서 1958년의 스토르기념 강의를 하도록 초대되는 영광을 받았을 때 내가 최초로 마음먹은 것은, 이 기회를 이용하여 세계의 3대국에서 실시되고 있는 계획 상호 간의 차이에 대해서 그 특질을 말해 보고자 하는 것이었다. 그렇지만 결국은 서구적 국가들에서 일어난 일, 그리고 현재 일어나고 있는 일에 관한 나의 낡은 지식—이 지식이 아주 다른 상황 속에 있는 여러 나라를 최근에 알게 됨으로써 다소 날카롭게 되었기를 나는 바라는 바이지만—에 의지하는 것으로 끝나고 말았다.

이리하여 이 강의에서 나는 주로 부유한 국가에서의 계획화에의 추세와 이러한 추세가 갖는 국제적인 의미관련을 분석하기로 하고, 다른 두 개의 권에서는 정세나 정책이 어떻게 다른가에 대해서는 극히 일반적인 시사를 준다는 시도로 한정하기로 한다. 그렇게 한정한 이유의 하나는 주제가 커지면 거추장스럽게 되어 4개의 강의로는 만족스럽게 다루기가 어렵다는 것이 판명되었기 때문이다.

동시에 저개발국에서의 계획에 관한 특수문제에 대해서는, 아직도 이 문제와 씨름을 하고 있는 문제에 너무나 확정적인 공식화를 하여 자기를 구속하는 것을 원치 않았기 때문이다.

그렇게 한다면 나의 금후의 연구에서 스스로를 주관적으로도 희망하는 대로 자유롭게 두는 것이 멀지 않아 불가능하게 될 것이라고도 생각했다.

그렇지만 부유하고 진보적인 서구적 국가들의 계획화에의 추세를 논하는 이 졸저에다 '서문'을 쓰는 데 즈음하여, 나는 비소련권과 소련권 사이 뿐만 아니라 소련권 밖에 여러 나라의 두 개의 주요 계급 상호간에도, 기본적인 차이가 있다는 것을 강조할 필요가 있다고 생각한다. 이렇게 쓰고, 또한 본문에다 약간의 절(節)이나 장(章)을 삽입해서 이러한 생각을 몇 걸음 전진시키고자 한 데에는 몇 가지 이유가 있다.

그 이유의 하나는 이러한 차이가 있고, 또한 그것이 부유한 나라의 발전이 계속적이고 급속적이기 때문에 더욱 증대하는 경향이 있다는 것은 세계무대에서는 아주 중요한 요소이며, 비소련적 세계의 일부만을 연구하는 경우에도 언제나 명심해 두어야 한다는 데 있다.

또 하나의 이유는 이러한 차이가 너무나 심하므로 어느 유형의 나라로부터 얻어진 유추를 다른 유형에 적용하는 것은 사람을 오도하기 쉽다는 데 있다.

이 점과 관련해서 나는 자기의 논점을 가장 명확하게 말할 수 있는 처지에 있지는 않지만, 이러한 유추를 하지 않도록 경고를 하고, 그리고 경제성장이나 경제개발 계획에 대해 사실이 그 타당성을 보증하는 이상으로는 일반화된 개념을 사용하지 않도록 경고를 하고, 나아가서는 또한 이러한 경고를 하는 자기의 입장에 대해 적어도 일반적인 이유를 말해 두고 싶은 것이다.

셋째의 이유로는 서구적 국가들의 계획화의 여러 문제를 논함에 있어서 내가 시도하고 있는 바와 같이 일반적으로 다루는 경우에는 변명과 해명이 필요하게 되기 때문이다. 이 집단에 속하는 수개 국 상호간의 계획화에 관한 차이는 이들 모든 나라를 한데 뭉쳐 나머지 다른 세계와 비교하는 경우에는 확실히 근소하다.

이러한 사실은 부유한 모든 나라가 공통적으로 갖는 것을 발견하거나 명확하게 부각시키고자 하는 시도가 의미 있고 또한 중요하다는 것을 말하는 것으로 나는 믿는다.

마지막으로 원고를 인쇄에 부침에 즈음하여 4개의 강의의 몇몇 부분은 처음 그것을 구술했을 때보다도 크게 증보되었음을 말해 두고자 한다. 이와 관련해서 이미 발표된 논문―1950년의 루드위그 몬드강의(Ludwig Mond Lecture) "경제계획에의 추세" 《The Manchester School of Economic and Social Studies》, 1951년 1월호. 1952년 "카트 루윈기념상 강의"(Kurt Lewin Memorial Awad Lecture). "효과적인 국제협력에 대한 심리적 장해" 《The Jorunal of Social Issues》, 1952년 부록 제6

데리대학교 경제학부 창설기념강의(1957년, 《경제통합의 제
문제》미간). 1957년도 다이손강의(Dyson Lectures) "경제적
국민주의와 국제주의" 《Australian Outlook》, 1957년 12월호.
신사회연구원에서의 1956년의 강의 "원조와 무역" 《*American
Scholar*》 1957년 계절호. 오스트레일리아의 ABC라디오 강의
2회 "경제분야에 있어서의 국제조직" 《Svenska Dagbladet》,
1957년, 스웨덴어로 발표 국제사회사업협회의 1958년 동경대
회에서의 개회사 "저개발국에 있어서의 사회사업의 필요와
그것에 충당되는 임금"도 또한 인용했다.

　이들 논문의 인용을 쾌히 허락해 주신 간행물의 편자에게
사의를 표하는 바이다. 이 책이 간행되기까지의 여러 준비
단계에서 수고를 해주신 미가엘 리프톤씨를 포함한 동료 및
친우 제형의 비판에 힘입은 바 크다.

옥스포오드 대학에서

군나르 미르달

CONTENTS

CONTENTS

CONTENTS

CONTENTS

현대복지국가론

K.G. Myrdal
Beyond The Welfare State

Part 1
계획화로의 추세
The Trend towards Planning

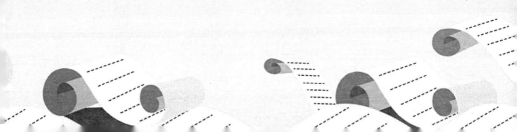

제1장 부패하고 혼란한 논쟁

　현재 서구적 [유럽과 북아메리카] 국가들에서 가장 사정에 어둡고 지혜롭지 못한 논쟁의 하나는 '자유경제'와 '계획경제'의 어느 편을 택하느냐 하는 문제와 관련되어 있다.

　이 논쟁은 지금까지 언제나 비현실적이었고, 또한 지금도 더욱더 그렇게 되어가고 있다. 국가사회에서 우리들의 생활과 현실의 실제적 문제들을 이러한 두 개의 상반되는 용어를 가지고 논한다는 것은 적당하지도 않고, 타당하지도 못하다.

동의어 반복의 한 예

　이 오랜 논쟁에서 사용된 용어 자체를 보더라도 이 논쟁이 지적으로 깨끗하지 못한 과거의 철학에 그 근원을 두고 있음을 알 수 있다.

　'계획경제'라는 낱말만으로도 이용이 가능한 여러 자원을 어느 목적 혹은 어느 목표를 위해 처분하는 것을 의미하기 때문이다. 이러한 활동의 조정이 어떤 목적을 가졌다는 것을 암시하기 위해서 '계획'이라는 낱말을 첨가한다는 것은 하등 의미가 없으며, 적어도 좋은 용어법이 될 수 없을 것이다.

주지하는 바와 같이 언어는 비윤리성으로 가득 차 있다. 그러나 특히 이번의 경우처럼 그 비논리성이 학문적 관용어로부터 직접 파생하는 예는 매우 드물다. 이러한 동의어 반복이 사상을 표현하는 데 필요하게 된 이유는 자유주의적 경제이론이 약 2백 년 전에 생겨난 이래 사용되었던 '경제'라는 용어의 의미 자체 내에 있다.

그 이론에 있어서는 경제라는 용어가 어떠한 목적을 목적의식 없이 달성한다는 목적론적 개념을 나타내고 있었다. 그래서 이 용어는 계획 활동이나 혹은 가계 활동과 같은 본원적이고 일반적인 의미를 박탈당하고 말았던 것이다.

어떤 내재적인 목적을 향해서 경제생활을 자율적으로 조절한다는 것, 즉 '비계획적인 계획'이라는 개념은 자유주의적 경제이론의 근거에 있는 기본적인 형이상학적인 가치개념이며, 그것은 자연법과 공리주의 철학의 테두리 속에서 발전해 왔던 것이다. 그러한 사고는 특히 우리들이 자유방임주의라고 일괄하는 경제사상의 분야에서 성행하고 있었다. 따라서 이것과 정반대의 정치적 입장, 즉 경제과정은 의식적으로 지도되어야 한다는 입장을 나타내기 위해서 '경제계획'이라는 동의어 반복인 표현법이 안출(案出)되었던 것이다.

마르크스가 미처 알지 못한 것

'경제계획'이라는 개념은 보통 마르크스나 마르크스주의와 관련지어지고 있다. 이것은 확실히 잘못이다. 내가 알기에는 마르크스의 저서 속에는 '경제계획' 혹은 '계획경제' 즉 *Planwirtschaft*라는 용어조차 없다.

마르크스는 계획자가 아니라 분석이론가였고 예언자였다. 분석이론가로서의 마르크스는 역사 및 사회학 연구의 기본적 접근 방법에 지대한 영향을 주었으며, 경제학에서는 특히 경기변동과 발전이론에 대한 영향이 컸었다.

앞에서도 지적한 바와 같이 마르크스의 영향은 미국의 사회과학, 특히 사회학에 가장 컸다. 그렇지만 그 영향은 별로 주의 받지 못했고, 더구나 충분하게 인식되는 일은 거의 드물었다. 예언자로서의 마르크스는 다른 모든 예언자와 공통된 운명, 즉 그 예언이 적중하지 않는 운명을 겪어야 했다. 우리들이 1백 년 이상이나 앞선 마르크스가 한 예언이 실현되지 않았다는 것을 계속 지적하는 것을 즐기고 있는 동안 우리들은 비교적 중요한 많은 사실을 마르크스와 같이 정확하게 예견했다는 것은 분석이론가로서의 그의 천재(天才)를 나타내는 증좌(證左)라는 것을 잊기가 쉽다.

무엇보다도 가장 역사에 남을 만한 것은 마르크스의 웅장한 통찰력이다. 즉 공업화의 진전에 따라 자연적 힘이—헤겔식으로 자연적 발전을 예상하고 그것에 동조한, 아니 오히려 그 개척자로 활약했던 선견지명을 가진 선전가나 조직가의 도움을 얻어—빈곤한 대중으로 하여금 '수탈자를 수탈'하게 하는 시기가 무르익을 때 폭력혁명을 일으키게 한다는 예언이다. 일시적으로 독재 권력을 수중에 넣은 무산계급은 다음으로 착취적인 계급사회의 제도적 형태로서의 국가를 파괴할 것이라고 그는 예언했다.

마르크스는 이상과 같은 주요한 예언에 많은 수정과 단서를 추가했지만 그것에 대해서는 여기서 논하지 않기로 한다. 보다 중요한 것은 혁명 다음에 무엇이 일어날 것인가를 마르크스가 애매한 상태로 남겨 두었다는 사실이다.

마르크스의 사상에는 엥겔스가 말한 바와 같이 국가는 고사(枯死)하고 마르크스가 때때로 '자유의 천지'라고 부른 상태가 뒤따르게 된다고 하는 주장이 포함되어 있는 것이 사실이다.

흔히 인용되는 이러한 표현에 우리들의 주의를 집중시키고, 또한 극히 복잡한 사고(思考)의 소유자였다고 밖에 볼 수 없는 한 저술가로서의 마르크스의 사상을 단순화 한다면 우리는 그를 숙명론자로 뿐만 아니라 근본에 있어서 무정부주의자로 특징지을 수밖에 없을 것이다. 그러나 마르크스가 혁명 후에 소멸하리라고 기댔던 '국가'는 국가 그 자체의 사회질서가 아니라 오히려 부유계급의 지배에 의해서 일그러진 특정한 사회 질서를 의미한다는 명백한 시사가 있다.

나아가 마르크스는 계급국가의 뒤를 이어 풍요와 경제적 평등의 상태 아래에서 전개되는 새로운 사회관계에 입각하여 새로이 조직되는 국가를 생각했음이 틀림없다. 그럼에도 불구하고 마르크스는 계획자가 아니라고 강조할 때의 나의 유일한 의도는, 마르크스가 계획에 관한 관념을 극히 일반적이고 추상적이며 모호하게 설명했기 때문에 일부러 그것을 찾는 독자가 아니면 그냥 넘어가게 된다는 사실을 지적하고 싶었던 것이다.

그의 사관(史觀)뿐만 아니라 경험주의로 말미암아 마르크스는 혁명과 혁명 직후라는 대변혁의 건너편에 있는 미래의 국가와 국가정책에 대해서는 그 이상 구체적으로 설명할 수 없게 되었던 것이다. 이리하여 자본주의 사회가 자연적으로 발전해서 최후에 도달되는 단계—즉 '각자가 능력에 따라 일하고 필요에 따라 배분받는다'라는 법칙이 지배하는 자유롭고 계급이 없는 공산사회(共産社會)—가 실제로 어떻게 조직되는가에 대해서는 마르크스의 모든 저작을 들춰봐도 별로 언급되지 않았다.

또한 혁명 후에 일시적인 권력을 잡은 독재정부가 구계급국가를 새로운 평등주의적 국가로 변혁시키기 위해 채택할 정책 기술에 대해서도 그는 분명히 언급하지 않았다. 그리고 평화적으로 혁명도 없이—사실상 혁명을 대신하는 것으로서—한 나라의 경제가 국민다수의 이익을 위해 기능하도록 하는 광범한 효과가 있는 잘 조정된 공공정책을 자본주의 사회 속에 점진적으로 도입한다고 하는 착상은—이것은 오늘날 서구적 나라의 민주적 복지국가에서의 경제계획의 본질적 이념을 형성하고 있다. 독일인 같으면 '체계적으로 이질적'(systemfremd)이라고 부를 수 있는, 다시 말하면 마르크스의 사고방식에는 전혀 생소한 것이다.

계급 없는 자유사회가 마르크스의 학문적 노력에 대한 암시적 가치 전제로 되어 있었다는 것을 부정하고자 하는 것이 부질없는 일임은 말할 나위도 없다.

마르크스가 초기 자본주의 사회를 가차 없이 해부(解剖)한 것도 이러한 관점에서이며 그러한 사실은 그의 저작의 대부분을 차지하고 있다. 그러나 이와 마찬가지의 급진적인 사상이 존 룩 이래의 모든 자유주의적 사고의 밑바탕에 있었다는 것을 잊어서는 안 된다. 그러나 고전학파적 자유주의 노선을 따르는 경제학자들은 논리적 왜곡을 통해서 그럭저럭 자기들의 주요한 가치관과 보수적 타협을 하고 있었다. 그러나 이러한 가치관은 여전히 초급진적인 것이어서 이들 자유주의 경제학자들은 보수적 타협에도 불구하고 결코 이러한 급진적 가치관을 원칙적으로 철회한 일은 없었다. 나아가 이미 현실에서 볼 수 있는 여러 사실들 속에 내재하고, 동시에 그러한 사실에 의해서 미리 정해진 목표를 향해 자연적인 발전이 이루어지고, 그 발전을 통해서 자연적으로 목적이 목적의식 없이 달성된다고 하는 생각은 마르크스의 사고뿐만 아니라 고전학파적 자유주의 경제학설의 밑바탕에서도 찾을 수 있는 목적론적 개념이다.

오랜 정신사상의 모든 다른 사람들—나나 여러분을 포함해도 좋다고 생각하는 바이지만—과 마찬가지로 마르크스는 그의 이단(異端)에서마저도 당시의 지배적 관념에 의해 제약을 받고 있었으며, 따라서 경제적 자유주의학파 전체와 마찬가지로 근본적인 형이상학적 선입관으로 둘러싸여 있었다. 실제로 마르크스는—그리고 엥겔스는 보다 강하게—초기의 프랑스나 영국의 사회주의자들이 생각하고 있었던 제멋대로의 경제 계획안을 '비과학적'이라고 비난했다.

마르크스가 그들의 전철을 밟는 것을 거부한 것은 그들의 계획이 경제적·사회적 및 정치적인 모든 힘을 너무 소홀히 한 채 실시되었다는 사실 때문만은 아니었다.

모든 계획에는 비록 그것이 포괄적인 현실의 연구에 현세적인 뿌리를 깊이 박고 있다 하더라도 한 줄기의 신념적 요소가 있다. 즉 그것은 역사를 움직이는 독립된 힘으로서의 이성을 믿는 것이고, 그리고 또한 인간이 현실을 자기의 의도에 따라 변혁하고, 따라서 장래의 발전 방향도 바꿀 수 있는 선택의 자유를 갖는다는 것을 믿는 것이다. 본질적으로 계획이라는 것은 현존하는 여러 조건이나 여러 힘, 그리고 그러한 인과적 상호관련이 제기하는 여러 제약을 인정할지라도 비결정론적 역사관에 있어서는 하나의 연습에 불과하다.

다시 말을 더한다면 마르크스를 단순한 역사적 결정론에 결부시키는 것은 잘못이다. 그는 아주 복잡한 사상가였으므로 그의 사상을 단순화하거나 통속화함으로써 그를 위해서 구상된 어느 학설의 테두리 속에 집어넣을 수는 없다. 그러나 마르크스가 도저히 계획자는 될 수 없다는 점에서 충분히 결정론자였다고 말해도 좋을 것이다.

마르크스는 자본주의가 근본적으로 자기를 개혁할 능력을 갖지 못한 것으로 생각했기 때문에 계획을 생각할 마음의 여유가 거의 없었다. 또한 그는 자본주의의 붕괴 후에 출현하게 될 미래의 아주 다른 사회주의 사회를 위한 청사진을 그리는 데에도 몰두하지 않았다.

소련으로부터의 유추

마르크스가 경제계획이라는 현대적 개념에 관련된 마르크

스의 완전한 무지에 대한 나의 말은 러시아에서 그 후에 일어난 사실과 모순되지 않는다. 공업적으로 그처럼 후진국이었던 나라에서 제1차 세계대전 말기에 일어난 혁명은 마르크스 자신의 예언과 상반되는 하나의 역사적인 사건이었다. 왜냐하면 그는 최초로 정치적 폭발에 돌입하는 것은 선진 여러 나라의 성숙된 자본주의라고 결론을 내렸기 때문이다.

또한 마르크스는 러시아에서의 혁명 후의 '무산계급의 독재'는 하나의 과도적인 현상이 아니라 항구적인 절대적 국가권력으로 굳어지게 되리라는 것도 예견하지 못했다. 그러나 이것은 실제로 러시아에서 일어난 일이다. 그리고 마르크스의 예언과는 반대로 이 새로운 국가는 절대 권력을 유지하고 강화하면서 뒤에 가서는 하나의 체계적 경제계획에 착수했던 것이다.

전체주의적 단일 권력체제를 가진 소련 정부가 당초 후진국이던 러시아에 급속한 공업화를 가져오게 하기 위해서 강행한 경제계획의 형태와 서구적 국가들에서 서서히 전개되어 온 경제정책의 형태 사이에는 큰 차이가 있다고 하는 사실—이미 서문에서 언급했었지만—에 대해서는 뒤에 더 논하기로 한다. 이들 두 가지 형의 경제계획의 차이는 너무나 근본적인 것이므로 유추(類推)라는 즉, 그 두 가지 경제계획은 서로 비슷하다고 말하는 것은 옳지 못하다. 그럼에도 불구하고 이러한 유추는 계속 이루어져 왔으며, 그것은 서구적 국가에서의 '자유경제 대 계획경제'에 관한 공개 논쟁에서 상당한 역할을 해 왔다.

처음에 이러한 유추는 '자유경제'를 옹호하는 사람들이 반대파를 비난하는 수단으로 흔히 이용되었다. 이와 같은 유추는 어느 경우에도 토의에서 비합리적이고 혼란을 가져 오게 하는 요인이 되어 있었다.

공산주의자들은 결코 그러한 유추를 하지 않으며, 이들 두 가지 형태의 경제정책 사이에는 기본적인 차이가 있다고 주장한다. 바로 이 점에 있어서 나는 공산주의자들과 동감이라고 생각한다.

이데올로기와 사실의 괴리

미국은 물론 약간의 차이는 있지만 다른 모든 부유하고 경제적으로 진보된 서구적 국가들에서의 공개 논쟁은 언제나 '자유경제론자'에 의해서 지배되었다.

수량으로도 알 수 있는 바와 같이 이 문제에 관한 연설·팜플렛·신문 및 정기간행물의 논문과 전문서적, 그리고 정권을 잡았거나 혹은 정권을 노리는 정치가의 공약 등의 대부분은 최근에 이르러서까지도 경제생활의 국가통제에 반대하는 입장을 취하고 있다.

보호무역이라든가 그 밖의 대규모적인 국가간섭을 위해 싸웠고, 또 흔히 그것에 성공했던 이익단체나 정당들은 아주 주의 깊게 자기들의 주장을 계획경제라든가 경제생활의 국가통제라는 말로 논하지 않으려고 각별히 주의했다.

사회주의 정당은 그 강령에서 생산수단의 국유화—가장 포괄적인 계획경제체제—를 요구했다. 그러나 그들은 흔히 자유무역도 요구했으나 어떻게 그러한 혼합이 작용할 것인가에 대해서는 아직 한 번도 충분히 해명한 일이 없었다. 어쨌든 사회주의 정당도 정권의 권좌에 접근하기만 하면 곧—아마도 여론에 대해—전략적 타협을 하여 생산수단의 국유화 주장은 쑥 들어가고, 단지 사회개혁에 중점을 둔 보통의 진보적 정당으로만 보이려고 한다.

1930년대 초의 대공황과 유럽에서의 제2차 세계대전 종결 직전의 짧은 기간과 전후의 수년간은 일종의 막간을 형성하여 그 기간에는 포괄적인 국가경제계획이 대중의 지지를 받은 경향이 있었으며 이전보다는 다소 존중되었다. 그러나 뉴딜정책이나 다른 부유한 나라의 그것과 유사한 정치운동, 특히 사회민주노동당들 조차도 한정된 분야를 제외하고는 국가가 지도하는 경제에 찬성한다는 것을 분명히 밝히고 등장한 것은 아니었다.

경제계획이라는 관념은 거의 대부분의 경우 모든 사회에서 평이 좋지 못했고, 특히 미국에 있어서는 지적 및 도덕적 왜곡과 정치적 불온성까지 내포하는 것으로 되었다. 그것은 기독교 사회에서의 미덕과 죄악에 대한 입장과 다소 닮아가고 있다. 왜냐하면 이 사회에서는 물론 책임 있는 사람들이 취하는 입장은 조금도 의심할 여지가 없는 것이 원칙으로 되어 있기 때문이다.

몇 가지 사실이 이러한 이데올로기적 상황에 공헌했다. 우선 자유주의적 유산이 시종일관 강력하다는 것이며, 그 예로서는 이미 지적한 바와 같이 계획이라는 개념이 공공연한 것으로 되기 위해서는 동의어 반복적 표현조차 구하지 않으면 안 되었던 것이다.

계획경제를 마르크스나 마르크스주의와 동일시하는 그릇된 견해도 그것이며, 이 양자에 대해서 서구적 사회가 호감을 갖지 않는 데에는 그럴 만한 이유가 있기 때문이다. 또한 소련의 경제계획에 대해 그릇된 유추를 하는 것도 그것이다.

소련의 경제계획은 처음부터 반감적이었으며—파시스트제국과의 전쟁에서 소련의 '훌륭한' 동맹국이었던 제2차 세계대전 중의 수년간을 제외하고는—시간이 흐르고 냉전이 시작됨에 따라 더욱 미움을 받게 되었다.

그런데 아이러니컬한 일은 그간에 우리들의 국민경제는 1세기 이전, 아니 반세기 전까지만 해도 누구도 상상할 수 없었을 정도로 점차 통제되고 조직화 되고, 그리고 정합(整合)되기에, 즉 계획되기에 이르른 사실이다.

뒤에서 설명하겠지만 이것은 모두가 단편적으로, 그리고 거의 즉각적인 방법으로 이루어졌다. 우리들의 정부도 의회도 그리고 일반 시민도 이러한 형의 사회야말로 바로 우리가 원하는 사회라고 생각해 본 적은 한 번도 없었다. 오히려 그 반대로 유발된 여러 변화에 의해서 점차적으로 계획이 나타났고, 이들 변화는 모두가 사회적 통제를 증대하는 방향으로 작용하게 되어 드디어는 계획적인 정합(整合)의 도(度)를 부단히 상승시키게 되었던 것이다. 이러한 현상은 모든 사람들이 이런 일은 일어날 리가 없다라든가, 우리의 경제는 '자유경제'이다라고 떠들어댔음에도 불구하고 일어났다.

모든 국가에 있어서 이러한 상투 문구는 실업가나 정치가에게는 복음이 되었지만, 그들의 일과야말로 바로 시장을 구제하거나 새로운 정책적 간섭을 안출하는데 있었고, 그리고 또한 최근에 이르러서는 이러한 모든 간섭행위를 행위 상호 간에 있어서 뿐만 아니라 국가적 발전이라는 일반적 목표와 보다 잘 정합시키고자 하는 노력에 참가는 데 있었다.

이리하여 '자유경제' 대 '계획경제'에 관한 모든 논의는 이상하게도 현실과는 관계가 없으며, 또한 사람들이 그 일상생활에서 느끼고 추구하는 이해와도 관계없이 되어버렸다. 그러므로 서구적 국가의 사람들은 일반적으로 자기들이 '자유경제'로부터 얼마나 멀리 벗어나 있으며, 자기들의 나라에는 조직화된 사회에 의한 통제적 간섭이 실제로 얼마나 많이 존재하며, 그리고 실용적이고 비포괄적인 형의 국민경제 계획이 사실 얼마나 중요한가를 알지 못한 채로 있는 수가 많다는 사실은 그리 놀라운 것이 못된다. 그러나 이러한 편의주의적인 무지의 상태는 불안정하다.

'자유경제'의 이상을 호소하고 다음에는—내가 방금 지적한 바와 같이—우리들이 어떻게 이러한 이상에서 멀어져 가고 있는가를 지적하고, 한걸음 더 나아가 우리들이 현재 빠져들고 있는 상태를 '잠행성의 사회주의'(creeping socialism)라고 특징지우거나 또는 우리들이 '노예에의 길(road to serfdom) 로 들어섰는지 모른다고 경고하는 사람은 누구나, 특히 그가 지나치게 특수한 것에 치우치지 않는 한 대중의 공감을 얻게 될 것이 확실하다.

이러한 반응과 비슷한 것은 과세에 대한 사람들의 태도일 것이다. 이러한 태도가 위의 반응과 또한 서구적 국가들에 있어서도 과세는 걷잡을 수 없고, 또한 너무나 높고 가혹하게 되었다는 견해를 갖는 사람이 다수를 차지하고 있을 것이다. 그러나 세금의 인하를 가능하게 하는 구체적인 지출 삭감을 결정할 만한 유효 과반수가 어느 의회에도 존재하지 않는다는 것은 명백하다. 그리고 선거 때마다 사람들은 지출 삭감에 대해서는 아무 것도 하려 하지 않거나 할 수도 없는 사람을 투표에 의해서 정권의 권좌에 앉혀 놓는다.

지금 말하고 있는 이데올로기적 상황이 전혀 실천적인 결과를 가지고 있지 않다고 말하고 싶은 생각은 없다. 모든 서구적 국가에서는 보건·교육·도로 그 밖의 많은 분야에서의 공공 소비지출은 아마 우리들의 상대적 가치 면으로 보아 적당하다고 생각되는 수준 이하로 삭감되어 가고 있을 것이다.

미국에서는 '의료의 세계화'라는 틀에 박힌 문구는 그것이 이러한 '자유경제' 대 '계획경제'에 관한 논쟁과 관련을 가지고 있으므로 적어도 당분간은 보건비용에 대한 사회적 분담은 응당 있어야 한다는 투철한 생각이라든가 보건 개선의 진보 등에 대해 감정적인 장해가 될 것이다.

실제로 이 틀에 박힌 문구는 이를테면 소아마비 왁진을 능률적으로 국민이 이용하도록 함에 있어서 정부가 때때로 실패하는 경우에 그 실패를 은폐하기 위해 이용될 수도 있다.

'자유기업'이란 상투어는—우리들은 모두가 자유와 개인이 자기의 기회를 추구할 수 있는 행동의 범위에 대해 진실한 애착을 가지고 있으므로 이러한 말은 감정에 호소하는 바가 있다.—공공의 이익이 된다는 관점에서, 이를테면 거대하고 비인격적인 국제적 석유 독점사업의 독점가격 정책과 같은 것을 폭로하는 사람들이나 단체 조직들에게 쓸모 있는 말이 될 수 있다. 하긴 그러한 독점가격 정책은 그들 자신이 자기들의 비밀을 유지하기 위해서 내세우고 있는 자유기업의 이상형과 그다지 유사하지 않다는 것은 확실하다.

이러한 일반적인 논쟁에서 오직 한쪽의 신성한 용어에 대해서만 비합리적인 연상(聯想)을 예증(例證)하고 있으므로 나는 당파심이 아주 강하다는 인상을 주게 되는지도 모른다. 그러나 아무리 진지하게 기억을 더듬어 보아도 서구적 국가에서는 어떤 정책의 방향이 그것을 경제계획이라는 관념으로 감정에 호소하도록 뒷받침함으로써 사람들에게 보다 매력적인 것이 되었다는 뚜렷한 유례를 찾을 수는 없다.

그렇다고 해서 나는 그렇게 된 것이 '계획경제'의 선전가들이 진리나 논리에 대해 보다 신중하기 때문이라고 말하고 싶지는 않다. 아니 오히려 그것은 내가 강조하는 다음과 같은 중대한 사실에 의해서 설명될 수 있다. 즉 서구적 국가에서는 현실의 발전이 꾸준히 가일층 계획화를 향해 전개되었음에도 불구하고 계획을 반대하는 태도가 계속 존중되고 인기 있는 것으로 남게 되었다는 사실이다. 그리고 특수문제나 개인과 집단의 이해가 표면에 나타나지 않는 일반적 수준에서 토론이 진행되는 경우에는 더욱 그러했다.

저개발국가들

지적으로는 실제로 존중할 수 없는 어떠한 것을 '계획경제'와 동화시킴으로써 쉽게 믿는 대중에게 성공적으로 설명할 수 있는 예는 허다한 저개발국에 있어서의 수많은 논의에서 볼 수 있는 일이다. 왜냐하면 대개 저개발국에 있어서는 상황이 정반대로서 공개토론에서 '계획경제'를 원하는 사람이 도리어 우세하기 때문이다. 그곳에서는 '계획경제'가 사회적 우대를 받는 반면 '자유경제'를 변호하는 자는 요주의 인물이 되어버린다.

또한 서구적 세계의 부유한 나라와는 반대로 실제로 저개발국의 경제생활에 대한 계획적이고 효과적인 국가간섭의 조처는 아직은 비교적 적은 것이 보통이다. 저개발국은 그 대부분이 최근에 까지 예속되었던 식민지체제로부터 모국인 식민열강이 열등한 지위에 있는 외국인을 지배하는 수단으로 사용했던 획일주의, 형식주의 및 소관료주의 등의 유산을 이어받고 있다.

더욱이 그들은 모두가 짧은 독립 기간을 이용해서 이러한 행정상의 구속물을 현저하게 증가시켰던 것이다. 그러나 가장 기본적인 여러 점에 있어서는 사회적 통제가 아주 약하다. 자칭 '자유기업' 경제의 나라라는 서구적 국가의 실업가에게는 이들 일부 저개발국의 경제생활은 계획의 유무를 막론하고 밀림처럼 보일 것이다.

저개발국의 사람들은 대부분이 이러한 사실을 모르며 살고 있다. 왜냐하면 저개발국에 있어서는 국민 다수가 경제계획을 승인하고 있으므로 경제계획의 현실적 중요성을 과대평가하는 일반적 경향이 흔히 지배적이기 때문이다. 그것은 마치 서구적 국가에서는 계획과 통제가 현저하게 진전되어 있음에도 불구하고 사람들은 '자유경제'를 가지고 있다는 생각을 버리지 못하는 것과 마찬가지이다.

만일 저개발국이 오늘날의 선진국이 일찍이 직면한 것보다도 훨씬 어려운 상황에 있으면서 경제발전을 낳는 기회를 가져야 한다면 경제학자들이 현재 일반적으로 이들 저개발국은 보다 많은 계획과 국가간섭을 필요로 한다는 의견에 그 타당성을 시인하게 될 것이다. 이 문제가 국제기관에서 토의와 결의의 대상이 되어 있을 때에는 서구적 국가의 정치가나 관리들도 이들 저개발국을 위해 같은 입장을 취하기에 이르렀던 것이다. 비록 그들이 자기들의 실속은 다 차리면서 그렇게 한 것이 분명하지만 말이다.

불참선언

서구적 세계에서 수십 년, 그리고 수 세대에 걸쳐 전진해 온 '자유경제' 대 '계획경제'에 관한 이러한 대중적 논쟁이라든가, 이러한 토의와 서구적 세계에서 실제로 볼 수 있는 정치적 및 경제적 상황이나 전개 사이의 관련에 대해서 다룬다는 것은 물론 사회과학자에겐 흥미 있는 연구과제가 될 것이다. 그러나 사회과학자는 한 발 내려가서 그러한 토론의 참가자가 되어서는 안 된다. 나는 나의 동료들이 그렇게 하는 것을 보고 언제나 놀라게 된다.

여하튼 이 책은 '자유경제'의 변호론도 아니고, 또한 '계획경제'를 희구하는 것도 아니다. 경험에 의하면 사람들이 이처럼 천박하게 비현실적으로 메마르고, 그리고 대조적으로 사물을 보는 방법을 아주 유형을 달리하는 사회에서 훨씬 옛날부터 이어받아 고정관념으로 굳혀 버렸으므로 계획경제에 관한 한 어떠한 새로운 저서라 할지라도 그것은 두 개의 비통속적 추상개념을 에워싼 옛부터의 진부한 논쟁에 또 하나의 논쟁을 더하는 것으로 많은 독자가 미리 생각하게 될 것이다. 그러므로 단호하게 불참가를 선언하는 것이 필요하다.

그런데 그 자체로도 한 권의 책이 될 만한 문제에 관해서 그 개요를 간단히 기술했으므로 여기서 이론 문제는 떠나기로 한다.

이제부터 이 책은 사실에 관한 문제만을 취급하기로 한다. 즉 '경제계획'이 서구적 세계에서 실제로 어떻게 전개되었는가, 그 현황은 어떠한가, 국제 관계에 미치는 효과는 어떠한가, 또한 장래에 대한 전망은 어떠한가 등이 그것이다.

나의 접근 방법을 명확히 하기 위해서 나는 오래 전부터 계승되어 온 자유·평등·우애를 나의 가치 전제로 하고 있다는 것을 부언하는 것으로 족할 것이다.

각국의 국내 관계에 관한 한 경제 계획화의 추세는 언제나 이들 이상을 가장 완전하게 실현한다는 것을 넌지시 의미하고 있다. 그러므로 이 책에서 나는 급속하게 발전하고 있는 현대의 민주적 복지국가의 이데올로기에 대해 하나의 해석을 줄 수도 있다.

더욱이 이 문제는 사람들이 이 책의 서문에서 언급한 바와 같이 진부하고 쓸데없는 논쟁에 대해서 선입관을 가지고 있으므로 아직 뚜렷하게 해명되지 않은 과제로 남아 있다.

국제관계에 관해서 각국의 경제계획은 이들 이상에 합치될 만큼의 성과를 올리지 못하고 있다. 복지국가는 민족주의적인 색채를 띠고 있다. 국제적 자유·평등·우애의 이상은 '복지세계'로 향하는 정치적 전개에 의해서만이 이것을 달성할 수 있을 것이다. 그리고 이러한 전개는 개별국가 내에서 경제계획화의 추세에 상당히 기본적인 변화들이 있어야 한다는 것을 의미한다.

이 책의 제1부에서는 국내적 문제만을 논하고, 국제문제는 제2부로 미루기로 하겠다.

제2장 국제적 위기의 충격

무계획적 발전의 계획화

서구적 국가들에서 계획화가 서서히 출현하여 점차 그 중요성을 더하게 된 것보다 더 무계획적인 발전을 한 예는 없었다. 의식적으로 계획화의 촉진을 지향했던 이상과 이데올로기, 이론과 선전, 정치강령과 정치행동 등은 전혀 이렇다 할 역할을 하지 못했다.

내가 이미 지적한 바와 같이 이들 서구적 여러 나라 특히 미국에서의 공개토론은 몇 세대 전에 경제적 자유주의가 등장한 이래로 국가간섭 일반과 특히 국가계획에 반대하는 여론이 압도적이었다.

국가간섭이 꾸준히 성장하게 된 것은 정치 지도자의 제창(提唱)과 시정(施政)에 의한 것이었지만, 그들은 시종일관 '자유경제'의 미덕을 외치고 있었다. 확실히 국가와 국민은 한 걸음 한 걸음 경제생활의 지도와 통제에 대해서 보다 많은 책임을 지게 됐지만 그것은 우연히 그렇게 되었을 뿐 의식적인 선택에 의해서 그렇게 된 것은 아니었다.

자유주의적 과도기

멀리 소급해 본다면 서구적 국가들에서의 산업혁명은 대중의 경제수준을 보다 높이기 위한 국가적 경제발전계획—이러한 계획은 이전에 소련에서 선언되었던 바와 마찬가지로 이제는 저개발국에서의 정칙(定則)으로 되어 있지만—의 결과가 아니라 자기 자신의 이윤을 위해 새로운 발명을 이용코자 하는 개별 기업가의 자유롭고 분산된 기업의 결과였다. 산업혁명이 길드와 국가통제의 구체제에 주었던 충격은 그것을 서서히 하나씩 붕괴시켜 나갔던 것이다.

이러한 작용의 정도와 완벽성, 그리고 그것이 공업화의 동향에 대한 갖는 관련은 서구적 나라마다 현저한 차이를 가지고 있었다. 결국 낡은 통제의 청산은 영국이나 스칸디나비아에서 유럽 대륙 여러 나라보다도 깊게 이루어졌으며, 한편 아메리카 신대륙에서는 처음부터 이렇다 할 통제가 없었던 것이다.

나는 이러한 자유주의 이전의 시대로부터 물려받은 유산에 대해서 제4장의 마지막에 가서 다시 논하겠다. 그러나 경제생활에 대한 국가간섭은 여전히 어느 나라에서도 흔히 볼 수 있으며 중요한 것으로 남아 있었다. 그럼에도 불구하고 국가간섭은 이제 공업화 하는 새로운 동태적인 힘과 그 움직임에 따르는 다른 많은 변화에 의해 보다 강하게 발동됨에 이르러 그 형이나 방향을 달리하는 경향을 갖게 되었다.

이러한 국가간섭은 통일성이 없고, 또한 공업화 이전의 시대보다 계획적 정합(整合)에 대해 그다지 중요하지 않은 문제로 되는 경향이 있었다. 실제로 그것은 의식적으로 계획된 것은 아니었다. 이것은 다음과 같은 사실과 관련이 있다. 즉 이전에 이루어졌던 통제가 간섭주의적 이론—이들은 중요한 상이점이 있으나 총괄적으로는 편의상 중상주의(重商主義), 즉 그 자체가 각종의 형태를 갖는 관방주의로부터 발전해 온 것으로 알려지고 있다—의 지지를 받았던 반면에 자유주의 시대의 이론은 그것이 서구적 여러 나라에 출현하기 시작했을 때에는 비간섭주의의 한 형태였다.

유럽 대륙에서 구통제의 청산이 비교적 불완전했다는 사실은 이러한 자유주의 이론의 승리도 비교적 불완전했다는 것과 이데올로기적으로 유사한 사례를 보여 주었다.

국가간섭은 국가계획에 앞선다

시야를 넓혀 본다면—그리고 몇몇 나라 사이의 차이라든가 특히 일부의 나라에서 어떤 분야에 생긴 장기 혹은 단기의 후퇴를 논외로 한다면—국가간섭의 총량은 그 후 꾸준히 증가하고 더우기 그 증가는 체증적이었다. 한정된 일시적인 목적에 이바지 하고 특수이익을 수호하고 흔히 어떠한 긴박한 비상사태에 대처하도록 특별히 언제나 새로운 조처들이 취해졌던 것이다.

새로운 철도 건설을 조장하는 정책, 새로운 정착지를 개척하는 정책, 광물자원이나 수력(水力)이 개발될 수 있는 조건을 확립하는 정책, 혹은 공업과 농업을 보호하는 정책—이들 모든 정책은 어떠한 나라든, 어떠한 시기든 발전의 일부로 되어 왔다. 그러나 이때까지만 해도 근대적인 의미에서의 전면적인 경제계획은 그리 많이 존재하지 않았던 것이다.

실제로 경제생활의 국가 지도에 대한 대중의 반감에 영합하여 정치가들이 국가의 간섭행위를 계획되고 정합된 경제정책까지를 일체화하는 것을 피하도록 언제나 최선을 다할 것으로 기대되었다.

새로운 간섭을 유발한 것은 일반적으로 특수한 환경—특정한 필요라든가 비상사태라든가 혹은 긴박한 위기—에 의해서 뿐만 아니라, 또한 그것은 사태에 따라 한정적이고 흔히 일시적인 조처로서 제출된 것이었다.

이와 같은 역사적인 발전과 소련에서의 정치적 강권에 의한 강령적·포괄적, 그리고 체계적인 국가경제 계획 실시의 차이, 혹은 저개발국에서 현재 보이는 개발계획의 시도 사이의 차이는 새삼스럽게 강조할 필요도 없을 것이다.

명백한 역사적 사실로서의 서구적 여러 나라의 국가간섭은 계획하고자 하는 의식적 결의의 결과가 아니라 일반적으로 계획화에 선행한 것이었다. 그 정상적인 결과는 간섭이 계획화를 야기시켰다는 것이다. 이리하여 계획화는 실제로 매우 이질적인 것으로 되어버렸다.

실제로 일어났던 일은 특정 분야에서의 국가 간섭이 양적으로 증대하고 복잡해짐에 따라 이것을 보다 합리적으로 정합하려는 시도가 점차 이러한 발전과정에 투입되지 않으면 안 되게 되었다. 그것은 농민들이 멋있게 비유하고 있는 것처럼 '빵이 다 된 뒤에 이스트를 넣는 것'과 다름없다.

그와 같은 정합의 시도는 다음과 같은 경우에 부득이 국가에 넘겨지고 마는 것이다. 즉 특정한 간섭에 대한 요구가 다만 일반적인 것이라고 생각했던 것이 결국은 환상에 지나지 않았다는 것이 판명되었을 때, 흔히 간섭 행위가 그것이 적용된 분야로부터 멀리 떨어진 곳에서 착란 효과를 가져 오는 결과로 끝났을 때 간섭행위가 행위 상호간과 국가사회의 다른 목적이나 정책과 양립성을 잃게 되었다는 것이 불합리하고 해로운 것으로 나타났을 때, 그리고 간섭 행위가 중대한 행정상의 문제들을 가져 오게 했을 때이다.

서구적 국가들에 있어서는 경제계획화에의 진전이 이미 특정한 분야에서 절정에 달하고 있던 국가의 간섭정책에 보다 많은 질서와 합리성을 도입하고자 하는 끊임없는 기도에 의해서 그 진로를 확정하기에 이르렀던 것이다.

장기간에 걸쳐 이러한 정합의 시도는 흔히, 현재에도 흔히 그러한 바와 같이 그 범위가 한정되었다. 대체로 그것은 영구적인 보통으로는 다만 일시적 성격을 갖는 것으로 생각되었던 것이지만 계속 추가되어 조금밖에 달성하지 못했던 정합마저 줄어들게 해버렸던 것이다.

서구적 국가들의 국내사(國內史)를 알고 있는 사람이면 누구나 이것이 경제계획을 행해서 우리들이 계속 걸어왔던 길임을 알고 있을 것이다. 간섭 행위의 철회가 실제적·정치적 이유 때문에 불가능했던 경우는 마음으로부터 자유주의적 성향을 가지고 국가간섭을 최소한으로 억제하고자 노력하고 있던 정치가나 공무원도 부득이 각 분야에 대한 국가중앙계획의 제창자가 되어 버리고 말았다.

계획화가 흔히 비정합적·비조적적인 국가간섭에서 생기는 진정한 혼란상태에 대한 보다 '자유주의적'인 대안이 되었다는 것은 지난 수십 년에 걸친 역사적 아이러니의 한 부분이 되었다.

이 책에서 내가 서구적 국가들의 계획화를 향한 추세를 논함에 있어서 '계획(Planning)'이라는 용어는 한 국가의 정부가—보통 그 밖의 조직체를 참가시키면서—의식적인 기도에 의해서 공공정책을 보다 합리적으로 정합하려는 것을 의미하며, 그 목적은 정치과정이 전개됨에 따라 결정되는 장래의 발전을 가져 오는 바람직한 목표를 보다 완전하게, 급속하게 달성하고자 하는 데 있는 것이다.

계획화를 지향한 이러한 기도의 역사적 기원으로 보아서도 또한 이들 나라에서 이러한 기도가 실시되어 온 제도적·정치적인 여러 조건으로 보아 당연한 결과로서 계획화는 실용적이고, 단편적인 것이 되며 결코 포괄적이고 완전한 것은 되지 않는다. 이러한 나라의 계획화는 대개 급박한 실제 문제에 대한 일련의 타협적인 해결인 것이다.

이러한 계획화는 그 범위에서나 상대적인 중요성에서도 지금까지 점진적으로 성장해 왔으며, 그리고 장래에도 거의 틀림없이 성장을 계속하게 될 것이다. 이러한 계획화의 추세의 주요한 추진력은 지금까지와 마찬가지로 장래에 있어서도 정합을 필요로 하는 국가간섭이 양적으로 꾸준히 성장하는 것이다. 나의 첫째 과제는 이러한 양적인 성장의 추세를 설명하는 데 있다.

국제적 위기의 계기

경제생활에 대한 국가간섭의 이러한 양적인 증대는 제1차 세계대전과 더불어 시작되었던 끝없는 국제관계의 격변에 의해서 놀랄 만큼 가속화 되어 왔다. 모든 국민은 이때부터 잇달아 닥쳐오는 심한 경제 위기의 연속적이고 누적적인 파동의 결과를 끊임없이 경험해 왔다.

국내의 안정에서 얻어지는 국민적 이익, 즉 노동자의 고용, 농민의 복지, 그리고 일반적으로 생산과 소비가 교란당하지 않고 계속되도록 보호하기 위해서 모든 국가는 부득이 새로운 급진적인 간섭을 외국 무역이나 외환 관계의 분야에 있어서 뿐만 아니라 국민경제의 다른 부분에 있어서도 시도하지 않으면 안 된다는 것을 느끼게 되었다.

한 위기가 가라앉아도 그 영향을 방지하기 위해서 취해졌던 보호 정책적 수단이 각국에서 단 한 번도 없었던 것이다. 그것이 간단하게 철회되지 않았던 하나의 이유는 위기가 지나간 뒤에는 국외 상황에 보다 영속적인 많은 변화가 남았다는 점에 있다.

이것은 다시 부분적으로는 모든 나라가 채용했던 보호조처 그 자체와 영속적 경향의 결과이기도 했다. 더욱이 보호 정책적 조처가 왜 그대로 존속되는 경향을 갖는가 하는 데 대한 부분적인 설명은 보호 정책적 조처의 배후에서 정상적인 방법으로 기득권익이 확립되기에 이르러 그 일부는 완전한 합법적인 입장을 가지게 되었고, 그리고 그 모든 것이 이 정도는 다를지라도 정치적 압력을 갖게 되었다는 점에서 얻어진다.

여기서 나의 흥미를 끄는 것은 제1차 세계대전 이래의 일련의 국제적 위기가 그 영향을 받아 각국에서 국가간섭의 양적 증대를 향한 장기적인 추세에 박차를 가하게 되었다는 사실뿐이다. 미래를 전망하는 경우에 우리들은 국제관계로부터의 이러한 영향이 계속되어 국내 정책에 같은 영향을 준다는 것을 고려하지 않으면 안 된다. 실제로 우리들이 전과 같은 반자동적인 형을 갖는 안정적인 국제경제 관계의 재건을 언젠가는 경험하게 될 것을 희망한다는 것에는 전혀 합리적인 근거가 없다.

나의 현재의 관심사인 국민경제 계획에의 추세가 갖는 국제적 연관성을 논하는 제2부에서 나는 이러한 판정을 뒷받침하는 약간의 논평을 가할 것이다. 잘 통합된 세계경제라는 것이 있다면 그것은 지금쯤은 조직화 되었어야 할 것이다. 그리고 이러한 사실은 우리들의 논의를 부유한 나라가 형성하는 부분적인 세계사회의 내부 관계에만 국한한다 해도 타당성이 있다. 그것이 의미하는 바는 여러 국민경제의 국제적인 계획화와 정합(整合)이며, 더욱이 이때의 국민경제는 개별적으로도 물론 현재보다도 훨씬 계획화 될 필요가 있다.

이 단계에서 내가 말하고 싶은 것은 지난 반세기에 걸쳐 국제 위기가 모든 나라에서 국가간섭의 양적 증대를 가져 오게 한 여러 힘 가운데서도 중요한 힘이었다는 것이며, 그리고 장래에 관한 한 이와 같은 위기의 연속은 여전히 계속될 것 같다는 것 뿐이다.

우리들의 가치 구조에 대한 영향

위기에 몰린 세계에서 생활한다는 것은 사회에 대한 사람들의 태도에 중대한 영향을 미치며, 이러한 영향은 지금까지 해온 것보다 더 진지하게 연구할 만한 가치가 있다. 이러한 영향은 우리들이 다루고자 하는 당면 문제에 대해서도 중요한 것이다. 왜냐하면 그러한 영향은 사람들로 하여금 외부로부터 닥쳐온 좋지 못한 큰 변화에 익숙하게 할 뿐만 아니라 이러한 변동의 영향을 완화하기 위해 어떠한 대책이 강구되어야 한다는 생각에도 익숙하게 하는 경향을 가지고 있기 때문이다.

보다 일반적으로 사람들은 자기 자신의 이해에 따라 사회적·경제적인 여러 조건을 급진적으로 개혁하고, 이러한 목적을 위해서 국가 간섭을 보다 넓은 범위에서 가능하고 유용한 것으로 받아들이려는 경향이 전보다 농후해지게 된다.

모든 돌발적이고 격심한 변동은 그 원인이나 성격이 어떻든 현상을 사물의 자연적인 질서로 존중하는 마음을 감소시키는 경향을 가지고 있다. 특히 안정된 자유사회의 기초가 되는 소유권과 계약의 불가침성은 통화의 실질가치, 따라서 소득과 생산비, 개인의 재산, 부채 등의 실질가치에 큰 변동이 일어나는 것을 그대로 방치함으로써 강제로 약화되고 말았던 것이다.

나아가서는 전쟁이나 기타 심각한 위기에 처했을 때 국가 이익과 생존권을 보호한다는 대의명분만 가지고 취해진 대규모의 통제나 국가사업은 국민들로 하여금 그러한 간섭은 가능하다든가, 그것이 성공하기 위해서는 간섭의 정합이 불가피하다든가 하는 생각을 예사로 하게 했던 것이다. 이와 같이 사람들은 '경험을 통해 배우게 된다'고 하겠다.

제1차 세계대전 중에 임시변통으로 세워야 했던 국민경제계획은 기술적으로 그렇게 성공을 거두지 못한 것은 아니었고, 적어도 당시의 자유주의 경제학자들이 이론적으로 예기할 수 있었거나 실제로 예기했던 것보다는 실패한 정도가 훨씬 적다는 것이 판명되었다. 제2차 세계대전 중의 국가계획은 앞서의 그것보다 기술적으로 훨씬 우수한 것이었다.

금본위제의 붕괴

통화체제에 일어났던 일을 참조해 본다면 국제 분야로부터 받는 그와 같은 충격의 단기적 효과의 누적이 사람들의 태도에 어떠한 영향을 주게 되었으며, 이번에는 사람들의 태도 변화가 국제문제에 어떠한 영향을 미치게 했는가, 그리고 나아가서는 그러한 영향을 주고받고 하면서 어떠한 형태로 인과관계가 순환되었는가를 구체적으로 알 수 있을 것이다.

해묵은 금본위제는 결코 보편적인 것도 아니고 교과서처럼 완전하게 기능한 바도 없었지만, 그럼에도 불구하고 상당한 기간 동안 주요 무역국에 대해 어느 정도의 국제적 안정을 보장하고 있었다. 그것은 궁극적으로 금융사회에서 당연한 것으로 널리 알려져 누구도 문제로 삼지 않고 지니고 있었던 사고방식이나 행동양식에 의존했고, 나아가서는 정치가 편에서 존중되었던 어떤 종류의 터부(禁忌)에도 의존하고 있었다.

또한 어떠한 '금(金)에 대한 미신'—의 미신도 그 자체가 건전한 효과를 갖는다는 점에서 사정에 보다 정통한 사람들까지도 그 지적 양심에 비추어 언제나 정당화 할 수 있었다 — 때문에 통화정책은 원칙적으로 결코 정책은 아니었다. 그것은 항상 정치의 테두리 밖에 놓여져 있었던 것이다.

중앙은행은 일련의 소정의 법칙에 따라 되풀이해서 일어나는 변화에 대처했다. 한 나라의 국제수지 악화의 경향,—이를테면 흉작이라든가 방대한 투자계획의 실시에 의한 —은 국제자본시장에 어떠한 움직임을 가져옴으로써 결국은 금보유량의 변화를 일으키게 했다. 이에 대응해서 중앙은행은—당시는 주로 할인율이었지만—어떤 종류의 신용조정을 하게 되었다. 그리고 이것은 또 다른 일련의 법칙에 따라 시중은행의 행동에 영향을 주었다.

이러한 사실이 이번에는 경기와 주식시장, 그리고 생산과 고용 및 물가 등에 각각 영향을 미치게 되었으며, 그것이 다음에 가서는 또다시 수출입과 단기적 대외차관에 일련의 새로운 영향을 주었고, 이렇게 하여 이들 모든 영향은 국제적인 환(煥)균형을 회복시키는 경향을 가지고 있었던 것이다.

당시 환문제에 대해서는 속수무책인 것으로 보통 생각하고 있었다. 즉 사태는 자연의 추세를 따르지 않을 수 없으리라는 것이다. 금본위제는 일정한 극한 사이를 멋지게 진동하고 있었고, 그러한 극한 중의 두 개는 이른바 금현송점(金現送點)의 상한 및 하한이었으며, 이 금현송점이 가리키는 환시세에서는 한 은행으로부터 다른 은행으로 금을 현송하는 것이

유리했던 것이다. 단기여신은 각국에서 너무 급격한 비동시적인 반작용이 없이 균형을 더욱 잘 유지하면서 극소한 투기적 이득을 노려서 연결된 용기 사이를 흐르는 물처럼 활발하게 유동했다.

이것은 완전과는 아주 동떨어진 현실에 대한 이상화된 교과서 같은 설명이다. 중요한 것은 현재 그것이 전혀 적용이 불가능하다는 점이다. 이와 같은 자동적 통화체제가 작용하기 위한 국제적 전제조건은 세계가 이제까지 겪었던 격심한 위기 이후로는 이미 존재하지 않는다.

국제무역은 혼란상태에 빠져 있다. 더욱이 장기 국제자본시장은 이미 존재하고 있지 않다. 단기 국제자본시장은 위축되고 변덕스러워 국제수지의 불균형화 경향으로부터 오는 영향을 막아주는 완충적인 것으로도 믿을 수 없게 되었다. 오히려 이 시장은 주의 깊게 감시해야 하고 의식적인 정책으로 상살(相殺)시켜야 할 불합리한 힘 그 자체이다.

나는 조직화 된 국제통화체제의 창설 가능성을 배제하지는 않는다. 그러나 그것은 옛날처럼 금본위제하의 자동체제로는 될 수 없을 것이다. 여기에서 이러한 사실을 그냥 지나칠 수는 없다. 즉 국제통화기금(IMF)은 조직화 된 체제를 가지고 지금은 기능을 잃어버린 금본위제를 대신하기 위해서 설립되었지만 그것은 아직껏 그것이 맡은바 기능을 거의 시작도 하지 않고 있다. 그러나 그것은 토론의 광장을 제공하거나 임시변통의 신용 조작을 하는 데에는 도움을 주고 있다. 그러나 이것으로 할 말이 다 끝난 것은 아니다.

금본위의 국제통화체제는 그 체제가 존속되리라고 각국 사람들이 믿었던 신념과 그 자동 작용에 간섭하겠다는 착오가 어느 나라에도 없었다는 사실에 의존하고 있었던 것이다.

금본위제의 붕괴는 다만 무역 및 지불의 국제적 불균형이라든가 균형 회복력의 부족이라든가 하는 이유만으로는 설명될 수 없다. 자동체제가 적절하게 기능하기 위한 각국의 전제 조건도 오늘날에는 또한 결여되어 있다.

오늘날에 있어서는 어떠한 나라도—미국은 확실히 그렇다—국제수지 상태의 변화가 금융제도를 통해서 자동적 반작용을 일으키게 하며, 그 반작용은 경제활동이나 고용 수준을 결정하는 것을 더 이상 받아들이려고 하지 않는다. 다시 말하면 '자유경제'에 대해 간섭하는 것을 그만 둘 각오가 서 있는 나라는 하나도 없다. 어떠한 나라도 이제는 화폐적 문제들을 경제정책의 테두리 밖에—혹은 심지어 정치의 테두리 밖에—상치(常置)해 둘 수 없는 사태에 직면하고 있는 것이다.

그리고 오늘날에 있어서는 누구나 국가정책에 통화문제에 영향을 미칠 수 있다는 것과 그렇게 하는 방법을 알고 있다. 사회의 근본적인 터부 하나가 깨어진 것이다. 그리고 일단 깨뜨려지기만 하면 우리가 아무리 원해도 그 터부의 재건은 불가능하다. 실로 사회적 터부는 반성과 토의에서 얻어진 결정만으로는 결코 확립될 수 없다. 그러한 터부는 방심상태에서가 아니면 결코 생겨나지 않는다. 즉 모든 것이 우연히 특정한 행동양식의 내부에서 자기의 위치를 갖게 되는 것이지만 이 경우에 그 특정한 행동양식은 정치가·관료·은행가 및 실업가의 행동양식인 것이다.

이 양식은 우연히 공중의 비판과 토론을 피하게 되고, 이상적인 경우에는 의식적인 지각작용이나 반성까지도 받지 않게 되는 것이다. 이리하여 그것을 수호하는 것은 자연적이고 건전하며, 또한 존중할 만한 가치가 있고, 따라서 이 양식으로부터 탈선하는 것은 위험하고 현명하지 못하고, 또한 나쁘게 생각된다. 사회적 터부는 도덕처럼 수줍음을 탄다. 그러므로 일단 잃어버리면 아무런 구제책도 없는 것이다.

　이것이야말로 바로 그처럼 많은 사회적 변동이 소오다를 물에 던지는 경우의 반응과 마찬가지로 되돌이킬 수 없게 되는 이유인 것이다. 그리고 19세기에 통화문제를 지배하고 있었던 비교적 높은 정도의 자동적인 활동으로부터 우리들을 이탈케 했던 이 특정한 일련의 사태도 명백히 그러한 성격을 갖는 것이었다.

　구학파의 위대한 경제학자의 한 사람이었고, 나의 스승이고 친구이기도 했던 고 구스타프 카셀(Gustav Cassel) 교수는 흘러간 옛 시대의 금본위제에 대한 이야기를 하면서 아담과 이브의 범죄를 그린 창세기 1장을 슬픈 표정으로 다음과 같이 요약했다.

　"사람이 일단 선과 악에 대한 지혜의 나무 열매를 맛보면 결코 다시 이전의 순진무구(純眞無垢)한 상태로는 되돌아가지 못할 것이다."

제3장 국내의 제력(諸力)

변모하는 시장의 구조와 역할

지난 반세기 동안에 국제적 위기가 끊임없이 일어나 여러 가지 방법으로 서구적 여러 나라의 경제생활에 대한 국가 간섭의 양을 꾸준히 증대시킨 주요한 원인이 되었다는 것은 의심할 여지가 없다. 그리고 이 국가간섭의 증대는 경제계획의 추세의 주된 추진력이 되었다고 나는 단정한다.

최근에 이르러서 모든 서구적 국가들은 냉전이 생산적 노력의 상당히 큰 부분을 흡수하여 이것을 국가의 군사비에 투입케 할 뿐만 아니라 투자와 생산, 그리고 사회의 모든 생활과 모든 활동을 정부의 냉전 수행과 국가안전보장에 편리하게 재편성토록 함으로써 새로운 대규모의 국가간섭을 가져오게 하는 아주 유력한 원인이 되어 있다. 그러나 이러한 국제적 위기도 만일 그것이 서로 관련을 가지고 아주 강한 누적력을 갖는 일련의 국내적 제력(諸力) 일반과 동일한 방향으로 추진되지 않았다면 서구적 세계의 몇몇 나라에서의 경제정책의 양과 구조에 그처럼 거대하고 영속적인 영향을 미치지는 못했을 것이다. 여하튼 세계적 위기가 없었다 할지라도 이러한 국내 제력은 국가간섭의 증대를 가져왔을 것이다. 그러나 이 경우의 역사적 과정은 훨씬 완만하게 전개되었을 것이다.

이들 국내 제력의 하나는 시장의 조직화 경향이었다. 국가의 간섭을 꾸준히 증대시킨 원인의 하나로서 이것이 무엇을 의미하는가에 우리들의 주의를 집중시키기 위해서 잠시 하나의 경제모형으로 되돌아가기로 한다. 그 모형이란 현대의 학문적 교육에서는 당연히 나의 청년시대 같은 역할을 이미 잃어버린 완전경쟁이라는 자유경제이론이다.

이 이론을 한편으로는 정태적(情態的), 다른 편으로는 원자론적으로 특징지우는 데 우리들이 익숙해진 것은 당연한 일이다. 이 이론이 아주 이상적인 합리적 상태에 있는 것으로 보는 사회는 그것 없이는 그 사회가 기능할 수 없는 기본적인 전제, 즉 가능성과 불가동성의 특수한 결합을 가지고 있었다.

사회적 구조는 강력하게 변하지 않은 채 남아야 했다. 이 구조 내의 모든 요소가 순간적으로 완전 조정을 향해 움직인다는 원자론적 가정을 전제로 한다면 이러한 경직적 구조를 생각할 수도 있었던 것이다.

완전경쟁 이론의 주요 명제는, 내 기억에 의하면 '만일 경제 단위가 시장의 크기에 비해 무한히 작고 또 단체 행동을 하는 일이 없다면, 어떤 경제 단위도 자기 혼자의 힘으로는 전체시장에 대해 하등의 영향도 미치지 못한다는 것이었다.

만일 누군가가 자기의 행동, 즉 자기의 수요 혹은 공급을 바꾸려 한다 할지라도 그것은 생산물의 총수요 및 총공급과 그 결과로서 가격에 대해서도 어떠한 영향을 줄 수 없을 것이다. 따라서 시장과 가격은 그가 구매자로 행동하든지 판매자로 행동하든지에 관계없이 개인에 대해서는 독립변수 즉 개인행동에 대해서는 객관적으로 주어진 조건이었다.

그것은 계절이나 날씨와 마찬가지로 전혀 개인의 통제 밖에 있었으며 개인은 살아가기 위해서는 그것에 자기를 적응하지 않으면 안 되었다. 이 모형이 은연중에 내포하고 있는 여러 전제 아래에서의 시장의 가격 형성은 조건이 변해도 항상 다시 균형을 회복하는 기능을 계속 원활히 수행했다.

물론 이렇게 완전한 시장은 결코 실재하지 않는 것으로 이해되었다. 그러나 누구나 잘 알고 있는 보다 중요한 사실은 오랜 세월에 걸쳐 현실이 이러한 자유주의적 이상상태로부터 계속해서 더욱더 멀어져 왔다는 것이다.

기술적이고 조직적인 발전은 많은 분야에서 시장에 비해 경제 단위의 규모를 계속 증대시키고 있었다. 동시에 다른 모둔 분야에서는 개개의 단위가 서로 결합하는 수단을 발견하게 되었던 것이다. 그리하여 경제 단위는 시장을 좌우하고 가격을 조작할 수 있는 상태에까지 이르렀던 것이다.

시장 및 가격은 개별경제 단위의 영향 밖에 있음으로 해서 개개의 단위가 스스로 그것에 적응하지 않으면 안 되었던 주어진 객관적인 조건으로서의 성격을 더욱 잃어버리고 말았으며, 시장은 그 참여자에 의해 의식적으로 규제되기에 이르렀다.

일단 원자론적 구조가 붕괴되면 우리가 가정한 정태적인 제도적 구조는 더 이상 비호를 받지 못하고 구조 내에서의 가격형성과 마찬가지로 외부의 지배를 받게 된다. 주어진 사회구조에 말없이 스스로 적응시키거나 그 구조 내의 여러 힘의 작용에서 생기는 부담이나 보수를 받아들이는 것이 아니라 개별경제 단위들은 이 과정을 지배하기 위해, 나아가서는 구조 그 자체를 자기의 이해에 일치시키도록 조정하기 위해 협동하기 시작한다.

이러한 일이 아주 대규모로 일어날 경우에 인간의 상호관계나 인간의 사회에 대한 입장에 기본적인 제도적 변화가 생겨난다. 현재 어느 정도에서 시장이 실제로 조작되고 있는가는 여기서 새삼스럽게 상기할 필요가 없을 것 같다.

많은 시장들은 한 사람 혹은 몇 사람의 판매자 혹은 구매자에 의해서 지배되어 있다. 그러나 이러한 경우를 떠나서 서구적인 어느 나라에 있어서도 무엇인가를 팔고자 하거나, 소득을 얻거나, 혹은 이윤을 추구하고자 하는 거의 모든 개인은 자기의 활동을 제약하고 있는 여러 조건 그 자체를 지배하려고 동배(同輩)와의 단결을 꾀하고 있는 것이다.

이러한 사태의 전개는 국가로 하여금 어쩔 수 없이 대규모의 여러 간섭 방법을 채용하게 한다. 이러한 간섭은 개개의 시장에서의 조직화의 진전이 만일 통제되거나 조정되지 않는다면 사실상 사회의 붕괴를 가져 오게 하므로 단순히 이것을 방지하기 위해서도 필요한 것이다.

그리고 이러한 간섭은 보다 강력한 경제력을 획득한 사람들이 그렇지 못한 사람들을 착취하는 것을 방지하기 위해서도 불가피하다.

달라진 전망

그러나 다음 장에서 시장의 조직화가 개인 상호간과 개인과 국가 간의 관계에 주는 영향에 대한 분석에 들어가기 전에 나는 사람들이 스스로 참여하고 있는 경제과정에 대한 그들의 태도에 한층 심각한 변화가 일어났다는 것에 관해서 약간의 논평을 가할 필요가 있다고 본다. 이러한 심리적 변화는 보통 그러한 바와 같이 일부는 제도적 변화의 결과이고 일부는 그 원인이기도 하다.

더우기 이러한 심리적 변화는 생활수준의 향상에 따라 우리들의 문명 속에서 조용히, 그리고 꾸준히 진행되고 있는 공업화, 지리적 및 사회적 가동성의 증대, 지적 교류의 강화, 교육과 종교의 분리, 그리고 그 밖의 사회적 변화에 인과적으로 결부되고 있는 것이다.

한편 '풍습과 습관'은 이러한 과정에서 서서히 붕괴되었다. 크게는 본태적이고 적게는 회의적인 구사회의 행동규범은 일반적으로 대중에 발붙일 곳을 잃어버리고, 합리적인 이해에 관한 재고(再考)와 반성이 점점 더 그것을 대신하게 되었다.

방금 통화제도에 관련시켜 설명한 바와 같이 사람들은 현존하는 사회적 터부나 전통에 의해서 억제 받는 일이 보다 적어졌다. 이리하여 그들은 더욱 진취적이고 경험주의적이며, 더욱 궤변적인 동시에 쾌락주의적인 그리고 더욱 경제적으로 합리적으로 되어가고 있었다.

실제로 이러한 사실은 모두가 수요와 공급·가격·임금·이윤에 관계되는 경제 행위를 훨씬 넘는 적용 분야를 가지고 있다. 그것은 이를테면 가정도덕의 분야에서 상당히 집약적으로 연구되고 있었다. 일반적으로 흔히 추측되는 바와 같이 산아제한에 관한 지식의 보급 혹은 기술적 피임용구의 유용성에 따르는 산아제한의 양식은 인구통계가 잘 나타내 주는 것처럼 보다 광범위한 사회적 여러 계층에까지 보급되는 일은 없었다.

가장 널리 사용되고 있는 피임 수단은 결코 전문적인 것이 아니고 누구에게도 잘 알려져 있는 것이다. 산아제한은 실제로 경제 정세의 변화에 따라 가족제도에 대한 태도가 보다 합리화 되었다는데 그 직접적인 원인이 있다. 서구적 국가들의 사회사에 있어서의 '가족계획'은 정치면에서 경제 계획에의 추세를 가져 오게 하는 사람들의 태도의 변화자체와 본질적으로 관련된 현상이다.

여기서 나는 매우 진지하게 산아제한이라는 예를 이용한 것이다. 나는 나의 분석대상인 자유주의적 경제사회를 파괴하는 사회적 및 심리적 원인이 뿌리 깊은 데 있음을 밝히려는 것이다.

경제적 자유주의는 확실히 합리주의적 철학의 일부를 이루고 있었다. 그것과 비교할 만한 것으로 심리학에 있어서의 천박한 쾌락주의와 지적 연상설(聯想說)이 있다.

경제학에서는 이 철학의 합리주의적 원리가 세계가치설과 계발된 개인적 이익으로부터 사회복지에 대한 공리주의적 연역(演繹)을 통해서 부연(敷衍)되었다. 그러나 합리적 쾌락주의가 실제로 보급되기 시작함에 따라 그리고 사람들이 일반적으로 이론적 '경제인'에 조금 더 가까운 사고와 행동을 실제로 시작함에 따라 자유주의적 경제사회는 그 밑바탕을 잃고 말았던 것이다.

이러한 역설은 다음과 같이 설명된다. 즉 계몽시대로부터 계승된 이 논리적이고 합리주의적인 자유주의의 철학이 인간에 관해서 전개한 모든 이론화와 반대로 이 이론의 전제, 즉 원자론과 정태적 사회구조는 그러한 경제이론이 설명하는 합리주의적 '경제인'과는 아주 정반대의 인간이 사회를 지배하고 있다는 것을 의미하고 있었다. 그러한 인간은 전통에 사로잡혀 있고 현존하는 터부의 계약을 강하게 받으며, 의문·실험·반성 등을 통해서 지식을 얻을 줄 모르는 인습주의자라야만 했다.

그렇지 않으면 이러한 이론은 충분히 작용하지 못했을 것이다. 이러한 인습주의의 전성기였던 빅토리아왕조 시대가 바로 경제적 자우주의의 문화적 개화기였다는 것도 결코 우연한 일은 아니다. 인류의 역사에서 사회철학이 이만큼 자기의 심리적 기초에 대해 소박했던 일은 드물었고, 이 철학의 솔직한 주장이야말로 아주 계몽적이고 또한 합리적으로 되고자 하는 것이다.

여기에서도 우리는 경제계획이 서구적 세계와 소련적 세계에서 실현된 방법에 기본적인 차이가 있음을 알 수 있다. 러시아에서는 내가 방금 말한 바와 같은 심리적·사회적인 전개는 거의 시작되지 않았다.

경제계획은 대부분이 문맹이고 전공업적인 전통사회에 강요되었다. 서구적화 된 지식계급이—예컨대 가족문제 등에서—사회적 태도를 합리화 하고자 기도했던 중요하지 않은 막

간 시기들 이후에는 소비에트 국가의 목표와 가치에 일치하도록 민중의 행동양식을 안정시키고 인습화 하는데 국가의 온 힘을 기울였다.

러시아를 방문했던 사람은 누구나 당시 거기에서 형성된 인간 유형이 여러 기본적인 점에서 우리들의 조부모, 그리고 증조부모가 소중히 생각하고 있었던 것과 다름이 없음을 알게 되었다. 이것은 방문객에게는 기쁜 놀라움으로 되는 것이 보통이었다.

다음과 같은 사실을 주목한다는 것은 흥미 있는 일이다. 즉 공산주의 국가는 국민을 전통사회의 억압되고 빈곤한 정체적 생활에서 강제로 끌어올리면서 하나의 인간 유형을 육성하고 있으며, 그리고 이러한 유형의 인간은 그 기본적 태도를 수정하는 것이 아니라 오히려 틀에 박힌, 그러나 별로 깊이 뿌리를 박지 않은 이데올로기만을 약간 수정한다면 자유주의 사회까지도 잘 운영할 수 있는 인간이다.

그 반면에 자유주의 사회, 그 이론은 인간이 언제나 합리적으로 행동한다는 그릇된 전제를 가지고 있었다는 사람들이 이론대로 합리적 행동을 시작했기 때문에 도리어 파괴되었던 것이다. 사람들의 태도의 깊은 변화가 서구적 세계에서의 간섭과 계획화의 원인이 되었다고 강조함이 중요하다는 이유는 이러한 심리적 변화가 근대사회의 모든 발전과 깊은 관련을 가지고 있어 그 진행 과정을 역전시킬 수 없는 것으로 만들어 버리기 때문이다.

만일 그것이 단순히 인간이 만든 제도가 변화한다는 문제에 그치고 그 이상의 아무 것도 아니라면 이러한 변화는 역전될 수도 있고, 또한 십중팔구는 역전될 것이다. 그러나 일단 사람들이 새로운 상황에 맞추어 두뇌를 조정할 때는 이미 이것을 역전시킬 수 없게 된다.

이러한 태도의 변화가 부분적으로는 여러 가지 우발사건이 가져다주는 충격에 의해서, 그리고 이들 우발사건에 대처하기 위해 유발된 정책에 의해서 생겨났다는 것은 사실이다. 그렇지만 이러한 충격과 정책은 곧 기존의 규범을 파괴하고 현상의 억압을 풀어주는 경향을 가져 왔다. 그러나 서구적 문명의 모든 발전과정에 고유한 경향으로서 심지어 처음부터 사람들의 생각이 변화하는 경향, 더구나 같은 방향으로 변화한다는 경향이 있었다.

이것은 전형적인 순환적 인과의 누적과정이다. 그 결과 전 사회제도와 그 속에 살고 있는 인간이 움직이고 더욱이 처음에는 누구도 예측할 수 없었던 범위로까지 움직여가게 되는 것이다.

이제 후퇴란 명백히 있을 수 없다. 사람들을 지금보다 합리적이 못되거나 보다 약하게 만들 수는 없는 노릇이다. 누가 그따위 짓을 하려 하겠는가. 우리들의 민주주의에 있어서는 합리적 교육은 우리들의 신념이다. 사람들의 교육을 역행시키려 할 수야 있겠는가.

민주화와 평등화

서구적 국가들의 하나의 중요한 추세는 태도의 일반적 합리화뿐만 아니라 생산수준의 향상과 시장에 있어서의 개인의 지위의 변화와도 밀접하게 관련되어 있는 국가의 공적 의사가 결정되는 정치 과정의 민주화이다. 이것은 점진적인 전개였다. 특히 거의 모든 서구적 국가의 보통선거제도가 아주 최근에 와서야 확립되었다는 사실을 상기할 필요가 있다.

보다 많은 국민층이 정치권력에 참가하는 것이 충분히 허용되고 그들이 이러한 권력을 가지고 있으며, 더구나 이 권력을 자기들의 이익을 위해 이용할 수 있다는 사실을 더욱 잘 인식함에 따라 그들이 대규모의 재분배적 국가간섭을 요청하게 되리라는 것은 쉽게 예견할 수 있는 일이었다. 아리스토텔레스는 이미 이러한 사례를 예언한 바 있었다.

그와 같은 간섭을 위한 제도적인 배경 전체도 또한 변화하고 있었다. 국가사회의 제도적 구조는 국제적 위기로 인하여 필요해진 대규모의 국가간섭에 의해서 흔들리고 있었다. 이미 지적한 바와 같이 소유권의 신성불가침성은 인플레이션, 디플레이션 및 그 밖의 많은 과정을 통해서 일어났던 사람들의 재산상의 크고 위험한 변화로 말미암아 침해되거나 약화되기에 이르렀다.

개인의 활동무대인 시장은 개인이 간섭할 수 없는 주어진 객관적 규범이라는 제도적인 영광을 잃어가고 있었다. 사회적 가동성의 증대, 공업화가 진행되고 있는 사회에서 모든 종류의 사람들 사이에 접촉이 증대되고 다양화 되었다는 것, 그리고 태도가 일반적으로 합리화 되었다는 것 등은 모두가 유력하게 작용하여 종래에 자연적인 것으로 생각된 경제적 불평등에 대해 사람들이 의문을 갖도록 만들었다.

약 1백년 전 존 스튜아트 밀(J. S. Mill)이 사회주의와 타협해서 이른바 '신자유주의'를 정립했을 때 그의 주명제(主命題)는 생산부문에 있어서 경제법칙이 준수되어 간섭이 있어서는 안 되지만, 분배에 대해서는 이것을 입법자가 원하는 대로 자유로이 변화시킬 수 있어야 한다는 것이었다. 그러나 누진소득세라는 구체적인 문제에 부딪치자 그는 주저했다.

1세기 후에 그의 모국이나 다른 서구적 국가에서 소득세 및 상속세에 대한 지배적인 태도를 당시에 그가 조금이라도 계시(啓示)를 받았다면 그 자신은 어떻게 생각했을 것인가 하고 나는 생각해 본다.

만일 당시 그가 좀 더 깊이 세법에 관해 연구를 했다면 과세의 엄청난 누진성도 아직은 엄연한 사실이라고 하기보다는 환상이라는 것을 발견하게 되었을 것이다. 이 문제는 제7장에서 다시 취급하기로 한다.

국가간섭의 평등주의적 동기

경제적 평등은 어디에서나 촉구되며, 그것은 보통 하나의 원칙으로서 선언되고 있었다. 그 작용 영역은 과세라든가 여러 가지 형태의 사회보험과 같은 소득 재분배적 지출 계획에만 한정되어 있는 것은 아니다. 그것은 국가 간섭의 다른 모든 영역에까지 침투해서 그것들을 결정하고 있는 것이다.

중요한 것은 이러한 경제적 평등의 촉구가 곧 국가 간섭의 양적 증대와는 일반적 추세의 주요한 추진력의 하나가 된다는 데 있다. 이것이 여기서의 우리들의 관심사이다. 일반적으로 말해서 민주적 사회에서는 특권이 적은 집단일수록 자기의 이해와 정치권력을 자각함에 따라 거의 모든 분야에서의 국가 간섭의 부단한 증대를 요구하게 되는 것이다.

이들 집단의 이익은 명백히 개인적 계약을 가능한 한 일반적 규범에 종속시키는 데 있다. 이들 모든 규범은 법률·규칙·행정적 조치 그리고 얼핏 보기에는 사적이지만 실제로는 준공적(準公的) 조직 상호간의 반자발적 협정 등의 형태로 규정되는 것이다.

저소득층의 사람들이 일반적으로 국가 간섭에 관심을 갖는 합리적인 근거는 이제는 평등의 실현을 목표로 하고 있는 서구적 국가에서는 사적 관계가 공적 관계로 변하게 되어 빈곤한 자의 관심사는 그들을 보살펴 줄 더 좋은 기회가 있다는 것이다.

소득분배는 넓은 의미에서 위로 올라갈수록 점점 좁아지는 피라밋형을 이루고 있다. 효과적인 보통선거제도를 가진 민주주의에 있어서는 이러한 사실이 하나의 이유가 되어 정부의 통제와 지도의 방향으로 꾸준히 진행하고 있다. 보수정당이나 자유주의 정당조차도 이러한 발전을 위한 수단이 되고 그렇지 않으면 정계로부터 물러나야 할 것이다.

국가가 건축업이나 부동산 기업의 통제에 관여하는 경우 그러한 간섭은 정치적 필요로 말미암아 주로 공공주택 정책의 성격을 띠게 된다. 마찬가지로 농업의 수익성이 농산물 가격 결정에 의해 좌우될 때에는 소농(小農)은 물론 수익성이 있는 생산의 한계 또는 그 근처에 맴돌고 있는 농가의 이익까지도 모두 참착해야 한다.

임금(賃金)이 노동시장의 각 조직체 사이에서 더욱더 포괄적인 대규모 타협으로 규제를 받게 되고 있는 경우에 그 일반적인 효과는 이종(異種) 직업 간의 임금의 격차를 감소시키는 경향이 있다는 것이다.

재화(財貨)가 배급되어야 할 때에도 다시 그 원칙은 평등이며 이리하여 제2차 세계대전 중의 영국이나 스웨덴처럼 최저 소득집단에 속하는 가구들이 배급 상품을 이전보다도 많이 소비할 수 있는 위치에 놓이는 사태가 실제로 일어날는지 모른다.

위에서 말한 모든 것은 서구적 국가의 최근의 역사로부터 쉽게 예증할 수 있는 것들이다. 국가간섭이나 반공적(半公的)인 규제의 새로운 조처들이 실시될 때i마다 비록 그 목적은 다르다 할지라도 그것들은 평등화의 수단으로서도 충분히 이용될 수 있을 것이다.

이러한 가능성 때문에 국가간섭이 저소득층의 이익으로 생각되며, 또 일반적으로 실제로 저소득층의 이익이 되고 있으며, 그리고 기회 균등을 추구하는 정치운동이 본래의 소득 재분배적 개혁이라는 영역을 넘어서까지 국가간섭을 요구하고 지지하게 된 것이다.

여기서는 국가간섭의 증대 추세의 원인만을 분석하고 있으므로 생략하겠지만, 그러나 간단히 말해두고 싶은 것은 빈곤한 사람들은 종종 실제적인 이익보다 외관상만의 이익을 차지할 때가 많다는 것이다.

빈곤한 사람들이 국가간섭을 획득하면 할수록 간섭에 대한 그들의 욕망은 증대되기 마련이다. 태도가 더욱 합리화 되고 지식이 보다 늘어남에 따라 빈곤한 사람들도 보다 효과적으로 그들의 이익을 요구하게 될 것이다. 이 문제에 대해서는 제7장에서 다시 논하기로 한다.

개발계획

지금까지는 서구적 극가에서의 경제계획의 원인이 된 내부적 모든 힘에 대해 설명했지만 이들 여러 나라에서는 투자·생산·소득 및 후생의 수준을 계속 상승시키고자 하는 강한 요청이 존재한다는 것을 특히 지적하지 않고 끝을 맺는다면 불완전한 설명이 되고 말 것이다. 이 특정한 점에 있어서는 오늘날 서구적 세계에 살고 있는 사람들도 다른 두 개의 권내에 살고 있는 사람들과 다를 바가 없다.

나는 내가 사실이라고 믿는 것에 대해 이 책의 서문의 맨 처음 몇 구절에서 언급했다. 그것은 3개의 블록 사이에는 이데올로기의 단층이나 생산과 근로의 수준 및 양식에 있어서 큰 격차가 있음에도 불구하고 우리들은 모두가 동일한 문명시대에 살고 있으며, 따라서 기본적인 관념이나 이상에 있어서는 일치하는 점이 상당히 많으며, 또한 그것은 증가하고 있다는 것이다.

이처럼 생각하는 것과 추구하는 것에 일치점이 있다는 것은 우리들의 국민경제에 관한 사고(思考) 속에 내재하는 동태적 개념 때문이다. 지금 모든 나라들은 '개발'을 향해 줄달

음치고 있다.

이것은 빈곤한 나라에 관한 한 가장 확실한 타당성이 있다. 왜냐하면 빈곤한 나라는 그들의 낮은 경제수준을 자각하고 그것을 끌어올리려는 야망을 가지고 있기 때문이다. 빈곤한 나라가 이전에 흔히 사용했던 '후진지역'이라는 정태적 명칭을 버리고 '저개발국'이라는 명칭으로 불려지기를 주장하는 것은 그들이 개발을 필요로 하며, 또 개발을 성취하는 데 열중하고 있다는 것을 과시하고 싶기 때문이다.

5개년 계획과 7개년 계획을 가졌던 소련이나 소련권 내의 다른 모든 나라들은 모든 부문의 경제적 수준 향상의 상징인 백분율(%)을 끌어올리는데 매우 열중해서 살아왔으며 현재는 더욱더 그러하다.

개발의 목표는 각 공장의 입구나 각 집단농장 회의실 벽에 크게 게시된 개별생산계획으로 일일이 명시되어 있다. 국가 전체는 물론 각 지역과 각 작업장에서는 '사회주의적 경쟁'이 목표의 달성—아니 초과달성—이 모든 경영자와 노동자의 관심사가 되고 있다. 소련권을 제외한 세계와의 관련에서 본다면 그 목표는 자본주의 세계와의 끊임없는 경쟁을 의미하며, 그 경쟁은 매우 크고 숙명적이며, 그리고 거의 종교적 중요성마저 띠고 있다.

지금 내가 여기에서 그 계획화의 길을 검토하고 있는 서구적 모든 부유한 나라들, 그리고 그 중에서도 가장 부유한 나라인 미국도 똑같이 경제개발에 몰두하고 있으며, 그 정도는 만일 우리들 자신이 계획화를 받아들이는 분위기나 시대의 제약하에 있지 않다면 참으로 놀라움을 느낄 것이다. 실로 우리들은 증대하는 수요의 압력에 눌려 경제 전체의 안정을 계속 상승하는 투자와 생산량의 증가에 맞추어 조절했던 것이다.

언젠가 초로(初老)의 영국 신사를 만난 일이 있었는데 그는 현재 우리들이 도달한 수준으로도 충분히 만족할 수 있는데 어째서 이렇게 개발을 위해 열광적인지 좀처럼 이해할 수 없다고 고백했다. 그러나 내가 아직껏 그를 잊지 않고 있는 것은 물론 그러한 태도가 보기에 극히 드물기 때문이다.

서구적 국가에서의 이처럼 그칠 줄 모르는 개발의욕은 어느 정도 소련권에서의 과감한 노력에 대한 반작용으로서만 볼 수 있는 일면이 있다. 냉전이라는 정치적 긴장이 높아지고 있는 상태하에서 공산주의가 지배하는 여러 나라에서의 성장곡선이 급상승하는 것을 보는 서구적 나라들은 대개 그들 자신의 생산양식이나 안전보장에 대한 도전으로 느끼게 된다.

현재와 같은 국제정세하에서는 소련적 세계에서의 아주 명백한 업적이 서구적 국가에서도 개발에 대한 관심을 높이는 경향을 불가피하게 했다는 것은 인식하지 못할 사실이지만 그보다도 서구적 국가의 개발열의 주된 원인은 서구적 문화의 전체적 방향이라는 보다 깊은 수준에 있을 것으로 믿는다.

적어도 조직화된 사회의 일원으로서 활동하고 있을 때에 우리들은 모두가 계속적이고 무한한 확장에 몰두하고 있는 것처럼 보인다. 이미 도달한 수준이 어느 정도이든 시민의 대표자로 구성된 모든 국회·주의회·시의회 그리고 어떠한 주의라든가 이해를 대표하는 모든 사적 단체는 보통 호주머니 사정으로 심한 제한을 받고 있으므로 그 활동분야에서 모두가 중요하고 긴급하다고 생각되는 수많은 개량사업에도 착수하지 못한다.

마찬가지로 일반 개인조차도 그가 도달한 사회적 지위 여하를 막론하고 경제적 향상을 목표로 계속적으로 열심히 노력하고 있는 것을 볼 수 있다. 명백히 집단적으로나 개인적으로나 경제적으로 허락하면 돈을 쓰고 자원(自願)할 만할 유익한 일이 얼마든지 있다는 것을 우리들은 모두가 잘 알고 있다. 어쨌든 우리들은 돈이 있는 것처럼 행세하고 있다. 그리고 모든 보도와 통신사업은 이러한 방향으로 우리들을 몰아넣고 있다.

아주 빈곤하여 비참한 궁핍 속에 놓여 있는 저개발국민이 '보다' 높은 경제 수준에 도달하기 위해 누구보다도 더욱더 노력하는 것은 당연한 일이다. 그러나 공업화한 선진국에서 고도로 달성된 부(富) 및 복지와 더불어 선행하고 있는 유형의 문명 자체가 선진국의 국민으로 하여금 이미 도달해 있는 것보다도 한층 높은 수준을 향해서 후진국 국민과 마찬가지로 아니 그들보다 더욱 부지런히 노력하게 한다.

때로는 부유하게 되면 될수록 실제로 달성된 상태와 바람직하다고 생각되는 상태와의 사이의 격차가 큰 것으로 느껴지며, 이와는 대조적으로 빈곤한 나라의 대부분의 국민 대중은 단순한 생존만으로도 만족하고 있는 것같이 보인다.

제4장 조직적인 국가

시장의 조직

서구적 국가들에서 국가 간섭의 양적인 증대의 주요한 내부적 원인의 하나로서 나는 경쟁적 시장이 서서히 붕괴되고 있다는 사실을 지적하고, 이것은 기술이나 조직의 발전, 그리고 사람들이 재화나 용역의 구매자로서, 그리고 판매자로서 스스로 참여하고 있는 경제과정에 대해 약삭빠른 태도를 갖게 되었다는 사실의 결과라고 말했다.

시장가격 그리고 수요와 공급의 상호작용을 위한 제도적인 테두리로서의 시장 자체는 이미 주어진 객관적인 규범으로서 그대로 받아들여지지 않고 오히려 조작되었다. 이러한 비자유주의적인 추세에 직면하게 된 사회는 그것이 만일 자유만을 고집하여 간섭을 거부한다면 해체되고 말 것이다. 그러나 간섭하지 않고 그대로 둔다면 영리한 자나 강한 자가 그렇지 못한 자를 착취하게 될 것이다. 그러한 것으로서의 독점적인 결합체의 존재는 국가의 조세 징수권에 대한 용납할 수 없는 침해를 의미하는 것으로 인식된 것이 보통이었다.

이렇게 되면 국가 측에서의 반작용이 생기는데, 그것은 시장의 조직화로 향한 추세를 억제하고 자유경쟁을 회복시키기 위해서 국가 권력을 행사하는 것이다. 서구적 국가에서 이러한 것을 기도한 바 있었으나 이러한 기도는 매우 적은 정도로밖에 성공을 거두지 못했다. 그러나 국가의 주된 주요한 반작용은 이와 달리 시장의 조직화의 추세 그 자체는 받아들이지만 질서와 평등의 관점에서 공공의 이익을 보호하는 방향으로 이러한 추세의 움직임을 규제할 수 있는 방책을 취하는 데 있었다. 그러므로 강력하기는 하지만 국가통제를 받는 집단적 조직의 하부 구조가 입헌적인 국가구조의 하부에 등장하게 되었다.

서구적 국가에 있어서 이러한 사태 발전은 경제생활에 대한 국가간섭의 확장을 나타내는 것이고―아마도 가장 중요할 것이다.―또 한편으로 그것은 조직체에 의한 간섭의 범위를 더욱 크게 만들었던 것이다. 정치 과정의 민주화가 점차 진행됨에 따라 그것에 의해 결정되는 평등에 대한 관심이 특히 국가로 하여금 약소집단의 경제적 교섭력을 강화시키는 조처를 취하게 했다. 그것은 필요한 경우에는 약소집단이 조직화되는 것을 후원하거나 보다 일반적으로는 약소집단이 교섭하는 조건을 개선하는 방법에 의해 가능했다.

자유시장 경제를 대신하는 단체교섭

모든 이러한 조처는 지배적인 사회적 이상과 사회적 체력에 의한 시장의 테두리를 변화시킨다는 것을 의미한다. 페어 플레이(fair play)라는 전통적인 자유주의의 이상은 더욱더 일반적으로, 그리고 분명하게 임금·가격·소득 및 이윤은 각종의 단체교섭에 의해서 결정되어야 한다는 요구로 변형되었다. 입법과 행정, 그리고 공명정대한 협정에 도달하게 하는 중재적인 역할을 통해서 그러한 조건을 마련하는 것이 이제는 국가의 책임으로 되어 있는 것이다.

서구적 국가의 노동자들은 노동시장에서 사용자에 대행하여 정부로 하여금 교섭상의 지위를 대폭적으로 강화할 수 있는 아주 많은 규칙을 제정케 하고, 또한 제도를 창설케 하는 데 성공을 거두어 오고 있었다. 즉 노동시간·유급 휴가·제수당 자금·공장 감독·고정 수입이 없을 경우의 실업보험을 포함한 각종 사회 보험과 그리고 최저임금에 대한 입법 등이었다. 그렇게 하며 점차로 국가는 실업이 증대하는 경우에 공공사업 및 그 밖의 다른 방법에 의해서 노동수요의 증가를 기도함으로써 노동시장에 더욱 직접적으로 개입하게 되었던 것이다.

노동자의 이익을 위해서 노동시장을 재편성하는 방향으로서의 이와 같은 사태 발전의 논리적 귀결로서 제2차 세계대전 이후에 모든 서구적 국가에서는 국가가 모든 경제정책을 계획적으로 제조정하는 것에 의해 '완전고용'을 유지하겠다고 확약했던 것이다.

노동이나 다른 생산자원이 대규모로 남아돌면 국가적인 견지에서는 커다란 낭비이고 경제발전을 해치는 것이므로, 시장의 전노동 공급량을 흡수할 만큼의 활발한 수요에 대한 자극을 통해 이와 같이 노동자의 이익을 보호한다는 것은 노동자를 위한 특수이익보다 더 넓은 견지에서 주창될 수 있었던 것이다. 그러나 노동시장의 그러한 보호는 노동자의 교섭력을 사용자의 그것에 대해 크게 강화했다.

이러한 국가정책과 비슷한 전개가 다른 여러 자원시장에서도 일어나게 되었다. 그리고 그 원리는 언제나 경제력이 약한 사람들의 교섭력을 개선하는 데 있었다. 대부분의 서구적 국가에 있어서 노동자에 이어 농민이 국가에 의한 이러한 유형의 시장 간섭으로 부터 가장 큰 직접적인 혜택을 받아 왔다.

조직화된 시장 활동에 대해서 이러한 수정조건이 국가에 의해 마련되기만 하면 시장에서 구매자와 판매자의 전국적인 조직이 선출된 또는 임명된 역원(役員)과 유급 직원을 통해서 그 모든 구성원을 구속하는 협정을 어떻게 만드는지를 우리들의 눈으로 볼 수 있다.

이들 여러 협정은 임금과 가격 그리고 그 밖의 많은 것, 예컨대 어느 전문직업의 가입을 허가하는 고전이라든가, 혹은 특정한 형의 신설 점포의 위치와 수, 그리고 소유권 등에 관한 것이다. 때때로 국가에서 강력한 조직체들이 그들끼리 싸워서 결국 어떠한 협정에 도달하도록 내버려 두고 있는 것같이 보일지라도—이를테면 노동시장에 있어서처럼—이것은 다만 시장에서의 구매자와 판매자의 힘의 균형이 국가간섭에 의해서 확립된 것으로 느껴지기 때문에 그렇게 보일 뿐이다. 그렇게 되면 이러한 조직체들은 실제로 공공정책의 기관으로서 기능하게 된다.

이러한 생각은 조직체들이 다른 공공기관과 마찬가지로 공개적이고 민주적인 원칙 위에서 형성되고, 또한 회계 감사와 충분한 공개성을 갖는다는 제약 아래 기능하도록 보장하는데 국가가 점점 더 많은 관심을 가지기 때문에 가능하다.

그 때는 많은 중요한 정책 결정이 의회 밖에서 이루어지고 또한 국가의 행정기관 이외의 기관에 의해 집행되는 것이다. 이러한 사실은 조직체들이 그 의견의 차이를 평화적으로, 그리고 능률적으로 해결하는 데 성공하고 대중의 의사를 실천에 옮길 것으로 생각되는 한—그리고 나라 전체로서의 정합 整合)이 상당한 정도로 유지되는 한—용납될 수 있는 것이다.

국가경제 계획이 진척됨에 따라 연합체를 통한 보다 고차적인 시장통제의 수준에서 통합이 더욱더 빈번하게 이루어지는 것을 본다. 그와 같은 경우에는 일국의 많은 각종 시장을 망라하고 아마도 경제 전체에 걸친 가격과 소득에 관한 일반협정은 다각적인 단체교섭이 있은 뒤에 맺어지게 된다. 그리고 이러한 교섭에는 노동자와 그 밖의 다른 피고용자·농민·산업체에서의 고용주, 그리고 은행가와 소비자의 여러 단체가 정부의 지도 아래 참여하게 된다.

이러한 양식은 특히 스칸디나비아에서 두드러지게 볼 수 있다. 내가 믿는 바에 의하면 해를 거듭함에 따라 국가사회의 주요한 조직적 이해집단 사이에서 맺어지는 이러한 형태의 일반적 소득협정은 점차 그 사회의 원칙이 될 것이다. 그러면 이때의 모든 가격과 임금, 그리고 사실상 모든 수요와 공급곡선은 어느 의미에서 정치적인 것이다. 우리들은 자유주의 경제이론의 '자유시장'으로부터 매우 멀리 떨어져 있다.

중앙경제계획의 입장을 대표하고, 또한 입법권을 가진 의회의 지원을 받고 있는 정부는 전국적으로 조직화된 세력집단 사이에서 이루어지는 교섭을 지도하고 타협을 통제하는 것이 의회 자체를 지배하는 것과 마찬가지로 중요하다는 것을 점차 알게 될 것이다.

조직사회의 하부구조

이러한 사태발전의 결과로서 우리들의 국가사회의 모든 성격은 변하고 있다. 실제로 헌법상의 형태를 제외하고는 공공정책을 형성하는 것은 모두가 이제는 많은 상이한 부분에서, 그리고 상이한 수준에서 결정되어 집행되고 있다. 즉 이러한 과정에서 더욱더 많은 책임을 지고 있는 중앙정부나 지방 및 도시의 당국이 직접 이것을 결정하고 집행할 뿐만 아니라 집단의 이익과 공동의 주장을 촉진하고자 조직된 일련의 '사적' 세력 집단 전부가 또한 더욱더 그렇게 하고 있다.

비록 개별기업이라 할지라도 만일 그것이 더욱 크게 되어 자유주의 경제이론의 가정과는 반대로 그들 독자적으로 시장을 결정하거나 혹은 시장에 결정적인 영향을 줄 수 있게 된다면, 그리고 그러한 힘을 가진 채로 방치된다면 이러한 기업도 서구적 국가의 조직화된 현대사회의 제도적 하부구조 속에 포함되어야 할 것이고 사실상 공공정책이라고 할 만한 것을 맡게 되는 것이다.

내가 지적한 바와 같이 성장하고 있는 국가에 대해 조정의 필요, 즉 내가 경제계획이라고 정의한 것을 때때로 강요하게 되는 것은 국가간섭의 양적 증대 그 자체였다는 것이다. 그러나 이 간섭은 대체로 특례(特例)로서 시작되었고 보통 일시적 성질의 것으로 생각되었다.

이제 우리는 국가의 간섭에 국가의 공적 구조의 내부에 있는 지방이나 도시 당국의 간섭뿐만 아니라 이러한 구조 밖에 있는 다른 모든 조직체의 간섭도 추가하지 않으면 안 된다. 이러한 조직체에 의한 시장 간섭의 양적 증대를 향한 전개는 새로운 국가간섭의 필요성을 가져 오게 했고, 이리하여 직접적으로나 간접적으로 시장 간섭과 나아가서는 정합(整合)의 필요성을 크게 증대시키게 되었던 것이다.

이번에는 다시 이러한 전개가 국가사회에서의 공공정책 정합을 위한 중앙기관으로서의 국가의 중요성을 더해 주었다. 오직 국가만이 더 긴급한 정합의 필요에 대처할 수 있었다. 그리고 그러한 정합에는 더 긴급한 정합의 필요에 대처할 수 있었다. 그리고 그러한 정합에는 이미 다른 여러 이유에서도 양적으로 증대하고 있었던 사회경제 생활에 대한 국가 자체의 간섭행위의 정합, 그리고 국가의 수준보다도 낮은 지역적 혹은 부문적 성격을 갖는 일체의 공공기관에 의한 간섭행태로 성장하기 시작했던 행위의 정합뿐만 아니라 공적인 헌법상의 구조에는 속하지 않지만 여러 종류의 시민단체를 위해 단체적 행동을 취하는 일체의 사적 조직이 버섯처럼 새로이 솟아나는 것에 대한 정합 등이 있었다.

서구적 국가에 있어서는 1백여 년 전에 모든 공공정책이 최저한도로 억제되었을 때 강력하고 효율적인 국가가 정치적 자유주의의 소산으로 존재하고 있었다. 결국 근대적이고 전과는 아주 다른 국가가 하나의 자리를 차지하게 되었고, 그 국가는 그러한 자리에서 여전히 강력하고 효율적인 힘을 가짐과 동시에 그것을 증강해 왔던 것이다.

국가는 최종적인 중재자로서 자기를 주장하지 않으면 안 되었다. 국가는 조직적인 하부구조의 내부에서 진행되었던 것에 대한 규칙을 결정해야 했다. 국가는 조직체 사이에서 일어나고 있는 단체교섭의 조건을 변경하여 그 결과가 공공의 의사와 일치하도록 조건을 통제할 필요가 있었다.

이와 같이 조직적 사회가 여러 면에서 자유로이 작용을 나타낼 수 있는 것은, 즉 그것이 기능하고 계획하고 또한 통제할 수 있는 것은 오로지 국가의 묵인하에서, 그리고 그 입법과 행정의 테두리 안에서만 가능하게 된 것이다. 그러나 설명이 이것만으로 충분한 것은 아니다.

국가통제의 테두리 안에서 이들 모든 조직체는 그 영향력을 증대하는 일은 있을지라도 상실하지는 않았으며 끊임없이 그 활동범위를 확대해 왔다. 이들 조직체는 그 활동 분야에서 더욱 큰 실질적 세력을 갖고 있다. 국가당국에 의해 취해지는 규칙적인 정합마저도 조직체와의 협의가 있은 뒤에, 더욱이 실제로는 그것들과의 협력에서 실시되는 것이 보통이다.

선진 복지국가에 있어서는 지방 및 도시의 자치 당국은 물론이거니와 이들 조직체가 갖는 세력과 수(數) 및 활동의 증대는 사실상 입법이나 행정에 대한 참여와 주도권 그리고 영향력이 여러 지방에 살고 있는 여러 직업을 갖는 국민 계층에까지 확대되는 것을 의미하고 있었다. 그것은 공공정책의 입안과 실시의 분산을 뜻한다. 만일 개개의 시민이 공공업무의 집행에 참여하는 것이 때때로 의회의 선거에 투표하는 것으로 제한을 받는다면 우리들의 민주주의는 사실상 매우 빈약한 것이 될 것이고, 발전도상의 복지국가라는 것도 현실성이 아주 희박해질 것이다.

실제로 선진 복지국가에 있어서는 시민이 그 모든 활동을 통해서 국가의 수준보다도 낮은 수준에서 공공정책의 집단적인 조직에 참가하는 일이 더욱더 많아진 결과로 이러한 선거 자체가 보다 중요한 것으로 되고, 또한 실제적이고 구체적인 이익의 관점에서 시민이 보다 분명히 이해하게 된 것이다.

민주적 참여의 필요성

그러나 이러한 사태 발전에 심각한 문제가 뒤따르지 않는 것은 아니다. 그 문제들이란 개개의 시민들이 자기들의 각종 권익을 옹호하기 위해서 마련된 조직을 운영하는데 적극 참가하는 권리를 과연 각자의 의사대로 행사할 수 있는가, 그리고 그것이 어느 정도로 있을 수 있는가에 관한 문제들이다.

만일 대중의 참가가 없다면 조직체는 그 가입자에 의해서 통제를 받지 않고, 직원과 역원(役員)의 과두(寡頭)지배의 광범 복합체로서 국가의 수준보다도 낮은 수준에서 제멋대로 기능하는 구실을 찾을 수밖에 없을 것이다.

이 경우에는 이러한 조직의 역직원(役職員)은 기껏해야 그들이 위임받는 집단의 이익을 위해 숙련된 독재적 경영자로서 행동할 것이다. 그러나 그들은 가입자에게 이익이 되지 않는 일을 하게 될지도 모른다.

다른 압력 단체와의 공모, 개인적 부당 이득, 그리고 명백한 오직(汚職)마저도 생각할 수 있다. 어쨌든 대중의 불참여는 대개 국가사회의 살아 있는 기관으로서의 조직체의 활동의 추진력을 감소시킬 것이다.

조직체가 그 자체의 구성원에 의해서 효율적으로 통제되지 않는 한 국가가 그 입법과 행정을 통해서 더 많은 억제와 통제를 강행하고자 생각하는 사태가 일어나게 되고, 이것은 또다시 국민사회에서의 생활의 자주성을 감소시키는 영향을 갖는다. 실제로 이러한 경우에 국가의 조직적인 하부구조 내부를 다소나마 정직하고 능률적으로 하기 위해 더욱 직접적인 국가통제가 필요하게 될지도 모른다. 그러나 문제의 핵심은 사람들이 자기의 조직체에 무관심하고 심지어 구성원이 되지 않을 경우에 그들은 흔히 국가의 시민으로서도 무관심하게 되기 쉽다는 데 있다.

이 두 가지 점에 참여하지 않는 것은 비교적 저소득층에서 더욱 보편화 되어 있으므로 이것은 자칫하면 조직체가 일반적으로 대기업과 고소득층의 이해관계에 유리하게 작용하는 사태를 가져올 것이다. 이러한 현상은 민주주의가 내포하는 정치적 관습에 위배된다.

지방 자치단체나 도시 자치단체에 관해서도 거의 비슷하게 말할 수 있다. 정부의 일이 국가보다 낮은 단위의 시민적 활동에 실제로 이양되는 것은 서구적 국가 사이에서도 차이가 있다. 그러나 이러한 기본적이고 장기적인 차이는 시민 스스로의 문제에 대해 사회적인 해결을 찾고자 하는 데 시민 자신이 갖는 관심의 정도에 크게 의존한다.

만일 이러한 작은 단위의 정치가 비능률적이고 우두머리에 의해 지배되거나 부패한다면 이것은 결국 시민이 책임에 참여하는 열의가 부족하다는 것에 그 원인이 있다. 만일 이러한 사태가 지배적으로 된다면 지방자치의 범위를 축소하여 중앙정부의 통제를 증강하는 편이 도리어 합리적인 해결책이 될지도 모른다. 개개의 시민이 조직체나 지방공공단체, 그리고 궁극적으로는 그들의 국가를 운영하는데 책임 있게 참여한다는 이러한 문제는 서구적 국가의 공통문제라고 해도 좋을 것이다.

현대생활에서는 모든 문제가 매우 복잡하다는 것은 내가 이 책에서 검토하고 있는 바와 같은 사회적인 변화과정의 결과이며, 그리고 그에 못지않게 조직적 구조 자체의 성장의 결과이기도 하지만, 이러한 복잡성으로 말미암아 이러한 문제를 전문적으로 다루어 보지 않은 보통 사람들이 그것을 이해한다는 것은 더욱더 곤란하게 되는 경향이 있다. 나아가 집단 활동의 영역이 확대됨에 따라 선거나 임명에 의한 대표자를 통한 참여에 더 많이 의존하지 않을 수 없다.

사정을 잘 알고 적극적으로 참여한다는 것은 지방의 협동조합의 점포가 다른 점포와 완만한 제휴를 가지면서 전국적 연합체를 형성하는 경우가 현재의 거대한 전국적인 협동조합적 기업의 경우보다 훨씬 간단한 문제로 되어 있다. 이 전국적 기업은 아주 대규모의 도, 소매업을 취급하고 때로는 큰 산업이나 수입업도 운영하며, 또한 많은 각종의 국제관계를 확립하기도 한다.

아주 역설적일는지 모르나 다음과 같은 사실을 덧붙일 필요가 있다. 즉 내가 다음 장의 끝머리에서 언급하는 바와 같이 현대의 민주적 복지국가가 이해관계에 관한 '창조된 조화'를 고도로 달성하는 데 성공했다는 것 자체가 도리어 참여를 위한 자극의 일부를 감소시킬지 모른다는 것이다.

협동조합과 노동조합이 아직도 투쟁의 단계에 있었을 때에는 창조된 조화의 달성이 감정에 호소하는 힘을 주기도 했으나, 이제는 이들 조합이 그 일부로 되어 있는 전국적 조직 속에서 강력한 지위를 차지하게 됨에 따라 이러한 감정에 호소하는 힘은 대부분이 무력화되고 있다. 그리고 대량실업의 위험이 우리들의 복지국가에서 현재 자라나고 있는 세대의 노동자가 심리적으로 실업에 대한 두려움을 가지고 있지 않다면 노동자의 권익을 옹호하기 위해 만들어진 조직체나 정당은 그들에 대해서는 그 주관적 중요성을 잃게 되는 경향이 있는 것이다.

보다 광범한 여러 계층이 그것을 잃게 될 위험성은, 특히 적극적으로 참여할 권리를 잃게 될 위험성은, 물론 모든 조직체나 정당에 잘 알려져 있다. 복지국가는 국민의 편에서 민주적으로 참여하게 하는 인간적 기초를 마련하고 그것을 유지하는데 끊임없이 감시하는 것을 게을리 해서는 안 된다.

이 문제를 가장 진실하게 다루며 또한 대중의 적극적인 참여를 지속하거나 확대하는 노력에서 일반적으로 뚜렷한 성공을 거두고 있는 나라에서는 조직체나 정당이 아주 다채로운 교육운동을 계속 벌이고 있는 것이다. 그들은 연구 시설을 갖추고 청년이나 부인에 대한 조직을 전문적인 조직을 가지고 출판사를 경영하고 신문이나 잡지를 발행하며, 소책자나 서적을 인쇄하고, 그들 자신의 연수학교를 설립하며, 지역적인 연구회나 토론회를 조직하는 등의 일을 한다.

그들은 회원들과 긴밀한 연락을 취하며, 때로는 중요한 결정을 회원 전체의 일반투표에 회부함으로써 사무 능률에 있어서 희생해도 좋다고 생각하고 있다.

미국의 특례

서구적 국가의 적극적인 참여라는 점에서는 각국마다 사정을 아주 달리하고 있다. 일반적으로 미국에서는 오히려 저조한 편이다. 미국의 국민사회에서 보통 이러한 결함에 대해 주어지는 설명은 그다지 큰 설득력을 가지고 있지 않다. 이에 대한 일반적인 설명의 하나는 미국이 대국이라는 데 있다. 그러나 나라가 크기 때문에 전국선거라든가 지방선거에서 투표율이 상대적으로 매우 낮다는 이유의 설명은 되지 않는다.

또한 그러한 사실은 왜 그처럼 많은 군(郡)과 도시의 행정이 비능률적인 것인가에 대한 이유의 설명이 되지 않으며, 그리고 그러한 지방행정 기관이 때로는 왜 부패한 우두머리의 지배에 빠져 들어가는가 하는 이유의 설명도 되지 않는다.

다른 하나의 일반적인 해명은 미국이 아직 매우 젊다는 데 있다. 이 문제와 관련시키는 경우에도 이것은 타당성이 의심스러운 해명이다. 사실 미국은 가장 오래된 민주주의 국가이다. 이를테면 그 노동조합 운동에 있어서는 현재 미국보다도 훨씬 높은 수준의 능률과 민주적 통솔을 달성하게 된 스칸디나비아제국에 비해서도 수세대 앞서 있다.

서구적 여러 나라에서의 사실과 비교해서는 물론이고, 미국 자체 내에서의 사실을 상세히 검토하더라도 협력 및 교섭의 제도적 형태의 경과 년수와 효율적인 대중의 참여 및 통솔 사이에는 하등의 적극적인 상관관계를 찾을 수 없는 것이다. 만일 상관관계가 있다면 도리어 불참여라는 증상은 훨씬 과거에서부터 경력을 가지고 있는 미국의 많은 조직체에 특히 만연되고 있다는 것, 그리고—영국이나 오스트레일리아와 같이—일찍이 조직적인 국가를 건설하는 데 있어서 선구자였던 서구적 세계의 나머지 다른 국가사회의 일부의 조직체에까지 미치고 있다는 것을 알 수 있다.

미국에 있어서는 사람들이 보다 빈번하게, 그리고 보다 광범위한 지역에 걸쳐 여기저기 주소를 옮긴다는 주장은 그 자체만으로는 대중 참여의 정도가 비교적 낮은 수준에 있다는 것과 그 결과로서 지방이나 지역에서의 자치가 비능률적이고 정직하지 못하다는 것을 설명해 주지는 않는다.

역사적으로 본다면 제3장에서 설명한 바와 같이 다른 많은 부수적인 사회변동 중에서도 긴밀하게 통합된 국가사회가 궁극적으로 출현하게 되는 결과를 가져 오게 한 것은 서구적 유럽에서는 다름아닌 공업화에 따르는 격심한 국내의 인구 이동이었다.

또한 이러한 인구 이동이 지방자치나 도시의 자치를 위한 조직의 내부에서도 시민활동을 더욱더 강화했던 것이다. 그러나 이러한 전개는 때로는 인구 이동에 관련되는 불조정 시기를 거쳐야만 했었다.

총체적이고 더욱 장기적인 관점에서 보면 미국에서의 높은 이동성은 시민생활의 모든 수준에서 대중이 보다 열성적으로 참여해서 아주 짜임새 있는 국가사회의 출현을 기대하게 하는 가장 확실한 기초가 된다. 나아가 실제로 이 점에 관한 결함을 일관해서 철저히 드러내고 있는 곳은, 미국의 국가사회 중에서도 상대적으로 독립적이고 정체적이며 이동성도 낮은 산간벽지로 되어 있는 것이다.

규모도, 젊은 역사도 그리고 이동성도 그 자체만으로는 미국의 모든 수준에 있어서의 민주적 참여의 상대적인 불안전성에 대해 만족할 만한 설명을 하지 못하므로 그 대신에 이 문제를 다음과 같은 사실에 관련시킬 필요가 있다고 나는 생각한다. 즉 미국에서는 비교적 최근까지 많은 이입민(移入民)이 있었지만, 그것이 후기 단계에 이르러서는 옛날과는 다소 다른 국가적 문화로부터 사람들을 받아들이게 되었다는 것이다.

국민적 통합을 향해 아주 급속한 전진이 있었음에도 불구하고 이질적인 여러 요소가 모든 면에서 아직도 좀처럼 없어지지 않고 남아 있으며, 아울러 분리주의적인 충성의 잔재도 남아있는 것이다.

이러한 설명을 통해서 우리들은 미국에서 조직적인 민주국가의 장래가 어떻게 발전할 것인가에 대해 낙관적으로 되지 않을 수 없다. 국민적 통합이 진전됨에 따라 미국 사람들이 그들의 지방적 수준으로부터 전국적 수준에 이르기까지의 조직체나 그 밖의 공공사회에 적극적으로 참여사는 열의가 높아지게 되리라고 생각해도 무리는 아니다.

최근 20년에 미국을 지켜보았던 사람이라면 누구나 이러한 점에 있어서의 놀랄 만한 향상과, 특히 그 결과로서의 능률, 민주적 통솔 및 정직성의 저조함에 있어서 과거에는 더욱 심했었고, 오늘날에도 남아 있는 다소 큰 민간의 세력집단이나 지방과 도시의 자치당국에서 증대하고 있다는 동향을 깨닫지 않을 수 없을 것이다.

시민의 참여라는 이 문제는 미국에서뿐만 아니라 서구적 여러 나라의 모든 곳에서 가장 중요한 것이며 따라서 그것은 집약적인 연구 과제가 되어야 할 것이다. 나라에 따라 다르지만 복지국가는 아직은 현실적이라기보다는 희망적인, 그리고 외견상의 성격을 농후하게 지니고 있다는 것을 나도 모르는 바 아니다. 몇몇 나라 그리고 어떤 분야에서의 그것은 참으로 매우 불완전하다.

제7장에서 나는 복지국가가 지니는 여러 가지 결함에 대해 다시 논하기로 하겠다. 많은 사람들은 조직적 국가의 배후에서 작용하고 있는 힘에 관한 나의 분석이 너무나 낙관적인 경향을 가지고 있다고 생각할 것이다. 또한 내가 현실적으로 존재하는 것보다도 장차 가능한 것을 더 많이 서술하고 있다고 생각할 것이다. 그리고 많은 사람들은 자기들의 이러한 판단을 뒷받침하는 몇몇—나에게는 다소 거북한—사실을 지적할 수도 있을 것이다.

그럼에도 불구하고 나는 이 경우에 현실적이라고 믿어지는 나의 낙관주의를 주장한다. 가능한 것, 여러 곳에서 달성되었으며 또한 도처에서 그러한 서광을 보여 주고 있는 것은 만일 민주주의가 그 실현의 기회를 잃어서는 안 된다면 달성될 수 있는 목표와 참으로 달성하지 않으면 안 되는 목표로서의 현실성을 지니고 있다.

일단 사람들이 협력과 교섭을 위해서 조직하는 자유를 갖게 된다면, 그리고 일단 그들이 이러한 협력과 교섭의 여러 조건을 마련하는 국가정책을 결정하는 데 평등한 발언권까지도 갖게 된다면, 그들은 앞에서 지적한 것과 같은 결함들을 용납하지 않을 것으로 나는 믿는다.

국민이 주권자로 되었을 때 그들이 자기들의 복지국가를 교활하고 조직적인 기업가나 기득권익 계급에 의해 조종되고, 다소 천박하고 관료적이며 아주 중앙집권적인 제도적 기구에 일임하는 길을 택하게 된다고는 믿어지지 않는다. 그러나 만일 복지국가가 시민의 참여를 드높여 줌으로써 활기를 얻지 못한다면 어차피 이러한 운명에 놓여지는 것이다. 복지국가에서의 관료주의 축소의 문제에 대해서는 제6장에서 다시 논하게 될 것이다.

역사적 노트

이 장과 앞의 여러 장에서의 나의 주장은 대체로 일반론에 지나지 않는다. 그것은 헌법이나 행정학·정치학에 관한 많은 문제를 제기하고 있다.

나의 주장은 서구적 국가 사이에 있는 큰 차이를 무시하고 있는 셈이다. 논의의 초점을 더욱 부각시키기 위해서 나는 지금껏 역사의 흐름을 상당히 단순화시켰던 것이다.

내가 제2장에서 말한 바와 같이 자유주의시대라 할지라도 그 이론이 보다 추상적인 정식화의 형태로 가정한 만큼 결코 국가 간섭이나 조직체에 의한 시장통제가 없었던 것은 아니었다.

몇몇 나라에 있어서는 경제적 자유주의의 이론은 결코 그 렇게 절대적인 것으로는 되지 않았다고, 또한 결코 그렇게 지고(至高)한 것으로 군림한 것도 아니었다. 따라서 자유주의 시기는 어느 나라에서나 역사적으로 짧은 과도기 이상의 것 으로는 되지 못했었다.

이 시기 이전에는 모든 나라에 수많은 조직체가 있었는데 이것들은 협조와 상호부조(扶助)를 위해 국외자를 배제하면 서 시장을 분할하거나 가격과 임금을 고정시키는 일 등을 했 다. 그리고 국가는 권위주의적이고 통제적인 국가였다. 이들 조직체나 권위주의적인 국가가 실시했던 오랜 시장간섭 중에 는 자유주의시대의 공격을 잘 견디어 낸 것도 있었다. 나라 에 따라서는 그러한 많은 간섭이 그대로 남아 있었다. 또한 자유주의 이전의 시대로부터 이어받은 조직체와 국가간섭의 대부분이 억압되거나 철폐되었던 때에 있어서조차도 무엇인 가 그 정신의 일부라고 할 만한 것이 전통으로서 흔히 보존 되었고, 더욱이 이러한 전통은 자유주의의 추진력이 쇠퇴하 면 곧 다시 자유로이 활개를 쳤다.

제도와 전통의 강인함에는 역사적인 밑바탕이 있으며, 그 것은 서구적 국가 사이에 가로놓인 중요한 차이의 일부분을 설명하고 있다. 성장한 노동조합이 자유주의 이전시대의 길 드 밑에서 조직되었던 수공업 노동자들의, 귀족제도로부터의 전통을 보다 직접적으로 계승한 나라라든가, 또한 이를테면 영국 혹은 덴마크와 같이 그러한 전통에 보다 끈질기게 집착하고 있는 나라에서는 노동조합은 오늘날까지 여전히 대부분 직능별 조합으로 남아 있다.

그러한 나라에 있어서는 일찍이 개방적인 산업별 조합으로 되어 있었던 스웨덴과 같은 여러 나라의 경우에 비한다면 노동조합이 전승된 기술이라든가 전통적인 작업 양식이라든가, 그들이 자기들의 특정한 작업에 대해 기존특권이라고 할 만한 배타적 권리를 갖는다고 생각하는 것 등을 중심으로 한 단결심에 의해서 아직도 일반적으로 활동하게 되는 수가 많다.

내가 이미 지적한 바와 같이 노동조합이 일반적으로 인식되는 것보다는 훨씬 오랜 역사를 갖고 있는 미국과 캐나다의 이러한 구분이 노동운동을 둘로 나누게 되는데, 그것은 넓은 의미에서 말한다면 미국의 노동시장의 2대 조직인 미국노동총연맹(AFL)과 산업별회의(CIO)와의 차이가 보여 준 바와 같다. (역주-이 두 조직은 1955년 노동총연맹산업별회의로 통합되었다.)

기업가를 기준으로 해서 본다면 미국은 처음부터 자유주의 이전의 낡은 유산으로부터 비교적 독립되어 있었다. 실업계에서는 일반적으로 지금은 미국에서보다도 유럽에 있어서의 경쟁적 정신이 희박해졌다는 생각에는 일리가 있다고 본다.

모든 수준에서의 조직체가 실제적 관행에 있어서는 물론이거니와 정신에 있어서도 특히 독점적이고, 또한 국가에 의한 교란도 크게 받지 않는 스위스와 같은 나라에서는 제도적인 하부구조가 자유주의 이전의 전통에 강력하게 뿌리를 박고 있음은 명백한 사실이다.

스위스가 스스로와 세계에 대해 서구적 국가의 어느 나라보다도 자기 나라가 '자유경제'를 더 누리고 있다고 설득시키는 일에 특히 크게 성공하고 있다는 것은 오히려 우연하게도 사실과 이데올로기의 괴리(乖離), 내가 서문에서 언급한 것의 극단적인 예로 되어 있다.

 이탈리아의 파시스트에 의해서 설립되었고, 어느 정도 독일의 국가사회주의자(나치스)에 의해서 모방되었으며 수정되었던 '조합적'인 모든 기관은 낡은 유럽적 전통과 근대적 기업의 필요 사이에서 하나의 새로운 비자유주의적 타협을 찾고자 하는 의식적인 기도인 것이다. 이러한 기도는 모두가 권위주의적인 국가의 재건에 목표를 두었다.

 파시스트나 나찌당원들이 얼마 동안 기업가들과 다른 상위의 사회계층—이들은 자신들이 권위주의적인 국가에서 권위있는 지위를 차지하리라고 믿었다.—으로부터 그처럼 놀랄만큼 강력한 지지를 얻을 수 있었던 것도 이 때문이다.

 오스트리아에서의 '의원(議員)'의 초기제도는 보다 완곡한 것이기는 했으나 조합주의의 또 하나의 형태였으며, 그것은 제2차 세계대전 당시의 파시즘의 붕괴 후까지 존속되었는데 권위주의 잔재를 많이 털어버리고 더욱 민주주의적인 기초와 균형이 잘 잡혀 있었다. 이러한 의원제도는 본래의 권위주의적인 형태로는 오스트리아의 지배 아래 있던 자유주의 이전 시대의 북이탈리아에 영향을 미치고 있었던 것이다. 그리고 그것은 무솔리니가 설치했던 것, 간접적으로는 히틀러가 건설한 것에도 많은 영향을 미쳤던 것이다.

 권위주의적인 조합주의의 관념은 우리들이 회상할 수 있는 바와 같이 비시(Vichy) 정권하의 프랑스에 의해 계승되었으며, 동시에 자유·평등·우애가 조국·가정·노동으로 탈바꿈했다. 그리고 오늘날에 있어서 드골 이후의 프랑스가 또다시 과거로 되돌아가 같은 조정을 할 것인가에 대해서 세계는 호기심을 가지고 지켜보고 있다.

프랑스에서의 극단적인 개인주의와 극단적인 중앙집권주의의 기묘한 공존은 계속되는 혁명의 파도를 해치고 나폴레옹주의, 부르봉적 보수주의 및 의회 민주주의의 여러 시대를 통해서도 유지되었지만, 그것이 프랑스에서는 지방 및 도시의 자치—사실상 프랑스에서는 그러한 것은 없다—의 성장과 또한 민주적으로 균형잡힌 이익단체로 형성된 하부구조의 성장을 강력히 방해해 왔던 것이다.

프랑스에는 독자적 이익단체를 창설하는 데 불리한 법률이 있으며, 그리고 지방자치라고 하면 프랑스인은 지방청에 이양된 권력을 의미하는 것으로 생각하기 쉽다.

프랑스의 문교부장관이 자기의 시계(視界)를 보고 어떤 특별한 종류의 학교의 어느 학년 학생들이 프랑스 전역에 걸려 지금 무엇을 하고 있는가를 방문자에게 자랑스럽게 알려줄 수 있는 것에는 농담 이상의 그 무엇이 있는 것이다.

프랑스에서의 정치의 중앙집권화와 이에 따르는 지방 및 도시의 민주적 관청의 취약성, 그리고 민주적으로 균형잡힌 민간세력 단체의 결여 등은 프랑스를 나머지 다른 서구적 여러 나라와 아주 다른 것으로 만들고 있으며, 따라서 좌우 어느 경향을 막론하고 급진적인 운동에 대한 저항을 한층 약화시키고 있는 것이다.

스페인과 포르투갈은 실제로 한 번도 자유주의 시대를 가져본 일이 없었으며, 이 책에서 논의한 경제적 상위의 국가군에도 속하지 않는다. 이들 두 나라에서는 국가정책이나 조직적 구조가 낡아서 개혁되지 않은 상태 그대로를 지니고 있는 것이다.

기본적인 차이

그러나 이러한 모든 것을 털어 놓았을 때, 그리고 특히 만일 최근 수십 년 동안의 파시즘과 나찌즘의 대두를 괄호 안에 집어넣고, 또 프랑스를 극히 특수한 경우로 취급하는데 동의한다면, 자유주의 이전 시대의 국가와 현대의 조직적 국가 사이에는 상당히 많은 차이가 있음을 알 수 있다. 후자를 신중상주의(新重商主義) 국가로 특징지우는 것이 비록 옳다 해도 그것은 다만 진리의 반면(半面)에 불과한 것이다.

무엇보다도 구질서는 국민경제의 정태적 개념에 한층 적합하게 꾸며진 것이었다. 중상주의(重商主義) 국가가 아무리 많은 힘을 경제의 특정분야 개선에 경주했다 하더라도 그것은 현재 우리들의 것으로 되어 있는 일반적 진보와 확장 및 발전의 정신을 가져본 일이 거의 없었던 것이다. 그리고 더욱 중요한 것은 자유주의 이전 시대의 조직체는 오늘날의 그것에 비해서 기득권익이나 특권적 지위를 지키기 위해서 만들어지는 일이 더욱 많았고, 따라서 더욱 배타적·제한적 그리고 독점적인 경향이 있었다. 이 점에서 당시와 현재의 사이에 큰 차이가 있다는 사실은, 설령 우리들이 오늘날에도 사라지지 않고 여전히 작용하고 있는 전통을 고려한다 해도, 일반적으로는 상당한 정도의 타당성을 갖게 된다 할 것이다.

내가 이미 지적한 바와 같이 실제로 각 분야에서 그리고 각국에서 조직체간의 차이를 생기게 한 것은 바로 이러한 전통의 힘의 차이인 것이다. 초기의 국가는 상층 계급의 권위주의에 입각한 것이었으며, 또한 잘 사는 사람들의 편이 되기가 일쑤였다는 사실이 이러한 모든 것과 관련되어 있다. 그 사람들은 또한 자기의 이익을 지키기 위해서 효율적인 조직을 하게 되었던 유일한 사람들이었다.

근대적 민주주의의 관점에서 본다면 자유주의시대 이전의 조직은 매우 짜임새가 없는 것이었다. 개괄적으로 말해서 중세로부터 계승된 중상주의적 조직체는 도시민으로 구성되어 있고, 도시민들은 서로 공모하여 상거래와 시장을 상품을 제조하는 그들의 독점적 특권을 가난한 사람들이 침범하지 못하게 했던 것이다. 그리고 도시에 있어서는 부유한 상인이나 제조업자가 그 독점적 지위를 가난한 시민, 특히 노동자들로부터 지키기 위해서 조직화 되었다.

농노(農奴)이건 스웨덴에서와 같은 자작농이건, 농민이 자기들의 이익을 수호하기 위해 효과적이고 영속적인 기반 위에서 조직하는 데 성공한 일은 거의 어디에서도 찾을 수 없었다. 노동자 중에서는 겨우 기업의 규모가 적정선을 유지했던 수공업의 숙련된 노동자만이 조직화 되기는 했으나 이때에도 대체로 그들은 종속적인 지위에서 억제되고 있었다.

국가의 정책은 보통 이러한 권력관계를 반영했으며, 또한 그것을 강화했다. 동맹파업은 보통 불법으로 되어 있었다. 지방과 도시 당국에 의한 시장에 대한 간섭은 물론이거니와 국가 당국에 의한 시장통제는 대개가 노동력을 풍부하게, 값싸게 그리고 온순하게 하는 방향을 취했다. 그러므로 농민들은 항상 같은 지위에 머물러 있어야만 했다.

국가는 민주적이 아니었고 선거권은 소득과 그 밖의 계급적 제한에 의해서 엄격히 한정되어 있었다. 조직적인 모든 체제도 역시 불평등했고 부유계급에는 유리하게, 빈곤계급에는 불리하게 조직되어 있었다. 이러한 조직체가 기능하는 양식은 동등한 교섭력을 갖는 당사자 간의 단체교섭이 아니라 보다 강력한 당사자의 지시대로 움직이게 되었으며, 더욱이 이것을 지원했던 국가는 때때로 부유계급의 수중에 있는 한 개의 제도적 도구에 불과한 것이 되고 말았다.

서구적 국가들 사이의 모든 차이에도 불구하고 극히 일반적으로 현재의 상황은 이제는 전혀 새로운 것으로 되어 있다. 선거권이 확대됨에 따라 국가는 민주적으로 되었다. 국가는 경제적 약소계급이 자기들의 조직체를 형성하는 것을 돕는데 권력을 더욱더 행사하게 되었다. 즉 입법과 행정에 의해서 국가는 약소계급이 유리하게 교섭할 수 있도록 조건을 개선함으로써 그들을 지원해 왔던 것이다.

오늘날 서구적 국가에서 농민들이 과거에 효과적인 조직체도 갖지 못했고, 무방비상태의 노동자들이 고용주와 정부 당국으로부터 학대를 받았다는 사실을 이해하기란 거의 불가능할 정도가 되었다.

제5장 복지국가에서의 계획

역사적, 인과적 질서

지난 반세기 동안에 서구적 부유한 나라들은 민주적인 '복지국가'로 발전했고, 경제개발과 완전고용, 청년에 대한 기회균등과 사회보장, 그리고 모든 지역과 사회계층의 사람들에 대해 소득뿐만 아니라 영양과 주택 및 교육에 관해서도 최저수준을 보장해 준다는 광범위한 목표를 아주 명백히 공약하게 되었던 것이다. 그러나 복지국가는 아직은 어느 나라에서도 완성을 보지 못하고 그것은 계속 성장과정에 있다.

원래 복지국가는 어느 나라에 있어서도 미리부터 계획된 것은 아니었다. ―그것은 현재와 같이 당당한 분파조직을 가지고 있고, 또한 개개의 국민에 대해서 중요성을 띤 구조로서는 확실히 계획된 것이 아니다. 모든 나라에서, 심지어 복지국가의 건설이 가장 앞서 있는 나라에서까지도 그 건설자들은 단순화·정합화·합리화 그리고 능률 달성이라는 과제와 계속 씨름을 하고 있는 것이다. 이러한 복지국가라는 누각이 솟아오름에 따라 계획은 점점 더 필요하게 된다.

그렇게 되지 않으면 안 된다는 사실은 내가 서구적 국가에서의 계획화를 향한 추세의 배후에 있는 제력(諸力)에 관해서 분석할 때 명백히 밝혀졌을 것이다. 역사적 및 인과적인 순서는 시장 제력의 활동에 대한 간섭이 먼저 등장하고 이어서 계획화가 필요하게 되는 것이다.

누적적(累積的) 인과관계의 과정에서 간섭의 장기적인 양적 증대에 계속 박차를 가해 온 것은 제1차 세계대전 이래의 일련의 격심한 국제적 위기, 사람들의 태도에 있어서의 합리성 증대, 정치권력의 민주화, 지방과 도시에서의 자치성장, 모든 시장에서의 대규모 기업이나 권익단체의 성장 등이다. 그리하여 공사의 간섭이 더욱 그 빈도를 높이고, 또한 그 범위가 넓어지고 나아가서는 이 강력한 사회변화의 과정에서 다른 여러 요인과의 관련이 밀접해짐에 따라, 그만큼 상황은 복잡해지고 모순과 혼란은 증대되었다. 이러한 모든 것을 합리적으로 정합(整合)할 필요성이 공중의 의사를 대표하는 중앙기관으로서의 국가에 끊임없이 증대하는 충격을 가지고 압력을 가하게 되었던 것이다.

또한 정합화는 계획화를 가져오게 한다. 오히려 계획화라는 용어는 서구적 세계에서 이해된 바에 따른다면 정합화, 즉 계획화인 것이다. 간섭 수단을 정합한다는 것은 이들 여러 수단을 어떻게 결합시키면 국가사회 전체의 개발 목표에 이바지하게 할 수 있을 것인가의 관점에서 모든 수단을 강구한다는 것을 의미한다. 이 경우 이러한 개발 목표는 권력에 기초를 제공하는 정치 과정에 의해서 결정되는 것이다. 이러한 정합이 필요한 이유는 개별적인 간섭 행위가 전체로서는 양적으로 증대해 가고 있지만 그러한 행위가 처음 시작되었을 때에는 이러한 방향에서 고려된 바가 없었기 때문이다.

국가가 점차 국민경제의 정합과 규제에 관여하게 됨에 따라 그것은 단기 및 장기의 예측을 하지 않을 수 없게 되며, 또한 이러한 예측이 가리키는 바에 따라 통상·금융·개발 및 사회개량을 지향하는 국가정책을 수정하고자 노력하지 않으면 안 된다. 아주 크게 개선된 통제적 정보나 기타 정보의 기초도 정부가 이용할 수 있도록 되어 가고 있다.

이렇게 크게 개선된 통제적 정보나 기타 정보의 기초도 정부가 이용할 수 있도록 되어 가고 있다. 이렇게 여러 정책을 정합한다는 것, 즉 예측으로 밝혀진 일련의 사실적 추세에 정책이 적응상태를 유지하도록 계속 수정한다는 것은 경직적이고 일체를 포괄하는 계획형태를 취하는 것이 아니다. 그렇기는 하나 그것은 계획을 향해 착실하게 발전적으로 접근하고 있으며, 더욱이 이러한 계획화는 현재의 여러 추세가 완전히 작용함에 따라 더욱 확고하고 포괄적으로 되는 경향이 있다.

간섭에서 계획으로

대기업들의 활동과 공식으로 헌법에 규정된 하부 구조에서의 여러 조직체의 활동에 관해서 말한다면, 그것들이 처음부터 합리적으로 정합된 국가 계획의 일부가 아니었다는 것은 처음부터 명백한 일이다. 그들의 활동은 대개 특수한 이해관계를 대표한 것이지 일반적이고 공동의 국민적 이해를 대표하는 것은 아니었다. 그러나 실제로 정합이 없었다는 것은 공공정책이 처음으로 착안되고 결정되었을 때에도 마찬가지로 명백하다. 각국의 경제정책사, 이를테면 관세와 조세에 관한 정책사는 이러한 명제에 대해 충분히 증명을 해주고 있다.

나아가서는 초등교육과 고등교육 그리고 공중위생을 위한 거대한 시설이 어떻게 건설되었는가에 대한 기록과 병자·불구자·실업자·노인 및 아동을 위한 사회보장 계획과 같은 방대한 재분배적 개혁 속에서 그러한 증명을 발견할 수 있다.

오늘날 존재하고 있는 것과 같은 경제적 및 사회적인 간섭의 이러한 모든 복합체는 단편적이고 점진적으로 유발된 많은 변화의 오랜 과정 뒤의 최종적 산물인 것이다. 그리고 여러 분야에서 정책 자체의 장점이 이들 변화의 동기가 되었거나 혹은 집단의 압력에 응하여 기도되었으며, 처음에는 각자가 독립적이고 서로 무관했던 정책으로 추진되어 왔던 것이다.

이를테면 점차 과중한 부담으로 되고 있는 사회보장 계획이 당초에는 곤경에 빠져 있는 사람들의 특수집단을 위한 사회 정의와 복지를 내세우는 논의에 의해서만 지지를 받고 있었다는 것은 주목할 만하다. 그리고 그러한 논의가 오랫동안 우위를 차지하고 있었다.

이러한 계획이 나라의 경제를 망쳐놓는다고 항상 주장했던 반대자들의 잘못이었다는 것이 판명된 것은, 대체로 이러한 개혁이 국민대중의 생산성을 향상시키는 효과를 올리게 된 결과였다. 그러나 그 효과는 개혁을 가져 오게 하는 동기로서는 결코 중요한 역할을 하지 못했다.

이러한 보다 광범위한 효과와 상호관련을 고려한다는 것이 점차 공적인 토론으로 표출됨에 따라 그 설명은 일반적으로 다음과 같이 전개된다. 즉 이들 모든 정책이 이제는 아주 많아지고 중요한 것이 되었으며, 또한 그러한 모든 정책은 국민생산의 매우 큰 부분의 분배를 다시 하게 되므로, 이들 정책은 그들 상호간은 물론 국민경제 전체의 발전과 정합되지 않을 수 없다는 것이다. 그리하여 우리들은 근대적 의미의 계획화에 도달하는 것이다.

주택 분야에서의 공적 간섭도 또 하나의 예가 된다. 20~30년 전에 보잘것없이 산만하게 시작된 이후로 이러한 간섭은 모든 서구적 나라들에서 놀랄 만한 증가를 보여주고 있다. 국가는 오늘날에 있어서 사람들이 거주할 가옥을 얻는 여러 조건과 일부의 사람들이 주택을 제공하는 것을 사업으로 할 수 있게 하는 여러 조건에 대해 결정적인 영향을 주게 되는 책임을 느낀 것이다.

직접적으로는 국가의 입법과 행정 및 지방과 도시 당국의 그러한 것들을 통해서, 혹은 간접적으로 정부의 특혜와 인가 아래 활동하는 하부구조의 여러 기관을 통해서 그렇게 해야 한다는 책임을 느낀 것이다.

이러한 복잡한 간섭 복합체가 관여하는 범위는 임대료의 수준, 건물과 저당대부의 이용 가능성과 가격, 갖가지 노동시장과 건축재료 시장에서의 여러 조건, 그리고 실로 가옥의 건축, 소유 혹은 임대·입주와 같은 모든 경제과정의 각 국면(局面)에까지 미치고 있다.

주택에 대한 인간의 필요와 유효수요를 다 같이 결정하는 장래의 가족 수, 그 연령 구성 및 그 밖의 요소는 건축 활동이 일반적 사업 활동의 추세에 미치는 효과와 마찬가지로 단기적이나 장기적으로 예측되고, 또한 고려되어야 한다. 후자, 즉 건축 활동의 많은 효과는 매우 중요하므로 그 활동수준은 일반 경제정책의 관점에서도 주의 깊게 관찰되어야 한다.

도시가 성장하고 또한 그러한 성장에 대비해서 보다 많은 공공투자가 필요해짐에 따라 도시계획은 산업 입지의 계획과 지도에 대한 일반 공중의 깊은 관심이 요청되는 바와 같이 더욱더 필요하게 된다.

동시에 이제는 고등교육과 전문교육의 급속한 발전이 매우 큰 자금을 흡수하고 이들 모든 나라의 아주 많은 청년들과 관련을 갖게 되므로 이 활동은 산만한 공공정책에 있어서 하나의 독립과정으로서는 이미 계속될 수 없다는 것이 점차 인식되고 있다. 이러한 활동은 여러 가지 분야에서 훈련된 노동에 대한 장래의 수요계획에 입각하여 신중히 계획되지 않으면 안 되는 것이다. 이것은 물론 국민경제 전체에 대한 예측과 계획을 필요로 한다.

또한 역(逆)의 관계도 적용된다. 즉 국민경제에 관한 어떠한 장기적인 예측이나 계획도 교육과 훈련에 대한 여러 정책을 포함하지 않고서는 이미 그 어떠한 것도 할 수 없는 것이다.

스웨덴은 사회보장이라는 조직을 완성하는 최후의 노력으로서 공사(公私) 기업의 육체 노동자와 다른 피고용자 사이에 있는 계급적 차별의 거의 최후의 잔재물이라고 할 만한 것의 근절을 목적으로 한 강제 저축 및 연금 계획을 시작하고 있는 중이다. 그것은 다른 유럽의 여러 나라가 머지않아 참가하게 될 하나의 개혁운동의 선구가 될 것이다.

모든 노인들은 법률에 의해서 그들 생애 가운데 가장 수입이 좋았던 15년간의 수입의 3분의 2에 해당하는 소득을 보장받게 될 것이다. 이렇게 방대한 재분배적 개혁이 국민경제 전체의 발전에 대한 신중한 장기적 예측에 기초를 두고 또한 이러한 발전에 영향을 주는 공공정책의 모든 체계 속에 통합되어야 한다는 것은 명백하다. 그렇게 하지 않으면 이러한 개혁은 그 나라 장래의 경제가 좌우될 매우 무모한 도박을 하고 있는 셈이 되며, 모든 분야에서 국민적 노력의 좌절을 가져올 위기마저 있는 것이다. 이것은 노인에 대한 사회보장금의 지불이 실질가치로 보증되는 경우에는 더욱 명백해진다.

이 개혁에 반대해서 스웨덴에서 일어나고 있는 주요한 비판은 이 개혁이 한 나라의 전체 경제발전에 미치는 영향에 관한 예상이 완전하지도 못하고, 또한 충분히 엄밀하지도 못하는데 있으며, 그것은 계획화에 관해서 서구적 국가들이 현재 도달하고 있는 상황을 잘 말해 주고 있다. 그 개혁에 반대하는 보수주의자들조차도 계획에 관한 이러한 선입관을 적지 않게 가지고 있는 것이다.

'완전고용'

어느 의미에서 서구적 복지국가에서의 가장 큰 경제계획 공약은—그 공약의 형성은 말할 것도 없거니와 그 정의도 각양각색이지만—그들 모든 나라가 완전고용의 유지를 서약하고 있다는 것이다. 여러 정부가 이러한 상태에 점진적으로 도달하게 된 정치적 과정은 계획화로의 이러한 추세를 나타내는 것이다.

대량실업의 적기적인 발생이 경기변동에 대한 필연적인 시장 조정의 다소 자연적인 결과로 받아들여지고, 또한 그것에 대해서 신통한 대책이 없는 것으로 받아들여진 것은 그리 오래 전의 일은 아니었다. 그렇지만 이미 내가 언급한 바와 같이 민주화 과정에서 노동자의 정치력이 중대함에 따라, 그리고 사회적 양심이 실업자와 그 가족의 괴로움에 대해 보다 민감해짐에 따라—물론 이 두 개의 변동은 밀접하게 관련되어 있다—실업자에 대한 재정적 원조의 여러 방책이 잇달아 각국에서 제도화되기에 이르렀다.

처음에는 이들 실업대책은 모두가 실업 노동자들에게 실업에 의해 잃어버린 소득의 일부를 주는 것만을 목적으로 한 보상적 성격의 것이었다. 관심사는 실업의 증상이었지 그 원인은 아니었다.

오늘날 모든 서구적 국가에서 사회보장제도와는 불가분한 일부로 되어 있는 실업보장은 이러한 노선을 따르는 사회정책의 완성물인 것이다. 그러나 곧 국가가 실업자를 위해서 노동 기회를 추가해서 창출할 목적으로 적극방책을 취해야 한다는 요구가 일어났다.

1920년대에 특히 대공황기에 공공사업 정책이 서구적 국가의 도처에 퍼져 갔다. 그와 동시에 노동자들은 이러한 공공사업에 있어서까지도 충분한 임금을 강요하기 시작했던 것이다. 이러한 전개는 국가가 그 모든 제정 및 경제정책을 대량

실업을 일소시킬 수 있을 만큼 노동수요를 창출하는 방향으로 추진해야 하고, 또한 국민경제를 중단 없는 높은 활동상태에 두는 방향으로 추진해야 한다는 요구를 뚜렷하게 나타낸 것에 지나지 않았다.

경제이론은 이제는 시대의 이데올로기적 요구에 따라 경제불황과 실업의 책임을 총수요와 총공급의 불일치를 돌리고 국가로 하여금 증세 없이 그 예산 지출을 늘림으로써 투자와 생산을 증가시키고 또한 고용을 창출할 수 있게 하는 합리적인 길을 열어주게 되었던 것이다.

서구적 국가 중에서 이론적으로나 실천적으로 이 정책을 처음으로 채용했던 스웨덴에 있어서는 유수정책(誘水政策)이 대공황의 초기에도 아주 만족스러운 작용을 하게 되었다. 그렇다고는 하지만 그것은 회복에 대해서는 유리했으나 의식적인 정책의 일부로는 되지 않았던 일반적 경기상황에서 일어난 다른 동시적 변동에 의해 우연히 보완되고 있었다. 미국이나 기타 여러 나라에서의 이와 비슷한 정책은 크게 성과를 거두지 못했는데 그 주된 이유는 적자 지출이 너무 적어서 큰 효과를 거두지 못했기 때문이다.

제2차 세계대전 이후 우리들은 모두 대규모 예산을 예사로 생각하게 되어 거대한 예산상의 적자를 이전처럼 심각하게 생각하지 않게 되었다. 지출을 증가시킴으로써 불황으로부터 탈출하고자 하는 확장주의 이론은 이제는 경제계의 한층 부수적인 부분에 있어서조차도 정통시되어 가고 있다. 그렇지만 그것은 아직 충분한 시험을 거쳤다고는 할 수 없다. 왜냐하면 처음에는 전쟁 직후의 긴급한 재건상의 필요와 억압된

수요가, 그리고 그 위에는 막대한 군사 지출이나 냉전이 가져온 다른 재정 부담이 강력하게 총수요를 유지시키는 데 공헌했기 때문이다.

디플레이션이 아닌 인플레이션이 끊임없는 걱정거리고 되어 왔다. 그러나 그 이유야 어떻든 모든 서구적 국가들이 대체로 전시 및 전후를 통해서 완전고용을 향유해 온 것은 어쨌든 사실이다.

이제 이들 나라에 있어서는 대량실업을 실제로 체험했거나 호경기에도 실업에 대한 공포 때문에 모든 노동자 가족들이 전전긍긍했던 몇십 년 전의 일을 기억하고 있는 사람은 얼마 되지 않으며, 그 숫자는 점점 줄어들고 있다. 서구적 국가의 어떠한 나라에 있어서도 쓰라린 실업의 시기를 또다시 국민들이 참고 견디어야 하는 일은 없으리라고 예언해도 좋을 것이다.

어느 의미에서 완전고용을 유지하고자 하는 이러한 결의는 민주적 복지국가의 빛나는 업적이다. 이것은 모든 노동자를 계속 취업시키기 위해서는 필요하다면 급진적 정책까지도 이용할 용의가 있다는 것을 의미하며, 또한 이것이 전체의 경제개발에 대한 세심한 주시와 모든 경제정책에 관한 계획적 정합을 가정하고 있다는 사실은 이제는 일반적으로 이해되고 또한 받아들여지고 있는 것이다.

재정 예산

서구적 국가에서의 계획화를 향한 이러한 전개는 물론 재정 예산상의 영향을 가져 오게 하였으며, 그 예산은 어떤 종류의 공적 간섭을 통합하며, 또한 어떠한 방법으로든 기타의 간섭도 반영하고 있다.

이러한 예산의 꾸준한 규모 증대와 조세 수준의 상승은 제1차 세계대전 전에 있어서조차도 서구적 국가의 만성적인 추세로 되어 있었다. 이러한 추세는 공황과 1, 2차 세계대전이라는 추진력이 없었다 하더라도 물론 이 경우에는 그 상승을 훨씬 완만하게 했을 것이지만 계속 상승되었을 것이다. 재정정책에서 어떠한 일이 일어났는가를 예증하는 편리한 방법은 재정학에 주의를 집중시키는 데 있다고 할 것이다.

재정학은 몇 세기에 걸쳐 주로 국가와 지방 및 도시의 살림살이에 관한 합리적인 운영을 연구하는 상태에 머물러 있었다. 현대과학은 관방주의자(官房主義者)들로부터 직접 이어받은 것이다. 조세는 그것의 궁극적인 부담과 그것을 시민 사이에 공정히 배분한다는 견지에서 연구되었다.

국가재정과 한 나라의 경제 전체와의 관계는 개인 혹은 기업에 대해서 자연스럽고 적절하게 되는 것과 마찬가지 방법으로 취급되었다. 즉 경제로부터 조세와 공공 지출로 향하는 전적으로 일방통행의 관계로서 다루어졌던 것이다. 문제는 경제 전체의 발전이 어떻게 공공지출을 위한 소요액의 변화와 주어진 율에서의 조세수입 및 기타 공공수입의 변화에 반영되는가 하는 데 있었다.

왜냐하면 제1차 세계대전 이전에는 공공재정은 다른 방향, 이를테면 경기상황에 어떤 아주 중대한 작용을 미치게 될 만큼 한 나라의 경제 전체에 커다란 부분이 되는 것은 아니었기 때문이다. 그리고 이 시기를 통해서 경제학자를 포함한 모든 사람들은 이러한 다른 문제를 크게 중요시할 정도로 국민경제의 계획적 지도에 충분한 관심을 가지지 않았다. 그것은 정치적 현실성을 갖지 못했던 것이다. 이것이 아직도 우리들이 낡은 교과서에서 보는 재정학(財政學)인 것이다.

1914년 이전의 재정학을 이렇게 특징지우는 것은 대체로 옳다. 그러나 18세기 이전에 있어서도 재정정책의 역할에 관해서 특히 국가의 차입(借入)이 일반적 경기상황에 미치는 효과에 관해 많은 고찰과 토론이 있었다는 것은 명심해야 할 일이다. 그러나 그러한 관심은 보통 하나의 특수한 현실문제에 집중되어 있었고, 그것은 결코 전체로서의 재정이론의 구조를 결정하는 것은 아니었다. 국가 예산이 그것이 경기순환이라든가 경제성장에 미치는 일반적인 효과라는 관점에서 연구된 예는 한 번도 없었던 것이다.

제1차 세계대전은 여러 가지 면에서 방대한 재정상의 영향을 가져왔고, 이러한 결과는 널리 토론된 바 있었다. 그러나 예산을 사회공학 혹은 경제공학의 도구로 이용할 수 있다는 가능성을 논한 적은 한 번도 없었던 것이다.

1930년대 대공황이 언급했을 때에는 공공재정은 이미 경제생활에 대한 공적 간섭의 증대로 말미암아 국민생산의 아주 큰 부분을 흡수하게 되었으므로 공공수입과 지출의 변화라는 점에서 전체로서의 경제발전에 대해 상당히 큰 영향을 줄 수 있었던 것이다. 더욱이 간섭주의 사상도 증대하고 있었다. 그리하여 1930년대의 재정학은 하향적 경기변동을 상쇄하기 위해서는 재정예산을 어떻게 조작할 것인가 하는 문제에 그 초점을 두었다.

이 제2단계는 결국은 매우 단기적인 것이 되었다. 제2차 대전이 끝난 뒤인 지금 우리는 제3계급에 들어서고 있는 것이다. 국민소득의 약 3분의 1이 재무성 계정(計定)을 통하고 있는 것이 보통이며, 더욱이 이러한 추세는 아직도 상승일로에 있다. 이리하여 공공재정 문제를 따로 구별한다는 것은 불가능하게 되어 있다. 낡은 교과서뿐만 아니라 계획된 경기대책적 예산재정에 관한 1930년대의 논의도 이제는 이미 낡은 것이 되었다.

공공재정에 관한 여러 문제는 이제는 국제무역 및 국제수지와 임금 및 소득·화폐 및 신용 등의 모든 문제와 불가분하게 얽혀 있다. 그 이론적 조직화의 방책이 국가예산이고 이 예산은 국가에 의한 경제예측과 경제계획의 총체적인 조직망을 만드는 데 도움이 되는 부기원리(簿記原理)에 의한 중앙통제가 된다고 본다.

국가예산은 전국민 소득의 구성과 공공기관은 물론이거니와 민간경제 주체에 의한 투자와 소비를 위한 국민 소득의 처분을 해명하고 있다. 이러한 국가예산 속에서 국가 예산은 전체의 일부로서 분석되는 다만 일련의 항목으로서 나타나게 될 뿐이다.

재정학 달성 과정의 초기 2계급의 모든 문제는 아직도 존재하며, 또한 중요성을 띠고 있다. 즉 조세의 부담과 그 공정한 배분 및 공공재정의 일반경기 정세에 대한 영향의 문제 등이 그것이다. 그러나 이들 여러 문제는 이제는 경제정책의 다른 모든 문제와 불가분하게 통합되어 있고, 또한 국민경제 전체의 지도라는 유일한 주요문제에 종속되어 있다.

　재정학은 생긴 지 얼마 되지 않지만 그 영역과 내용을 한 번도 아니고 두 번씩이나 철저하게 바꾸었다. 이러한 사실은 공공정책의 성장이 미친 영향을 말해주고 또한 전반적인 국민경제 계획을 향한 이러한 추세의 최종적인 결과를 가리키는 것이다. 그러나 이 계획은 아직 타협적 성격을 가지고 있으며 결코 포괄적이고 예정적인 프로그램의 성격을 갖는다든가 혹은 정치적으로 괄목할 만한 것이 못된다.

정치적 태도들의 상호 접근

　현대의 민주적 복지국가의 이러한 점진적 완성에 관해 하나의 흥미 있는 측면은 한때 매우 중요했던 의견의 다양성이 이제는 점점 사라지거나 혹은 성격을 달리함으로써 중요성을 잃는 경향이 있다는 것이다.

　예컨대 재분배적 개혁에 관한 논의가 그 두드러진 예이다. 오늘날에 있어서는 누구도 누진과세가 있어야 할 것인가 혹은 있어서는 안 될 것인가 하는 문제에 대해 크게 흥분하지 않는다. 공개토론의 참가자 및 정당간의 의견의 불일치는 이미 이러한 원칙 문제에 관한 것이 아니라 어느 정도로 그리고 어떠한 방법으로 조세를 부와 소득의 분배에 영향을 미치도록 이용할 것인가 하는 문제에 관한 것이다. 마찬가지로 사회보장제도의 존재 의의에 관한 토론은 이미 끝장이 난 것이다.

실천적 문제는 오직 이제 얼마나 많은 자금이 이 목적을 위해 충당되어야 할 것인가, 누가 그것을 지불해야 할 것인가, 그리고 그것은 어떻게 사용되어야 할 것인가 하는 데 있다. 한 나라에서 수행된 여러 개혁은 일반적으로 국민 전체로부터 신속하고 진지한 승인을 얻게 되는 것이다. 뿐만 아니라 이러한 정책의 계속도 용납되며 또한 더욱 많은 재분배적 개혁이 경제적 진보의 거의 자동적인 귀결이 되고 있다.

우리들은 모든 정당 사이에서 큰 견해의 일치를 이루어가고 있는 것이다. 이들 정당은 소득 수준이 높아짐에 따라 때로는 새롭고 항상 더욱 철저한 재분배적 개혁의 선전을 경쟁하게 된다. 어쨌든 보수적인 정당이 집권을 하더라도 훨씬 좌경(左傾)했던 정당이 이전에 수행한 여러 개혁을 두드러지게 철회한 예는 아주 드물었다.

이것은 보수주의자가 그 초기의 입장에서 점차 후퇴하는 것을 의미한다. 이것과 정반대의 방향에서는 사회민주주의자들이 세력이 없는 조그마한 소수 정당이었을 때 주장한 급진적 개혁에 관한 많은 제안에 대해 좌경 측에서 냉담한 태도를 취하는 것도 볼 수 있다. 이를테면 은행과 보험회사 그리고 모든 산업의 공유화에 대한 사회민주주의자들의 요구는 힘을 써보지도 못했고, 이리하여 한 번도 누적 세력을 구축해 보지도 못했던 것이다.

서구적 국가에는 '계획경제'에 대해 상속받은 혐오감이 있다는 것은 이미 '서문'에서 언급한 바와 같다. 그리고 대규모의 국유화는 물론 계획경제의 하나의 극단적인 예이다. 이러한 혐오감을 실업단체—도처에서 그들의 통신사업에 대한 지배력은 강력하다—가 권장하고 이용한 것은 사실이다.

사회민주주의자들이 점차 대중의 지지를 얻게 되고, 정치적 세력을 구축함에 따라—나라에 따라 이데올로기의 지연에 따르는 빠르거나 늦다는 차이는 있다 할지라도—그들이 대개 국유화 문제에 대해 열의를 잃는 경향이 생겼음은 명백하다. 이제 그 문제는 모든 서구적 국가에서 그 구실을 점차 잃어가고 있으며, 또한 정치 무대에서 아주 사라져가고 있는지도 모른다.

그렇지만 사회민주주의자의 편에서 이러한 조정을 하게 된 데에는 그 나름대로의 논리적 이유가 있었다. 국유화는 그들에 대해서는 오직 정책의 기본적 목적에 도달하는 하나의 수단에 지나지 않았던 것이다. 그러나 복지국가가 발전함에 따라 이러한 목적은 다른 수단에 의해 대부분이 달성되고 따라서 국유화는 이미 필요하지 않게 되었거나 혹은 그다지 바람직한 것으로는 되지 못했던 것이다.

이를테면 민간은행이나 보험회사는 오늘날에는 입법적 및 행정적 통제에 의해 엄격히 규제되고 있으며 이러한 통제도 처음에는 예금자와 보험 가입자의 이익을 보호하기 위해서 시작되었지만 점차로 보다 넓은 사회적 목적에 이바지하도록 이용되고 있다.

선진복지국가에서의 이러한 기업은 화폐시장과 자본시장과의 균형을 유지하기 위해 기업 상호간과 중앙은행 및 재무부와의 사이에서 협력관계가 점차 정상적으로 맺어지게 된 것이다. 이러한 통제를 확장한다면—국유화가 없어도—협력관계는 보다 능률적이 될 것이며, 또한 공익의 감시원으로서의 국가의 주도성도 주장할 수 있게 된다. 나아가서 국가와 협동기업은 경쟁자로서 등장하여 그들의 시장에서 기준을 확립하게 되는 것이다. 그리고 기업들은 법률적으로 그들의 활동에 대해 점점 더 많은 공공의 감시를 받고 있다.

기업 활동은 더욱 감시적인 공중, 그리고 특히 자체의 연구기관을 가지고 있는 많은 민간 권력집단들에 의해서 일일이 감시를 받는다. 이렇게 되면 기업은 이미 완전히 사적인 것은 아니다. 이렇게 된 기업을 국가가 인수한다 해도 보통 이렇다 할 만한 것을 얻을 수는 없다.

혹은 사적 산업기업만을 생각해 보아도 마찬가지이다. 그 기업의 시장 활동은 산업연합체의 한 가입자로서의 활동이다. 그 노동관계의 대부분에 대해서 기업은 스스로 참가하고 있는 사용자연합과 노동조합 사이에서 맺어진 협약을 준수하지 않으면 안 된다. 기업은 법률이 정한 바에 따라 정기적으로 완전한 계산서를 공표할 의무가 있으며, 또한 이 계산서와 모든 주요한 정책적인 결정에 대해 노동자 대표와 협의할 의무가 있다.

기업에서 얻어지는 모든 이윤에 대해서는 무거운 세금이 부과되고 이윤이 주주에게 소득으로 배당되는 경우에는 심한 누진세율에 따라 사실상 이중과세가 된다. 기업의 이윤 처분과 내부적 통합에 관한 결정은 더욱더 법의 규제를 받게 되며, 일반 경제정책상의 고려에서 필요하다면 국가간섭을 받는 것이다. 이러한 모든 점에서 공적 통제는 국유화에 의지하지 않아도 강화될 수 있는 것이다.

기업은 평등과 단결에 기초를 둔 민주적 복지국가의 방향으로 급속히 발전하고 있는 국가사회에 참가하게 되는 것이다. 기업이 가족 사업이건 혹은 보다 비인격적인 기업이건 그것은 이미 본질적인 점에서는 '사회화' 되어 있는 것이다. 나아가서 기업의 모든 활동은 그 경영자 측뿐만 아니라 그 소유자 측의 지식, 즉 기업이 더욱 심하게 통제를 받게 되거나 자칫하면 국유화 될는지도 모른다는 근심 속에서 해마다 사기업으로서의 자기의 존재를 정당화 하지 않으면 안 되는 지식에 의해 끊임없이 영향을 받고 있는 것이다.

나는 다소 과장하고 있는지도 모르겠으나 스웨덴이 사회민주노동당에 의해서 지배되었던 4반세기 이상에 걸친 기간, 실제로는 더 긴 기간 즉 1920년대에 동당(同黨)이 상승일로에 있는 정치적 세력으로 되기 시작한 이후에는 모든 점에서 복지국가로의 발전이 매우 빨랐으나 그동안 국유화를 향한 어떠한 큰 움직임도 없었다는 것은 어쨌든 사실이다. 사회민주노동당은 공식적으로는 국유화를 그 강령으로 삼고 있으며 그러한 강령을 아직 수정하지 않고 내버려두고 있는데 아마 곧 수정될 것으로 나는 생각한다.

이러한 전개를 판단하는 경우에는 당연히 다음과 같은 사실을 상기해야 할 것이다. 즉 스웨덴이라는 국가는 옛부터의 —아주 옛날부터 대부분의 경우에 자유주의 이전 시대부터— 유산의 하나로 광대한 영역에 걸친 토지·삼림·광물과 그리고 국가는 철도를 경영하고 도시 당국과 더불어 그 밖의 모든 공익사업을 항상 소유해 왔다는 사실이다. 국유화의 문제가 적어도 최근에 이르기까지 영국의 정치에서 오히려 더 중요한 역할을 하게 되었다는 사실은 많은 사기업에 있어서의 합리와 및 능률의 저조, 사기업에 대한 특히 조세를 통한 효과적인 사회적 통제의 상대적인 결여와 초기 상황의 차이에 그 이유가 있다고 나는 믿는다.

장래의 복지국가에서는 공유(公有)와 공영(公營)이 지금보다 크고 아마 아주 장기에 걸쳐서 훨씬 더 큰 역할을 하게 될 가능성이 있다. 그러나 어느 경우에도 그 변화는 모든 분야에 걸쳐 갑자기 나타나지는 않을 것이다. 특정산업을 국유화하느냐 하지 않느냐 하는 것은 정치 원칙의 문제로서는 점차 빛을 잃고 더욱더 실천적 방편의 문제로 될 것이다. 그리고 개별적인 경우에 이러한 변화는 대체로 그리 중요한 것이 되지 않을 것이다.

새로운 국가기업은 이제는 국영이건 민영이건 다른 어떠한 기업도 전혀 다른 방법으로는 운영될 수 없다. 그것은 그 제품을 판매하는 시장의 다른 동업자에 대해 '더욱 자유롭게'는 되지 못할 것이다.

다른 기업이 하는 바와 같이 노동시장에서는 노동조합과 노동자의 임금에 관해 교섭해야 할 것이다. 이윤은 국가에 귀속되지만 조세를 통해서 사기업의 이윤은 일부분이, 그리고 나라에 따라서는 대부분이 현재에도 이미 국가에 들어가고 있으며, 만일 바람직하다면 과세라는 나사를 더 꽉 죄일 수도 있는 것이다.

국가사회에서의 권력관계는 국유화에 의해서 달라질 것이다. 그러나 이러한 권력관계는 내가 계속 분석해 온 이 과정의 다른 모든 변화에 의해서도 다소 변화를 받고 있다. 그렇지만 이 과정의 다른 나라에서도 아직 완결되지 않았고 국가에 따라서는 아직도 민주주의의 모든 사기업은 이미 본질적인 점에서—어떤 형식적인 소유의 국유화가 없어도—공적으로 통제되어 있거나 혹은 그렇게 되고 있다.

창조된 조화

여러 가지 정치적 태도와 이데올로기는 결국 서로 접근한다는 추세에 관해 내가 앞에서 설명한 실례—그것은 이제 개혁의 대부분이 논쟁의 여지가 없으므로 거의 자동적으로 교육과 보건 기타의 개혁을 포함한 재분배적 개혁이 더욱 잘 진행된다는 것과 국유화 문제가 사실상 소멸되고 만다는 것에 관한 것이지만—는 선진복지국가의 모든 시민집단 사이에서 더욱 일반화된 정치적 조화의 증대를 말해주고 있다.

선진복지국가에서의 국내적 정치논쟁은 더욱 기술적인 성격을 갖게 되고 더욱 세부적인 결정과 관련되기에 이르렀으며 광범위한 문제는 그것이 서서히 소멸되고 있으므로 이전만큼 크게 논의되지는 않고 있다.

이해와 의견의 이 같은 조화는 흔히 정당과 이익단체의 종사자에 의해 감쪽같이 은폐되고 만다. 오히려 그들은 자기의 추종자들에게 현상이나 현재의 추세에 대해 몹시 불만을 갖게 하여 그들이 단체에 계속 적극적으로 참가하도록 함으로써 조직체의 추진력을 보유하려는 것에 자기 보존상의 이해관계를 가지고 있는 것이다. 이리하여 사람들이 광범위한 원칙문제, 즉 자유주의·사회주의 및 자본주의·자유기업과 계획경제, 사유재산과 국유화, 개인주의와 집단주의 등에 대해 아직도 기본적으로 분열되어 있었을 때 사용한 낡은 슬로우건을 그들이 때때로 동원하기도 한다.

그런 경우에는 그것은 자칫하면 공중의 논의에 대해 무미건조해지거나 입씨름으로 되기 쉬운 감정적인 자극을 줄 수 있게 된다. 왜냐하면 어떻게 국가사회가 조직되어야 할 것인가에 관한 주요문제에 대해 널리 분열된 이해와 의견의 불일치가 존재하던 시기로부터의 오래된 싸움터의 함성 속에 좀처럼 가시지 않고 남아 있는 연상을 그것이 깨우쳐 주기 때문이다. 그것은 단순한 생각을 가진 사람에 대해서는 거의 지적인 향상감을 줄 수도 있는 것이다.

그러나 이러한 슬로우건은 실제로 오히려 천박한 것으로 되고 있으며, 그것이 현재 기능하고 있는 복지국가의 실제적 문제에 적용될 때에 일반적으로 그렇게 느껴진다. 그렇지 않고 정당이나 이익단체의 종사자들이 자기들의 노력에 대한 공중의 지지를 얻기 위해 입씨름에만 전념하는 경우에 그들은 복지국가에서 사람들이 실제로 어떻게 느끼고 있는가 하는 데 대해 혹은 사람들이 선전에 의해서 어떻게 쉽사리 느낄 수 있는가에 대해 더욱 잘 알 수 있게 되는 것이다.

그러나 정당이나 권익단체 종사자들의 이해관계는 분열되어 있다. 그들은 동시에 그들이 호소하려고 하는 사람들에게 만족감을 주기를 원하며, 또한 이 만족감을 사람들이 단체에의 참가를 통해서 달성한 것에 대한 감사로 결부시키고자 하고 있다.

선진복지국가에서 노동조합과 같은 일반 이익단체에 대한

완전 참가가 기성양식이 된다면 만족감을 유지시키려고 하는 그러한 보다 적극적인 관심이 더욱 강하게 된다. 그러한 상태에 있어서까지도 정당은 당연히 여기에서 주로 전투적인 입장을 취해야 하는 것은 물론이다.—적어도 정당이 태만하고 결단을 내리지 못하고 있는 유권자를 투표하도록 하고 더욱이 자당(自黨)에 투표하도록 자극하지 않으면 안 되는 선거일 때에는 더욱 그렇게 된다. 그러나 정치가를 포함한 모든 정당 및 이익단체의 종사자들은 모든 유권자 사이에서 보통의 일상적인 협력에서는 물론 단체교섭에 대해서까지도 유리한 조건을 유지케 하는 데 관심을 가지고 있다.

모든 것을 고려하면 가장 진보한 복지국가에서는 선거 혹은 파업과 같은 특수한 경우를 제외하고는 정당 및 이익단체 종사자들은 사람들을 행복하게 하고, 그 불만을 완화하는데 최선을 다하는 경향이 있다고 나는 느끼고 있다. 물론 욕구 불만자는 항상 많이 있으며 더욱이 그들은 어느 서구적 국가에서도 아주 보잘 것 없는 역할만을 하고 있는 것은 아니다. 그러나 선진복지국가에서의 시민의 일반적인 기분은 차분한 만족의 기분이라고 볼 수 있다.—그렇지만 그것은 인생의 좋은 것을 더욱 많이 얻기 위해 어디에나 존재하는 열망뿐만 아니라 합리적인 희망도 뒤섞인 만족감이기도 하다. 이러한 태도의 배후에는 복지국가에서 보다 고도의 이해의 조화가 협력과 단체교섭을 통해서 실제로 달성된다고 하는 사실이 있다.

최근에 스웨덴의 사회민주당이 개인 소득에 맞추어 아주 높은 수준까지 보험금의 지불을 하겠다는—실업·질병 및 양로보험이라는 형태로—사회보장 입법을 후원하고 또한 그것의 제도와에 결정적인 영향을 주었을 때 그것은 현재의 스웨덴에서의 소득분배가 앞으로 어떻게 달라질 것인가 하는 기대도 포함해서 비교적 저소득층의 사람들에 의해서까지도 정당하고 공명한 것으로 널리 받아들여지고 있음을 나타내는 많은 징후 중의 하나가 되겠다.

자유주의적 조화는 아니다

이렇게 점진적으로 달성된 이해의 조화는 시장 제력이 아무런 방해 없이 작용한 결과로 생겨나는 것이라 생각했었던 낡은 자유주의적인 조화는 아니다. 아주 반대로 그것은 실제로 하나의 긴 역사적 과정의 결과로 나타난 것이었고, 그동안에 시장 제력은 언제나 더욱 강력하게 효과적으로 공사(公私)의 간섭행위에 의해서 규제를 받았으며, 따라서 이러한 간섭행위가 더욱 많아지고 또한 중요해짐에 따라 그것을 더욱 포괄적으로 정합(整合)하고 계획화 하지 않을 수 없게 되었던 것이다.

현재 실현되고 있는 조화는 따라서 '창조된 조화'이고 그것은 간섭 그 자체와 간섭의 계획적 정합에 의해서 창조된 것이다. 그것은 낡은 자유주의적 철학자와 이론가의 자연적 조화와는 반대되는 것이다. 그러나 '창조된 조화'를 향한 이 과정은 특히 처음에 누구의 의도에서 비롯된 것이 아니었으며, 이미 내가 지적한 바와 같이 계획화를 향한 전개 그 자체도 계획된 것은 아니었다.

그 전개는 상대적으로 아주 높은 정도의 사회적 조화에까지 발전했지만 그것이 달성된 것은 권력을 가진 사람들의 대다수가 이것을 언제나 명확하게 하나의 정치적 이상으로 생각하고, 거기에 맞추어 국가사회를 의식적으로 재편성하고자 했기 때문은 아니었다. 그것은 지금보다는 더 우연히, 그리고 훨씬 덜 직접적으로 또 목적의식이 별로 없이 이루어진 것이다. 즉 국가와 그 밖의 많은 집단이 시장제력의 작용에 대해서 끊임없이 계속되는 일련의 간섭행위를 함으로써 이루어진 것이다.

이들 간섭행위는 대개가 그때그때의 특수한 동기를 가지며 대체로 특수한 이익단체가 지시하는 극히 한정된 목적, ―그 목적은 오늘날 완성된 복지국가의 관점에서 본다면 흔히 방해적이고 파괴적이기도 했으나―을 가지고 있었다. 개별적으로 본다면 그러한 간섭행위는 보다 큰 사회적 조화를 향한 합리적인 단계로는 생각할 수조차 없는 것이었다.

때때로 간섭은 실제로 다른 이해단체를 참을 수 없을 정도로 해치고 있다는 것이 곧 판명되었다. 이해가 충돌됐을 때에는 어떤 종류의 정합이 강구되어야 하며, 따라서 때때로 국가에 의한 모든 방책과 그 밖의 집단적 간섭이 수정되거나 정합되지 않으면 안 되게 되었다. 그러나 이것도 역시 대체로 한정된 규모로 그리고 일시적인 방법으로만 이루어졌던 것이다.

결국 공공적·반(半)공공적 그리고 사적인 단체에 의한 모든 이러한 간섭의 누적적 결과와 이들 단체가 필요로 한 점진적인 계획적 정합이 복지국가의 '창조된 조화'에 점차로 점근하게 되었던 것이지만 이것을 해명하기 위해서는 이 책에서 기도된 분석과 같이 시장 간섭을 자극하고, 또한 그러한 간섭을 정합하려는 계속적인 기도를 추진시켰던 모든 비시장 제력을 분석하지 않으면 안 될 것이다. 이때 중요한 것은 우선 사람들의 태도가 더욱더 합리적으로 형성된다는 것이며, 그것은 간섭 증대의 원인이며 결과이기도 했다.

다음으로는 정치권력의 점진적 민주화와 그에 못지않게 중요한 것으로는 끊임없는 경제적 진보가 여유를 증대시켜 서로가 관용을 베푸는 것이 훨씬 쉬워졌다는 것도 중시되어야 한다.

이러한 과정에서는 현재 실제로 기능하고 있는 복지국가에서의 생활과 근로의 실제 조건이 어떠한 개인, 어떠한 집단 혹은 어떠한 정당에 의해 하나의 결국 목표로서 의식적으로 전망된 일은 결코 없었다. 보수주의나 자연주의자가 그렇게 하지 않았던 것은 당연한 일이지만 사회주의자도 그렇게 하지 않았다는 것은 초기의 정치강령이나 저작(著作)을 연구한다면 충분히 증명될 수 있다. 그러나 이러한 과정 뒤에는 서서히 달성된 복지국가가 전국민의 이상으로서 널리 환영을 받게 될 수 있다. 그리고 이제 복지국가는 이해 및 의견의 창조된 조화를 뜻하며 오늘날 우리들은 이러한 복지국가가 출현하고 있는 것을 볼 수 있는 것이다.

그렇지만 우리들은 또한 상당한 지연이 일정한 논쟁 형식의 지속적 일관성에서 뿐만 아니라 복지국가에 관한 적정하고 적극적이고 현실적인 이데올로기의 놀랄만한 결여에도 있다는 것을 알 수 있다. 그런데 일정한 논쟁 형식은 이전에는 사람들에 대해 주관적인 깊은 관련성을 가졌었지만 오늘날에 와서는 대부분의 사람들에 대한 이러한 깊은 관련성이 결여되어 있는 것이다.

한편 복지국가에 관한 이데올로기는 국가사회에 관한 사람들이 실제로 느끼는 감정이라든가 그리고 개혁을 더욱 추진하는 행동을 위한 현실적인 마음의 준비에 대응하기 마련이다. 따라서 이데올로기적 전개가 지연된다는 것은 예측할 수 있는 일이다.

인간사회는 기본적으로는 보수적이어서 관념이나 이상이 현실생활에서 실제의 발판을 잃고만 뒤에도 오랫동안 그것들을 고수하는 경향이 있다. 이런 특수한 경우에 이데올로기적 지연은 보다 크게 되지만 그것은 대다수의 사람들이 실제로 이상적이라고 느끼고 있는 상태에 막 도달했다든가 혹은 손이 닿을 만한 곳까지 가까이 오고 있을 때 그 양식은 뜻밖이며 우연적이고 또한 거의 걷잡을 수 없는 것이기 때문이다.

그들은 적어도 이러한 상태가 이상에 가까운 것이고 현재의 추세가 계속 전개된다면 이상에 접근할 수 있는 잠재력을 가진 것으로 느끼고 있다. 그렇지만 이상에의 접근은 결코 그것을 향한 의식적인 노력에 의한 것은 아니었다. 사실 이상은 그것을 이상으로서 지적인 파악과 발맞추어 아니 어쩌면 그것에 앞서서 달성되기 시작하는 것인지도 모른다.

서구적 국가의 복지국가에서의 이해관계에 관한 '창조된 조화'는 결코 계획되었던 것이 아니고 따라서 의식적으로 달성되었다고 하는 엄밀한 의미에 있어서는 결코 '창조'된 것이 아니었던 것과 마찬가지로 오늘날 실제로 존재하는 고도의 조화에 관한 주요한 설명으로 되어 있는 현실의 대규모적 계획은 대개가 여전히 프로그램과 같이 예정되지 않은 채 남아 있다.

내가 앞의 여러 장에서 이미 지적하고 있는 바와 같이 간섭주의의 추세가 결국은 정합과 계획화를 필연적으로 가져왔지만 그러한 추세는 자기 자신이 정치적 지도자 및 투표자로서 혹은 조직체의 지도자 및 가입자로서 개개의 간섭 조처의 채용에 책임을 져야 했던 대다수의 사람들에 의해서 원칙문제로 오랫동안 비난을 받아왔던 것이다. 오늘날에 있어서까지도 사정은 크게 달라지지 않고 있다.

서구적 국가의 일부 특히 미국에 있어서 많은 사람들이 사실과 이성에 반해 그들의 상대적인 사회적 조화가—그들은 그것을 몹시 자랑하고 있지만—결코 창조된 것이 아니고 자연발생적이며 그들은 시장제력에 의해서 지배되는 '자유경제'를 갖고 있다고 애써 믿으려 하고 있다.

많은 사람들에게 있어서 복지국가라고 하는 낱말은 적극적인 의미는 없고 소극적인 의미밖에 갖지 못한다는 사실마저 볼 수 있는 것이다. 물론 이것은 그들이 복지라고 하는 것을 올바르게 평가하지 못하기 때문이 아니다. 그것은 오히려 그들이 복지는 시장 제력의 자유로운 작용결과로서 자연발생하는 것이 아니라 모두가 궁극적으로 국가의 허가를 필요로 하는 공공정책을 통해서 이루어진다는 것을 이해하려고 하지 않는 자기 방어에 급급하고 있기 때문이다.

제6장 국가와 개인

규제된 사회

다양한 국가간섭, 그리고 대기업이나 민주적 복지국가가
지닌 제도적 하부구조 내부에 있는 조직체들의 공공정책뿐만
아니라 다른 여러 공공정책의 온갖 부문으로부터의 연결로
형성된 중앙의 국가통제에 의해 각 분야마다 차례로 정합되
어 법률·규칙 및 협정의 통일구조로 되고, 나아가서는 국민
경제 전체의 발전을 지향하는 예측이나 계획에도 그와 같은
연결이 적합하다는 등등이 필연화 되었을 때는—이것은 서구
적 국가에서 서서히 발생했고 현재도 발생하고 있는 것이지
만—국가에 의한 약간의 간섭행위만을 예외로 하고 우리들의
경제를 '자유경제'라든가 '자유기업경제'라고 주장하는 것은
시간이 흐름에 따라서 점차로 더욱 불가능하게 될 것이다.

사실은 우리들의 사회는 오히려 엄밀히 규제된 사회이며
또한 거기에는 면밀하게 짜여진 통제체계가 일정한 테두리
안에서 약간의 자유기업의 활동이 허용되고 더욱이 이러한
통제는 모두가 궁극에 가서는 민주적 국가의 권위에 복종하

게 되는 것이다.

한 뙈기의 토지를 마음대로 처분하는 사유재산권의 불가침성, 혹은 명목상의 조세부담을 제외하고 소득과 부의 모든 것을 개인의 소비나 투자를 위해서 소유하는 권리, 자기 자신이 위험을 부담하고 자기가 원하는 어떠한 직업에도 종사할 수 있는 자유, 고용주가 노동자와 개별적으로 교섭하여 그 일에 대해 될 수 있으면 최저의 임금을 지불하고 그가 원할 때 원하는 자를 고용하거나 해고하는 권리, 노동자가 하고 싶은 대로 그리고 원하면 직장을 떠날 수 있는 권리, 즉 소유하고 취득하고 처분하는 데 대한 선택, 일하느냐 쉬느냐에 대한 선택·투자·거래, 이동하는 데 대한 선택 등의 자유 —옛날부터 내려오는 이들 개인의 모든 자유는 조직화된 사회의 통제에 의해 서서히 잠식되고 있는 것이다. 그리고 우리들이 아무리 눈을 감거나 눈가리개를 하고 옛부터 간직해온 방식을 지키려 해도 이미 현실화 되어 가고 있는 사태를 바꿀 수는 없는 것이다.

사람들은 그것을 좋아한다

어째서 사람들이 서구적 국가의 이러한 규제된 국민사회에서 생활하고 일하는 데 오히려 만족하고 있는가에 대한 설명은 의심할 여지없이 그들이 그 국민사회에 친숙해짐에 따라 통제를 별로 의식하지 못하거나 그다지 심한 반응을 보이지 않는 데 있다. 예컨대 모든 서구적 국가에서의 현재의 과세

수준은 50년 아니 20년 전만 해도 생각조차 할 수 없었던 것이었으리라.

알버트 아인쉬타인이 '만일 납작하고 두께가 없는 생물이 존재하여 그것이 지구의 표면에 누식(樓息)한다면 그것들은 제3차원의 개념을 갖지 못할 것이다'라고 말한 데에는 깊은 진리가 있다.

서구적형의 규제된 국민사회에서 살고 있는 사람들은 동물이나 마찬가지로 보다 야성적인 생활에 대해서는 이미 어떠한 실감도 갖지 못한다. 반성적인 사회과학자에게는 인간이라고 하는 동물의 새로운 조건에 대한 적응성이 이 세상의 불가사의 중 하나로 언제까지나 남을 것이다. 그러나 부분적으로는 그리고 저자에게는 더욱 중요하다고 믿어지지만 지금까지 일어난 일에 대해 사람들이 만족하고 있는 이유는 민주적인 복지국가에서의 규제가 국가적 독재에 의해 위로부터 강요되지 않는다는 데 있다. 규제된 사회과정의 결과라고 생각되며, 이 사회과정을 추진하는 데 사람들이 몸소 참가하고 있는 것이다. 또한 이러한 규제는 이와 같은 일반대중의 영향을 받아 인민대중에게 새로운 권리를 주도록 아주 총괄적으로 형성되어 있다. 즉 대중의 기회를 늘리고 이전의 빈곤이나 무지로 말미암아 닫혔던 길을 열어주며, 나아가서는 초기에 개인이나 그 가족에게 재앙을 안겨주었던 여러 가지 위험으로부터 그들을 보호해 주는 것이다.

복지국가에서는 자유가 감소되는 것이 아니라 대부분의 사람들이 보다 더 자유를 느끼게 된다는 데 그럴 만한 이유를 가지고 있다. 개인의 행동이나 이동의 자유에 가해졌던 물질적 및 사회적 제약이 깨뜨려지고, 입법이나 단체협약이 정하는 규칙이 그것을 대신함에 따라 규칙은 민주적 통제를 받게 되고, 누구나 발언할 수 있는 과정을 통해서 변경할 수 있게 된다. 또한 새로운 규칙은 독단적이 아니라 합리적인 것으로 보이게 된다. 왜냐하면 젊은이의 취학과 취직의 기회는 그의 일에서 획득할 수 있는 업적에 의해 결정되는 것이지, 이전처럼 지리적 사정이나 부모들의 경제적 및 사회적 지위에 의해서 결정되지 않기 때문이다.

또한 전쟁과 기타의 불행한 사건에도 불구하고 생산과 소득 그리고 특히 우리들 국민사회의 보다 광범위한 계층의 생활수준이 일찍이 볼 수 없었던 정도로 급속하게 상승해 왔다는 사실과 청년의 전도가 그 부모들이나 조부모들이 인생을 출발했던 때에 비해 훨씬 밝아지고 있다는 사실은 누구나 잘 알고 있다. 복지국가는 사회적으로는 물론 경제적으로도 눈부신 성공을 거두고 있다. 이러한 것은 거의 모든 각 개인의 가정의 역사가 이러한 사실에 대한 살아있는 역력한 증거이다.

아주 많은 공공정책이 실제로 주(州)나 지방의 자치당국이나 조직사회 하부구조의 내부에 있는 수많은 조직체간의 단체교섭에 따르는 협정에 의해서 비로소 구체화된다는 사실은, 사람들 사이에 있는 자유감이나 스스로 준수하고 자제할 규칙을 제정하는 데 자기들도 참가했다는 실감을 갖게 하는 데 도움이 된다.

선진복지국가에서는 계속 늘어나는 성년층의 대부분이 법의 이행이나 자금의 처분을—때로는 스웨덴처럼 사회보험금의 지불과 세금의 부과까지—책임지는 도시의 각종 국과(局

課)와 심의회의 위원이 됨으로써 정치에 참가하고 있으며, 그들이 선출될 경우엔 밑의 직원을 거느리게 된다.

다른 시민은 노동조합의 부국(部局)이나 각종의 협동조합과 그 밖의 이익단체 회원으로서 공공정책의 책임을 지고 있다. 선진복지국가에서는 높은 수준의 공민교육과 책임이 존재하므로 이들 수많은 직원은 모두가 '국민의 것'이지 고용된 종사자는 아니다. 누구나 그들을 직장이나 거리에서, 그리고 일상생활에서 만나게 된다.

그들의 활동에 대한 일반 대중의 견제는 거의 모두가 비공식적이고 계속적이며 따라서 회합이나 선거에만 국한된 것은 아니다. 이렇게 분기(分岐)된 조직생활로부터 흘러나오는 통제규칙은 사회 전체에 대해서는 오히려 자발적인 선택인 것처럼 보이며, 그것은 가장 자유로운 경제였다 할지라도 사람들이 관계하지 않으면 안 되는 개인적인 계약이나 거래와 아주 흡사하다. 그것은 물론 오늘날의 사람들이 계약하거나 거래하는 것과 비슷하다. 또한 집단적인 해결에 직접, 간접으로 참가함으로써 그들은 개인으로서 활동하는 경우의 조건을 개선했다고 생각하는 것이다.

서구적 국가에서 이러한 비공식화 된 공공정책이 점점 많이 보급된다는 것은 동시에 이 정책의 실시가 모든 국가나 관계기관에 의해 이루어지는 경우에 비해 더욱 원활하고 효율적이라는 것을 의미하는 것이다. 각종 수준에서의 집단적 결정에 대한 민주적인 참가의 정도가 강하면 강할수록 복지국가의 규제활동에 대한 만족감을 설명한 위의 두 번째 이유는 물론 그만큼 강하게 된다.

집단적 결정에 관한 문제는 이미 제4장에서 언급한 바 있다. 이러한 참가가 낮은 수준에 머물러 있는 경우에는 자칫하면 사람들은 규제가 위로부터 강요되어, '이러한 사람들'—조직체의 보스와 관료 및 과두(寡頭) 정치가, 즉 월가의 증권거래소에서나 워싱턴에서와 같은 먼 곳으로부터의 알 수 없는 힘에 의해 괴롭힘을 당하는 것으로 느낀다고 보아야 할 것이다. 이것은 반감을 낳게 할지도 모르며 사람들이 규제 목적에 대해 가지고 있는 연대감이나 일체감을 겪게 될는지도 모른다. 여느 때와 마찬가지로 사회기구는 인과의 순환적 누적이라는 형태로 작용한다. 왜냐하면 이러한 태도가 이번에는 참가의 강화를 방해하기 때문이며, 한편 참가의 결여는 이러한 태도를 갖게 하는 원인의 하나로 되었던 것이다.

다른 면에서 본다면 연대감이나 일체감이 참가를 가져오게 하지만, 참가만이 이러한 감정을 고취할 수 있는 것이다. 만일 사람들이 보다 고도의 참가를 실현하게 된다면 국가의 수준 이하에 있는 단체가 효율성과 중요성을 획득하는 조건도 또한 창출될 것이고, 그 결과 많은 분야에서 국가 규제가 요구하는 일이 적어진다. 그렇게 되면 모든 규제는 사람들이 그것을 장악하고 지배하는 데 편리하도록 보다 가까운 곳에 옮겨놓을 수 있게 된다.

국가간섭을 대신해서

스웨덴에서는 노동조합이 특히 강력하다. 그것은 개방적이고 확고한 상벌규정을 가지면서 민주적으로 통솔되는 산업별 조합이다. 노동자 측의 가입이 100퍼센트라는 것은 의심할 여지없는 사회적 습관으로 굳어져 버렸으므로 노동자들의 완전한 후원의 힘을 가지고 행동할 수 있는 위치에 있기 때문에 그들은 '클로우즈드 숍(closed shop : 노동조합원만을 고용하는 공장) 조항의 어떠한 것도 사용자가 준수해 주기를 구태여 강요할 필요가 없다.

스웨덴에서도 노동시장에서의 많은 일반적 조건을 국가의 입법으로 확립하고자 조합이 그 영향력을 행사했음에 틀림없다. 그러나 조합은 법률 혹은 국가의 행정적인 기관에 의해서 최저임금이 결정되는 것에는 계속 반대해 왔다. 조합은 최저임금이 현실임금으로 결정에 반영되는 것을 두려워하고 있었다. 어쨌든 임금에 관한 한 조합은 자기의 이익을 지키기에 충분한 매우 강력한 입장에 있다고 생각하고 있었던 것이다.

같은 이유로 말미암아 노동조합은 노동쟁의나 단체협약의 현실적 규정에 있어서 조정재판소에 의하든 다른 방법에 의하든 어떠한 형태일지라도 국가의 규제적 간섭에 저항하는데 사용자 단체와도 협력해 왔다. 노동조합이 전열을 가다듬어 조합의 힘을 자각하게 되고, 그리고 사용자 단체와 함께 서로 만족한 방법으로 노동시장에서 보다 많은 것을 규제할 만큼 기계적인 절차를 밟게 됨에 따라 조합은 멀지 않아 노동시간이나 휴가와 그 밖의 것에 관한 수많은 세부적 입법이 종결되는 것을 지켜보는 동시에 사용자 단체와 협력하면서 지금은 아직 국가의 행정적인 기관에 의해 수행되고 있는 위생 상황과 그 밖의 상황에 대한 많은 검사를 인수할 준비를 갖추게 될 것이다.

일반적으로 말해서 생활과 교육의 수준이 향상됨에 따라, 그리고 정규의 정치과정을 통하거나 제도적 하부구조 내의 모든 단체를 통해서 사람들이 국민사회의 문제에 참가하는 것이 증대해 감에 따라 우리들은 다음과 같은 상황에 접근하게 될 것이다. 즉 거기에선 많은 중요한 공공정책이 보통 의미에서의 직접적 국가간섭을 따르게 하지 않고, 또한 특히 최소한도 이상의 국가 관리를 필요로 하는 일도 없이 오직 공동사회적 규제수단으로서의 양식 있는 여론의 압력과 모든 단체의 교섭을 활발하게 하는 것으로 실시될 수 있는 상황에 접근하게 될 것이다.

내가 이러한 과정에서 상당히 앞서 있는 스웨덴으로부터 또 하나의 예를 드는 것을 용서해 주기 바란다. 제도적이고 불공평한 상관습(商慣習)을 막기 위해서 스웨덴에서는 구두로건 문서로건 간에 이와 같은 목적을 갖는다고 의심이 갈 만한 일정한 명시적 협정은, 행정기관에다 이것을 신고해야 하고 또한 이 기관에 의해서 등록되지 않으면 안 된다고 하는 법률이 제정되었다. 이 기관은 공보를 발행함으로써 이와 같은 협정을 공시할 것을 위임받고 있었으며, 또한 어느 특정분야에서 중요하다고 느낀다면 특별조사를 실시할 권한마저 부여받고 있었다.

이러한 법률의 직접적인 효과로서는 새로운 기관이 기능을 개시하기 전에조차도 명시적인 성격을 갖는 독점협정의 다수가 그것이 공표되는 것을 피해 폐기되었다는 데 있었다. 나중 단계에 이르러 이러한 사업상의 문제에 국가가 조금이라도 개입하는 것을 싫어했던 산업단체가 이러한 문제는 전적으로 자기들 자신의 문제라는 견해를 표명하고 이러한 상습관과 싸우는 그들 자신의 기관을 설립했던 것이다.

나의 판단으로는 민주적으로 균형된 이익단체와 주의를 게을리 하지 않는 시만을 가진 선진복지국가에서는 실업계에서의 이와 같은 제한적 관행을 일반에게 알릴 것을 의회가 결정하는 것만으로도 아주 효과적인 공공규제의 수단이 되며, 또한 이따금 이러한 나라에서는 특정의 관행을 금지하는 입법이나 이러한 법률을 시행하는 행정규제 따위는 최소한도로 억제하고 그것을 전략적 분야로 보류해 둘 수 있다고 본다.

20여 년 전 스웨덴에서는 공사를 불문하고 사용자가 가정상의 이유로, 즉 약혼·결혼 혹은 출산을 이유로 해서 부녀자의 해고를 금하는 법률을 만들었다. 당시 은행과 보험회사의 역원과 다수의 다른 여사무원을 채용하는 자는, 젊은 부녀자—부녀자는 일자리에서 결코 고참이 되지 못하므로 임금이 싸다—를 주변에 두기 위한 구실로 그러한 법률을 마음대로 이용하는 습관이 있었다. 이러한 류의 문제는 때로는 관공서에서도 볼 수 있었다. 이를테면 시골의 교사인 미혼여성이 어머니가 되면 때로는 일자리에 머무르는 것이 곤란했다.

30년대 중엽의 가정문제에 대한 활발한 관심의 부산물이었던 이 법률은 그것이 통과되었던 시기에 입법자가 불건전하다고 생각했던 사회풍조를 개혁하고자 하는 데 목적이 있었으므로 확실히 필요한 것이었다. 그렇지만 이렇다 할 위험성이 내포되지 않으리라고 나는 믿는다. 수시로 위에서 말한 하나의 이유로서 부녀자를 해고하려고 든다면 세론(世論)의 규탄을 받게 될 것이고, 그리고 이 규칙은 여성단체가 가지고 있는 현실의 압력에 눌려 더욱 강화될 것이다. 그리고 그렇게 되면 여성단체는 노동조합이나 자유직업자조합으로부터 지원을 얻게 될 것이다.

또 다른 예의 하나를 든다면 미국에서는 아마 많은 사람들이 믿고 있는 것보다 빨리 흑인이 노동시장이나 그 밖의 다른 곳에서 차별대우를 받지 않도록 보호하려는 입법과 법원, 그리고 행정조치를 실제로 유지해 둘 필요가 없는 날이 되리라고 나는 확신한다. 그러나 곧 다가올 미래에는 국가규제의 급격한 축소를 각오하지 않으면 안 될 많은 분야가 있다고 나는 확신한다.

상점의 영업시간에 관해서는 건실한 사회에서 구매자와 소비자라고 하는 일반대중을 포함한 이해집단—만일 그것이 잘 조직되어 있다면—간의 협정에 의해 결정되도록 방임될 수 있을 것이다. 식품이나 기타 많은 물건에 관한 규제나 검사도 일반대중이 소비자로서 보다 잘 교육되어 있고, 또한 그들의 이해가 강력하고 능률적인 소비자 단체에 의해서 효과적으로 보호되어 있다면 단순화 될 수 있을 것이다. 이러한 상황에 도달하는 데 필요한 노력과 비용은 경쟁적인 광고에 드는 막대한 비용에 비한다면 적다 할 것이다.

많은 경우에 일정한 일반적 규칙을 법률로 정하는 데 그치지 않고 법정뿐만 아니라 행정조치로도 그 실시를 인가하는 것은 확실히 실제적이다. 그렇지만 내가 확신하는 바는 보다 세부적인 자제 규칙을 사람들이 그 지역사회에서, 그리고 그들의 단체간의 교섭을 통해서 자발적으로 결정되도록 놓아두는 것이 가능해야 된다는 것이다.

이와 같은 것은 하나하나의 시민측에서 보다 더한 일체감과 연대감 및 참여를 갖는 보다 협동적인 국민사회의 출현을 조장할 것이다. 그러면 각 시민은 자유를 더 절실히 느끼게 될 것이고—실제로도 더욱 자유롭게 될 것이다.

내가 볼 때는 이것이야말로 발전해 가는 민주적 복지국가가 도달하고자 하는 본래의 이상인 것이다. 그것은 복지국가의 구조 속에 복지문화가 출현한다는 것을 의미한다.

다음 단계

복지국가가 성장하여 완성된 다음 단계에서는 우리들이 국민의 반응을 촉진시켜 민주국가가 정하는 일반규칙의 범위 내에서 국민 스스로의 이익을 지키도록 함으로써 직접적인 국가간섭을 그만큼 점멸(漸滅)시킬 수 있다는 것을 가정해 보기로 하자. 그렇게 된다면 발전은 어느 의미에서는 완전히 한 순환을 완료한 것이 될 것이다.

그 단계는 대중의 빈곤, 현저한 사회적 경직성, 그리고 기회의 큰 불평등을 수반하는 자유주의에 준하는 상태로부터 출발한 것이었다. 그것은 낡은 통제로부터 자동기구가 사라져버린 한 시기를 통과한 것이었다. 일련의 점점 높아지는 공사의 간섭과 이로 말미암은 계획화로 그와 같은 간섭을 정합하려는 끊임없는 기도를 통해서 우리들은 현재의 상태까지

도달하게 되었다.

여기에서는 직접적인 국가간섭이 아직도 양적으로 계속 증대하고 있지만 그 간섭은 이제 단순히 우리들이 생활하고 있는 영역 내에서의 사회통제에 대해 부분적으로 책임을 질 뿐이다.

더욱 완전한 민주적 복지국가를 지향하는 이러한 과도적인 발전단계에서 정합과 계획이 보다 철저하게 되는 것은 국가간섭과 그리고 국가수준 이하의 공공관서나 권력단체에 의한 간섭이라는 두 가지 압력에 바탕을 두고 있지만 사람들은 이따금 계획을 직접적이고 세부적인 국가 규제와 혼동하는 일이 있다. 그러나 그 반대는 진실하다. 즉 아직도 이와 같이 많은 간섭이 존재한다는 것은 모든 방책이 이상적으로 정합되거나 계획되지 않고 있다는 증거이다.

계획화는 정상적으로 간소화와 합리화를 의미해야 할 것이다. 즉 계획화가 진전됨에 따라 복지국가의 이상에 합치하려면 직접적인 국가간섭을 통해서 세부적인 공공규제를 실시하느니보다 안전하고 실천이 가능한 한, 그 규제에 대한 책임을 지역별이나 부문별 공공관서에 이양하는 것이 좋다고 생각된다. 이리하여 제3단계는 국가간섭의 실제적 감소를 의미할 것이다.

여기서 가상되는 것은 지방이나 도시의 자치가 계속 강화된다는 것과 효율적인 이해단체로 구성된 하부구조의 균형적인 성장이다. 이것은 이번에는 시민의 참여와 규제가 한층 강화되어 이러한 두 분야에서 작용한다는 것을 전제로 할 것이다.

내가 특히 강조하고 싶은 것은 민주적 복지국가의 실현이라는 점에서 가장 진전된 서구적 국가에서는 이러한 제3단계의 산발적인, 때로는 그 이상의 징조가 이미 나타나 있다는 것이다. 만일 우리들이 이러한 징조를 계속되기를 원하는 발전의 예표(豫表)로서 생각하여 만일 그 예표(豫表)를 사회 전체에 미치게 한다는 의미로 위의 발전을 확대시킨다면 우리들은 아주 새로운 상황이 나타나는 것을 보게 될 것이다. 국가 자체는 대체로 두 가지의 중요한 일을 하는 데에만 자제할 것이고, 나머지 일은 지방의 자치와 그리고 하부구조 내의 단체 간의 협력과 교섭에 맡기게 될 것이다.

첫째로 국가는 국제통상과 환·과세·노동입법·사회보장·교육·보건 그리고 물론 국방과 같은 여러 분야에서 이미 확립되고 기본적이고—또한 문자 그대로—급진적인 한 일반적 성격을 기진 수많은 정책구조를 유지하고 강화해야 할 것이다. 또 그밖에 많은 나라에서는 국가가 물론 철도 운영을 계속하고 우편·전신·전화에도 계속 전적인 책임을 지게 될 것이다. 도시 당국과 협력하여 국가는 공익사업을 소유한다든가 적어도 그것을 엄중히 규제하게 될 것이다.

국가는 은행과 보험의 업무를 접수하고 또한 어쩌면 국가체제하에서 관리하고 있는 산업의 수를 증가시키기조차 할지도 모르며, 혹은 하지 않을는지도 모른다. 그러나 이미 앞장에서 말한 이유로 인해 국가가 그렇게 하던 하지 않던 큰 차이는 없다. 이러한 정책에 의해 국가는 국민사회를 선거민이 위임한 권한이 결정하는 바와 같은 공적 의사에 일치되도록 조직할 것이고, 또한 지방자치가 활동하거나 여러 단체간의 교섭이 진전될 때의 조건을 변경하고 있는 것이 될 것이다.

둘째로 국가는 국민사회가 모든 규칙 그 자체에 의해서는 물론 첫째 형의 정책에 의해서 제약을 받으며 지방과 도시의 자치를 통해서, 그리고 각종 시장에서 활동하고 있는 이해단 체라는 형태로 진전되어 감에 따라 이와 같은 국민사회의 지역별, 부문별의 구획 내에서의 생활에 대해 규제를 확립하거나 계속 그것을 조정해야 하고, 또한 심판자로서의 노무까지 제공해야 할 것이다. 이러한 규칙과 이러한 일반적 감독 중에서 중요한 일부분은 하구구조 내의 여러 단체가 공공정책을 위한 다른 여러 기관과 마찬가지로 민주적으로 지배되고, 개방적이고 또한 흡족한 공개관리 밑에 두어져야 한다는 공중의 소원과 관련을 갖게 될 것이다.

이러한 두 가지 형의 국가정책이 형성하는 일반적 구조 속에서 공중의 의사는 이제 잘 계몽되고, 활동적인 국민에 의해 실현되고, 더욱이 우발적이고 직접적인 국가간섭을 많이 요구하지 않는다.

국민은 이것을 행하는 데 직접적으로는 공동사회의 일반적인 압력—이것은 사실상 사회도덕의 체계가 되는 것을 확립하거나 승인한다—을 통해서 그리고 간접적으로는 지방자치나 각자의 이해단체의 참여를 통해서 국가간섭을 요구하게될 것이다. 국민사회의 내부에서 사업이나 노동 및 생활일반을 수행하는 데 필요한 세부적인 규범에 대해 불확실한 일이 있을 때, 이제 그 대부분은 지역별 및 부문별 각 사회에서의 어떠한 형태의 조직적 협력과 단체교섭에 의해 해결을 보는 것이다.

대체로 국가 그 자체는 다음의 두 가지를 한 후에 국외에 머무를 수 있다. 즉 이렇게 분산화 된 활동에 대한 일반적인 규칙을 설정한 뒤 및 이미 말한 제1유형의 주요한 정책 계획에 의해 국가가 협력과 교섭을 행할 때의 조건을 기본적으로 변경함으로써 도달하게 된 협정이 공정하고 공평하게 되어 민주주의의 정치과정에 의해 확인되는 바와 같은 공중의 의사와 일치하게 된 다음을 말한다.

두 가지 유형의 주요한 모든 국가정책은 물론 주의 깊게 계획되고 정합되어야 하며, 그 의도하는 결과는 총체로서의 국민경제와 그 내부에 있는 모든 사회적 관계를 바람직한 방향으로 발전시켜야 할 것이다.

이리하여 존 스튜아트 밀이나 1백 년 이상이나 거슬러 올라가는 초기의 자유주의 철학자의 모두가 그 단서조차도 찾을 수 없었던 하나의 발전이 궁극적으로는 무엇을 의미하는가를 통찰할 만한 상상력을 가지고 있었다면 내일의 복지국가는 많은 기본점에서 그들을 충분히 만족시킬 수 있는 형태의 사회를 실현하게 될 것이다.

저 성난 노철학자이며 역사가인 칼 마르크스는 존 록 이래의 계급적 독점으로부터 해방된 사회에 관한 낡은 자유주의적 통찰에 대해 그러한 비타협적인 표현을 하기도 하고, 또한 그러한 사회가 하나의 자연적 전개에 의해 도달하는 숙명은 고통에 가득 찬 과정을 거치게 된다는 데 대해 그처럼 가학적인 꿈을 즐기기도 했었지만, 마르크스조차도 그의 이른바 '자유의 왕국'에 관한 많은 것을 여기에서 찾게 될 것이다. 그리고 토마스 제퍼슨(Thpmas Jeperson)도 그의 통찰했던 세계와는 아주 다르고 훨씬 복잡한 세계이지만 완성된 복지 국가 속에서 '민중에 뿌리를 박은 민주주의'의 실현을 아주 명확히 보게 될 것이다. 마지막으로 우리들은 누구나가 현명하게 납득할 만한 국가에 도달하게 될 것이다.

이상향과 현실

지금까지 나는 의식적으로 하나의 이상향을 그려 보려고 했었다. 우리들 모든 서구적 국가에서의 현실은 그것을 실현하기에는 거리가 상당히 멀다. 그럼에도 불구하고 나는 이상향적이고 분권화 되고, 또한 민주적인 한 국가가 그것을 실현하기에 적절하다는 것을 주장하고 싶다.

그 국가에서는 국민사회 전체를 위해 끊임없이 유효도를 향상시키는 총체적인 정책의 한계 내에서 시민들 자신이 지역별이나 부문별의 협력과 교섭을 통해서 다만 최소한으로 필요한 직접적인 국가간섭만을 가지고 그들의 노동과 생활을 조직화할 책임을 점점 더 많이 지게 되는 것이다. 이러한 상향이 현실적인 목표하는 것은 나의 신념이다. 그것은 근대적인 민주적 복지국가의 발전의 배후에서 작용하는 궁극적인 추진력인 자유와 평등 내지 우애라고 하는 이상 속에 내재하고 있다.

우리들이 복지국가의 이데올로기를 보다 명시적으로 한다면, 즉 우리들이 우리들의 방향과 목적을 명백히 한다면 이러한 이상향은 우리들의 실천적인 목표로서 부각될 것이다.

관료주의나 하찮은 행정적 규제 그리고 일반적으로 말해서 간섭적인 국가라 하는 것이 보다 완성된 민주적 복지국가에 관한 우리들의 통찰의 암호로 되어서는 안 된다.

위로부터의 조직화에 대항하여 싸운다는 것은 언제나 서구적 국가에서의 진보적 요소를 결집시키는 요인으로 되어 있었다. 이제 국가가 보다 효율적으로 국민의 민주적 규제하에 들어가게 된다면 우리들은 앞 절에서 말한 두 가지 유형의 기본적인 경제 및 사회정책을 위해 국가의 입장과 행정을 이용하는 데 대한 모든 이유를 알게 된다. 그러나 우리들은 관료주의와 화해해서는 안 된다.

나는 미국과 그 밖의 서구적 국가의 쌍방에서 자칭 개량주의자들이 사회개량을 서두른 나머지, 국가 규제의 계속적 확대에 거의 전폭적인 신뢰를 두고 그것에 의해 그들의 동료인 시민들에게 일종의 '국가주의적 자유주의'의 선물을 한다는 것은 근시한적이라고 생각한다.

우리들은 마음속으로 두 가지 기본적인 점을 명백히 할 필요가 있다. 그 첫째는 우리들의 나라에서는 사후적인 착상으로서 전개되어 온 계획의 목적이라고 하는 것이 원래 우리들 국민사회의 온갖 수준에서의 단체생활에 가해진 모든 종류의 간섭이 무계획적으로 증대했던 것에 의해 필연성이 된 것이지만 그것은 다만 우리들의 광범위한 정책목표에 보다 효과적으로 도달하게 할 뿐만 아니라 이것을 달성시키는 데 있어서 정책 목표를 정합함으로써 간섭을 급진적인 방법으로 단순화하는 것도 또한 목표로 해야 한다는 점이다.

한 분야에서 다른 분야로 계속해서 소수화 된 전면적인 규칙과 규제를 특별한 직접적인 다수의 간섭으로 대체해야 한다. 두 번째는 우리들이 계승한 모든 이상에 일치하도록 또한 우리들의 국민사회에 있는 현실의 잠재력에 맞추어서 우리들은 일상의 노동과 생활에 대한 직접적인 국가간섭을 계속 분권화함으로써 이러한 국가간섭의 단순화를 달성하는데 열중해야 한다는 점이다. 실제로 교육과 공덕심의 수준이 높아짐에 따라, 그리고 지역별이나 부문별의 사회생활을 강화하는 데 우리들이 성공함에 따라 진보적인 시민이 노력해야할 명백한 방향은 많은 국가의 직접적인 간섭행위를 불필요하게 해야 한다.

이미 지적한 바와 같이 우리들 모든 나라에서는 수많은 국가에 의한 법률과 취체(取締)규칙, 검사 및 구제가 존재하고 있지만 그것들은 비록 전에는 필요했다 할지라도 현시점에서는 명백히 불필요하거나 혹은 곧 불필요하게 될 수 있는 것들이다. 보다 많은 현실적인 정치를 국가수준 아래에 있는 공사의 여러 기관에 이양함으로써 우리들은 동시에 사회적 규제를 위해 이들 여러 기관을 강화하고 관련된 각 개인에 대해 그것들을 보다 소중한 것으로 만들며 일반대중이 정치에 열성적으로 참여하는 동기를 마련해 주게 될 것이다.

부패화 했거나 불필요하게 된 국가 규제는 부분적으로는 복지국가를 향하는 발전된 초기단계의 유물이다. 그 단계에서는 무계획적이고 분산적인 많은 간섭을 중앙에서 정합하는 방향으로서의 점진적인 단계가 거의 급진적이 아니었고 도리어 국가의 직접적 간섭행위에 대한 필요를 침전물처럼 잔존시키고 있으며, 그것이 이제는 우리들 주변에 경직하여 때로는 자의적인 한 관료주의로서 남아 있다.

부패한 국가 규제의 어느 부분은 초기의 역사의 유산이었으며, 우리들의 나라가 보다 비민주적이고 전제적이고 보다 경직하게 계급적으로 분층화 되고 있었던 시대에 그 기원을 갖고 있다. 그리고 여느 때와 마찬가지로 지금도 관료주의는 존속하려 하고 있다. 전제적 체제를 단념하고, 행정적 규제를 포기하고, 그리고 규제 업무에 종사하고 있는 인원을 정리하고 나아가서 일반적으로 이미 간섭이 필요가 없게 될 때에는 자진해서 거기에서 물러선다는 것은 실제로 존재해서 기능을 가지고 있는 관료주의의 내면적 충동과는 부합되지 않는 절차인 것이다.

그러나 근본적으로 우리들의 복지국가가 현재의 발전단계에서 '국가주의'에 머물러 있다는 사실은 모든 부문으로서의 연결로 해서 늘어가고 있는 모든 종류의 간섭을 단순화 하는 정합—이것은 서구적형의 계획화를 의미한다—을 어떠한 나라도 아직은 근사적으로도 완성시키지 못하고 있다는 사실을 반영하고 있다. 그리고 그동안에 비록 사회적 규제에 대한 중앙행정의 참여가 상대적으로 줄어들고 있다고는 하지만, 역시 직접적인 국가간섭의 양은 모든 나라에서 증대하고 있는 것이다.

지방자치와 개방적이고 민주적으로 관리되는 여러 단체로서 구성된 균형적이고 효율적인 하부구조가 그 본래의 사명을 다하고 있는 과정은 어느 서구적 국가에서도 아직 완성의 단계에까지 이르지 못하고 있다. 때때로 어떤 나라에 있어서 적어도 일시적으로는 약간의 분야에서는 마치 이러한 정치적 분권화의 과정이 역전되고 있는 것처럼 보이는 수도 있다.

　모든 수준에서 일반대중이 정치에 참여하는 것을 증진시키고, 또한 그것을 유지한다는 것은 모든 나라에서 절실한 문제로 되어 있다. 민중에 뿌리박은 민주주의의 운명에 대한 교육과 공공사회와의 연대감이 아주 높은 수준에 달하게 되었으므로 비공식적인 사회적 규제가 극대(極大)에 달할 만큼 유효화한 나라는 아직 어디에도 없다. 어느 나라의 개혁자도 그 국민사회의 생활개선을 위한 수단으로 보다 많은 직접적인 국가간섭을 구하려는 경향이 있음을 이해해야 한다는 것은 바로 이러한 배경이 있기 때문이다. 여러 가지 이유로 말미암아 미국에서는 복지국가의 기초에 가로놓인 이들의 고질적인 약점이 매우 현저하게 나타나고 있다.

　제4장에서 말한 바와 같이 미국에서는 모든 수준에서 일반대중의 참여가 비교적 낮다. 이러한 결과로 지역별 및 부문별 협력이나 교섭이 기득권익에 직면하면 상대적으로 무력하게 되고, 때로는 흑막이나 보스의 지배, 그리고 오직(汚職)에 빠지게 된다.

　미국에서의 국민적 통합의 과정은 일체감이나 연대감, 그리고 참여의식 등이 다른 서구적 국가들과 공통의 수준까지 달하기에는 아직 상당한 거리가 있는 것이다. 그 이유는 미국이라는 나라가 워낙 크며 생활하는데 매우 많은 공간을 가졌기 때문이 아니고, 또한 미국이 젊기 때문도 아니며, 더구나 미국의 국민이 아주 가동적(可動的)이기 때문도 아니다. 그것은 다만 미국이 각양각색의 문화적 배경을 가지고 있는 이민의 후손이라는 서로 결합될 수 없는 충성심을 보이는 사람들로서 구성되어 있다는 영향을 아직도 받고 있기 때문이다.

이와 관련해서 미국은 아직도 사회관계의 구조로서 법에 의존하는 부분을 너무나 많이 가지고 있다. 이 나라는 경직적인 국가 규제에 보다 많이 의존하고 있으며, 그리고 지나치게 성장된 관료주의를 가지고 있다. 상대적으로는 그 노력이 갖는 능률도, 경제성도 그다지 높지 않은 수준에 있다. 생산성에서 미국 국민이 다른 모든 서구적 국민을 앞서 있을 때에는 이 관료주의는 그들의 공공생활에서 이러한 결함을 극복하여 달성한 것이고, 따라서 그것은 그들의 광대한 국토에 있는 풍부한 자연자원과 민간의 업무, 이를테면 농장·공장·상점 그리고 회사 등에서의 작업이 놀랄 만큼 능률적으로 조직되어 있다는 것으로 설명되어야 한다.

미국 국민 사이에 좀처럼 가시지 않는 이질성과 서로 결합되지 않는 충성심이 있기 때문에 그들이 보다 동질적인 국민의 경우 이상으로 훨씬 많은 국가 입법에 의해서 생활상 및 노동상의 행위에 대해 일반적인 규칙을 제정할 필요가 있다는 것은 의심할 여지가 없다. 그리고 지역별이나 부분별 사회에 의한 규제가 약체이기 때문에 때때로 국민사회의 이상과 일치하는 바가 적으므로, 미국에서는 이러한 일반적 사회관습을 실행에 옮기기 위해 법정과 중앙정부를 통하는 직접적인 국가통제가 필요한 사회생활상의 많은 분야가 있다.

이것은 또한 왜 미국에서는 중앙집권적으로 통제하는 것이 그만큼 진보를 증진하려고 하는 사람들의 정책으로 되었는가를 설명해 준다. 또한 그것은 어째서 정치가나 보통 시민이 그 소속 정당과는 관계없이 직접적인 국가간섭이라고 하는 부정을 교정하는 데 타당한 방책으로서 생각하고 있는가 하는 것을 설명하고 있다.

다른 어떠한 나라에서도 이것이나 저것에 '대처하는 법률이 있어야 한다'는 사고방식이 국민사회의 모든 조건에 관한 토론이 있을 때마다 그만큼 쉽게 나타나는 나라는 없다. 그렇지만 미국에 관해서 적지 않게 중요한 것은 사회적 규제를 분권화 하는 가치를 장기적 목표로서 기억해 두어야 한다는 것이다. 내가 보는 바로는 이와 같은 목표를 향하는 노력은 희망이 없는 것이 아니다. 미국에서조차도 지역별·부문별 수준에서 더욱 능률적인 공공관료가 생겨나기 위한 모든 조건들이 서서히 창출되고 있다.

미국에는 입법조치에 의해서 일반적인 규칙을 제정하거나 그 규칙의 준수를 강요하기 위해 중앙의 국가통제에 의존해야 할 특수한 필요성이 있지만 그 나라에서는 급속한 통합이 그러한 필요성마저 점차 감소시킨 것을 신뢰할 수 있으리라고 나는 믿는다. 그리고 미국의 개혁자들이 응당 기억해 두어야 할 것이 이러한 과정에서는 국가 수준 이하의 모든 기관은 보다 넓은 활동 영역이 주어짐에 따라 그만큼 급속한 능률의 향상과 국민의 적극적 참여를 증대시킬 수 있다는 것이다.

이러한 이유로 말미암아 민주주의의 뿌리를 끊임없이 넓고 깊게 국민사회 속에다 확대해 가는 노력에 있어서는 위험을 감행하거나, 일시적 희생을 감수하는 것도 합리적인 것으로 된다. 이것은 바로 아직도 '불완전하고 부정한 것에 대한 사회의 시정책(是正策)은 민주주의적으로 끊임없이 증대하는 것이다'라고 하는 오랫동안 애용되어 온 미국적인 표현의 뜻인 것이다.

또 한 가지 중요한 사실은 다른 서구적 국가에서와 마찬가지로 미국 사람들이 간섭적 국가나 조직적 통제, 그리고 관료적 형식주의를 싫어한다는 것이다. 역시 내가 강조해 온 바와 같이 모든 나라에서는 사람들 사이에 우리들이 지금 도달하고 있는 풍요와 평등, 그리고 안정의 상대적 수준에 대한 만족감이 높아지고 있음은 사실이다.

나는 복지국가의 이해에 관한 '창조된 조화'의 출현을 지적하기도 했다. 또한 규제된 생활이 고정된 형으로 굳어버리면 사람들이 그것에 익숙해진다는 것도 사실이다. 그렇지만 사람들이 그들 자신을 지배하는 통제규칙의 작성과 관리에 몸소 참가하는 경우에 그들은 이러한 생활을 더욱 기꺼이 받아들인다.

이제 모든 나라에서는 국가기관의 참견에 대한 반감의 조류가 높아지고 있으며, 그것이 이따금 복지국가 그 자체에 대한 평가를 흐리게 하고 있다. 우리들은 아직도 과도적 단계에 있으며 이 단계에서는 국가계획이 정합화와 단순화의 필요를 충족할 만큼 따라가지 못하고 있다고 하는 이유와 국가수준 이하에 있는 집단적 조직체에서의 협력이나 교섭이 아직은 충분히 발전에 있지 않다는 이유에서 직접적인 국가간섭의 양이 계속 증대되고 있으며, 따라서 그러한 참견도 늘어만 가고 있다.

미국과 다른 나라의 '국가주의적 자유주의자'는 반동가(反動家)들이 국가의 참견에 대한 일반민중의 혐오를 적어도 부분적이나 일시적으로 이용하여 그것을 복지국가 자체와 그 계획화에 반대하는 하나의 저항으로 전환시킬 수 있다는 위험을 깨달아야 할 것이다. 그렇게 되면 우리들 나라의 진보와 개혁의 옹호자는 이러한 참견을 옹호하는 입장에 말려들어가기 쉽고, 한편 반동가들은 자유의 옹호자로서 공중 앞에 등장할 수도 있게 되는 것이다.

그러나 모든 전략적 고찰을 아주 별개로 한다면, 국가를 비관료화 하여 국민의 머리 위나 국민의 직접적인 지배 밖에 있는 당국에 의해 실시되는 사소한 간섭으로부터 국민을 해방한다는 것은—제퍼슨의 시대에 있어서와 마찬가지로 오늘날에도—진보적인 대의(大義)이다. 그것은 오직 복지국가를 완성하고 강화하는 것에 의해서만 비로소 달성될 수 있는 것이다.

이 책에서의 논의의 본질은 간섭의 양적 증대에 의해 계획화가 계속 필연화 되어가고 있지만, 복지국가에서의 계획화의 목적과 계획화의 달성은 사실상 간섭의 신구(新舊)를 불문하고, 그것을 끊임없이 단순화하고 대규모로 정리한다는 데 있다.

다시 말하면 그것은 세부적이고 직접적인 국가정책의 모든 부문으로부터의 연결이 증대해 가는 것을 대신해서소수의 대부분의 총체적인 국가정책을 바꿔놓고, 특히 국민사회를 재조정하여 국민의 공동생활에 관한 규범을 정하는 것은 대부분 공식적인 국가라는 수준 이하에 있는 모든 종류의 사회나 단체의 내부에 국민 스스로가 협력하거나 단체교섭을 하는 데 맡겨 둘 수 있다는 점에 복지국가에서의 계획화의 목적과 달성이 있는 것이다.

제7장 계획과 민주주의

강화된 민주주의

제3장에서 나는 서구적 국가에서는 보통선거제에다 기초를 둔 완전한 민주적인 정치체제의 점진적 발전이 어떻게 복잡하게 얽힌 사회과정을 통해서 현재의 상황, 즉 어느 점에서 본다면 계획화의 끊임없는 증대라고 특징지워지는 상황을 가져오게 한 모든 힘의 하나로 되었는가 하는 것에 대해 설명했다.

논리적으로 민주주의가 계획화를 가져 왔다는 사실 자체는 계획화가 민주주의를 파괴할는지도 모른다는 가능성을 배제하는 것은 물론 아니다. 그러한 경우에 우리들은 민주주의가 그 자체 속에 자신의 퇴화와 죽음을 가져오게 하는 병균을 가지고 있다는 악마적인 운명을 전제로 하게 될 것이다. 이것이야말로 명백히 '자유경제' 대 '계획경제'라고 하는 내가 서문에서 언급한 논쟁점에 대해 많은 대중적인 문헌이 가정하고 있는 것이다.

나는 서문에서 말한 이유로 현실의 모든 문제와는 아주 멀리 떨어진 부패한 논쟁에 말려들어가기를 싫어하지만 겸해서 지적하고 싶은 것은 내가 지금 분석의 대상으로 하는 계획화의 추세라고 하는 것은 민주주의를 위태롭게 하지 않는 것은 물론이고 도리어 그것에 보다 넓은 영역과 깊은 기초를 준다는 것이다.

특히 지방자치의 성장과 그리고 내가 근대적인 민주적 복지국가의 제도적인 하부구조라고 부르는 것 중에서의 여러 단체의 세력의 증대는 시민이 자기 자신의 운명 형성에 스스로 참가하기 위해 이용할 수 있는 수단이 더욱더 증가하고 있다는 것을 의미한다.

국가의 수준보다 낮은 곳에서 공공정책을 집단적으로 결정하는 이들 모든 기관은, 또한 동시에 자기들의 활동방식을 결정하는 국가계획 자체의 결정에도 더욱더 관여하게 되는 것이다. 그동안에 민간단체의 기본협정이나 활동에 있어서도 개방성이나 선전 및 효율적인 회원통제 따위의 민주적 원리가 점점 중시되고 있는 것을 볼 수 있다.

이러한 수단들이 민주적인 의사결정을 하기 위해 실제로 사용되고 그렇게 함으로써 민주주의를 지지하고 강화하는 정도라고 하는 것은 참여의 집약도와 공동체적 충성심과 단결의 감정에 의존하는 것이다. 그러나 중요한 것은 시민의 참여도가 원하는 것만큼 높지 않은 나라에 있어서까지도 협력과 단체교섭을 위한 지역적·부문적 단체가 존재하거나 활동하고 있다는 사실은 그것만으로도 사람들의 태도를 보다 특수하게 하고, 또한 비록 편협하다 할지라도 자기의 실제적 이해관계에 대해 더욱 깊은 관련을 갖는 태도를 취하게 하는 경향이 있는 것이다.

그들의 의견은 비교적 세속적이고 어떤 의미에서는 보다 합리적이다. 즉 일반문제에 대해서는 비교적 안정적이며 모든 실제 문제에 대해서는 훨씬 신축성이 있다. 이리하여 그들의 정치적 선택은 슬로우건이나 감정에 치우쳐 왜곡된 상투문구만을 외치고 돌아다니는 공상가나 편동가의 영향을 받지 않게 잘 보호되어 있는 것이다.

사람들의 태도가 이렇게 합리적으로 굳어져 감에 따라—그리고 나라에 따라 속도가 다르고 도달한 발전단계도 같지는 않지만 모든 서구적 국가에서 이러한 일이 일어나고 있다고 나는 확신하고 있다—민주주의는 틀림없이 강화되는 것이다.

역사적 전망

어느 의미에서 이것은 계획화로의 추세가 진전됨에 따라 현재의 서구적 민주주의 구조에 내부에서 실제로 일어나고 있는 일의 분석에 기초를 두고 있는 형태학적 일반화이다. 여기에 덧붙여 넓은 역사적 전망을 통해서 본다면 내가 아는 한 민주주의가 과다한 계획으로 말미암아 좌절되었다고 하는 것은 한 번도 본 일이 없다고 말해두고 싶다.

러시아에서의 계획화는 물론 민주주의를 파괴하지 않았다. 거기에는 처음부터 민주주의가 존재하지 않았기 때문이다. 혁명 후에 그 전제정치하의 빈곤하고 후진적인 국민에게 강압되었던 계획은 전체주의적이고 단일권력적인 독재제도에 의한 것이었고, 부유한 서구적 국가에서 하나의 사회적인 과정을 통해서 서서히 발달을 보게 된 공공정책의 타협적인 조정과는 전적으로 성질이 다른 것이다. 이 서구적의 과정에서는 정치적인 민주화, 주와 지방자치의 강화, 그리고 하부구조로서의 임의단체의 성장 등이 불가결한 요소로 되어 있다.

독일의 바이마르공화국에는 민주주의의 맹아(萌芽)가 있었다. 그러나 그것이 1930년의 초기에 와해된 것은 계획이라고 하는 약을 과용했기 때문이 아니었음은 확실하다. 히틀러주의는 부분적으로는 제1차 세계대전 이전부터 물려받아 온 전제주의, 프러시아 귀족주의 및 군국주의의 거대한 우산에 의해 생겨났고, 또한 그것은 부분적으로는 제1차 세계대전의 패배에서 온 독일 국민의 반작용이기도 했다. 히틀러주의는 또한 대공황의 충격으로 인해 생긴 손실과 광범한 실업에서 유래된 독일 국민 간에 널리 퍼진 좌절감을 쉽게 이용할 수 있었다.

나는 당시에도 그렇게 생각했지만 이미 그 무렵에 서구적인 몇몇의 복지국가에 존재했던 것과 같은 유형의 경제계획이 조금이라도 있었다면, 그것이 1920년대 후기와 1930년대 초기의 불황의 영향을 경감시켜 독일에서 민주주의를 유지케 할 수 있었고, 또한 독일 국민과 세상 사람들 다 같이 큰 재난으로부터 구출했을 것이라는 것은 실제로 가능한 일이라고 생각한다.

만일 1931년 가을에 브뤼닝(Heinrich Brüning)과 그의 고문이 금본위제나 이미 기능을 상실한 화폐적 자동체제의 자유주의 학설에 그처럼 집착하지 않고, 독일에서도 영국이나 스칸디나비아에서 한 것처럼 평가절하를 했더라면 그렇게 근소한 '계획' 요인이라 해도 독일의 민주주의를 유지케 했을는지도 모른다.

더욱이 최근에 와서 프랑스에서 민주주의가 빛을 잃게 된 것은 역시 계획의 과잉이 원인이 아니었고, 주지하는 바와 같이 아주 다른 사정이 있었다. 프랑스에서는 전통적으로 완고한 개인주의가 국가 중앙집권주의와 결부되어 이미 말한 바와 같이 주나 지방의 자치가 이 나라에서 건전하게 성장하는 것을 방해했고, 조직적 하부구조를 약하고 불균형하게 했으며, 프랑스의 의회제도의 활동을 좌절시키기까지 했던 것이다.

게다가 더욱 심한 직접적인 원인은 프랑스가 식민지 쟁탈전에 비극적으로, 그리고 전망적으로 개입하게 되었다는 것이며, 이 전쟁은 국민에 대해 정신적으로나 재정적으로 꼭같이 비참한 타격이 되었던 것이다. 제2차 세계대전 후의 서독의 민주적 제도는 아주 양호한 지지를 받고 운영되기 시작했으며, 국내생활면에서 그 장래를 위협하는 것은 거의 아무것도 없었다.

위에서 말한 이유나 제4장에서 언급한 이유 중 이러한 나의 분석에서 프랑스는 괄호 안에 넣어 두기로 한다. 프랑스는 개인주의와 중앙집권주의가 특이한 결합을 하고 있으므로 하나의 아주 특수한 사례이다. 서구적 세계의 다른 나라에서는 민주주의에 대한 위험이 국내적 원인에서 발생하는 일은 없을 것으로 생각된다. 그들 여러 나라의 민주주의는 몇 세기에 걸쳐 중단 없는 성장을 해 왔던 것이다. 보통선거제를 채용하기 훨씬 이전에 이들 나라들은 개인 간, 그리고 개인과 국가 간의 관계들을 비독단적인 방법으로 규제하는 법률의 지배에 복종하는 것이 관습화 되어 있었다.

모든 경우에 복지국가를 향하는 최근의 추세는 이들 여러 나라에서 민주주의의 힘을 강화하고 심화해 왔다. 우리들의 민주주의가 격심한 경제적 위기를 쉽게 헤어나갈 수 있다는 것이 판명되었다. 각 나라에서 우리들은 현재 앞으로 경제적 위기가 닥쳐와도 이처럼 심각하고 파괴적인 영향을 받지 않도록 대처할 수 있다고 믿을 만한 충분한 이유를 가지고 있다. 민주주의는 두 차례 세계대전에서 생겨난 국내적 압력에도 불구하고 잘 견디어 낼 수 있었던 것이다.

물론 서구적 국가들이 외국의 지배에 의해 분쇄될 수는 있을 것이다. 실제로 서구적 국가들의 민주주의에 대한 모든 위험은 그들의 대외관계의 분야에 존재하는 것이며—독일의 바이마르공화국의 경우에는 위험이 결정적으로 대회관계에 있었고, 또한 현재의 프랑스에서도 위험이 거기에 있는 것처럼—내가 지금까지 분석해 온 국내의 모든 힘의 작용에는 민주주의에 대한 위험은 없다. 이미 장기에 걸친 냉전이 심각한 착란적 효과를 미치고 있다. 우리들이 근래 크게 우려하면서 경험하고 있는 것은 경제적으로 그처럼 강력하고 대양(大洋)에 의해 다른 나라와 격리되어 있는 미국에 있어서까지도—아니 오히려 서구적 국가의 다른 어느 나라보다도 바로—미국에서 해외로부터 큰 위험이 온다는 일반적 공포가 국내에서는 확립된 합리적 민주주의의 절차마저도 해칠 수가 있는 것이다. 그러나 그것은 전혀 별개의 문제로서 이 연구의 범위 밖에 있다.

민주주의는 계획에 대해 위험한가?

서구적 국가에서는 계획화로의 추세가 민주주의에 대한 위험이 아니라는 것은 확실하지만 이것과 역(逆)의 명제(命題) 쪽에 더 많은 진리가 있다. 민주주의는 그 자체가 계획화로의 추세에 대한 추진력의 하나이지만, 그 민주주의를 나타내는 방식 가운데 몇몇은 계획의 완전한 합리성을 위태롭게 하거나 적어도 뒤로 미루게 할 수 있는 것들이다.

제2부에서 나는 민주적 복지국가가 어떻게 사람들의 관심을 국내로 쏠리게 하고 그들을 국민주의적으로 되게 하는 경향이 있는가를 검토할 작정이다. 모든 서구적 국가에서의 복지국가는 현재까지는 시민의 이상이나 장기적인 이해에 부응하기에는 너무나 편협한 국민주의로 기울어지는 일이 많다고 나는 믿는다.

복지국가의 계획이 갖는 중대한 국제적인 의미를 떠나서 문제를 오직 국내적인 배경에 한해서 본다면 민주적인 절차에는 계획의 합리성을 위협하는 위험이 있다. 사람들이 자기 자신의 이익이나 진상에 대해 불충분한 정보가 주어지고, 따라서 속기 쉬운 한 위험이 있다. 전국적·지역적·부문적 수준에서의 공동생활에 대한 적극적인 참여의 정도가 낮으면 낮을수록 그만큼 사람들은 어리둥절하게 되고 속기 마련인 것이다. 이것은 결국 완벽한 민주주의는 보다 계몽되고 주의를 게을리 하지 않는 사람을 필요로 한다는 것으로 귀착된다.

우리들의 대규모적인 소득 재분배 정책에 있어서도 아직 많은 속임수가 존재하고 있다. 우리들의 조세는 엄청나게 누진적이라는 것이 공시도 되고, 또한 일반인에게도 믿어지고 있지만 그러나 여러 가지 계략으로 세법은 부자가 그들의 '소득'의 대부분을 세금으로 지불함에도 불구하고 유복한 생활을 하면서 더욱더 부유하게 되도록 하고 있다.

영국이나 그 밖의 몇몇 나라에서는 자본이나 자본 수익은 비과세이고, 또한 관대한 방책이 있어 사망 전에 유산을 양도하게 함으로써 상속세를 포탈하도록 하고 있다. 그런데 이러한 상황이 납세와 사회보험료의 지불에 허덕이고 있는 노동자나 봉급생활자에게는 대부분 해당치 않고 있으니 언어도단도 이만저만이 아니다. 스웨덴이나 미국에서는 과세제도가 더욱 엄격하기는 하지만, 거기서마저도 과세의 실질적 부담이 어디에 기준을 두고 있는가는 외견과는 매우 다르다.

법인의 거대하고 익명적인 이해관계는 여러 가지로 영향을 미치게 되지만 그에 대해 노동자나 소비자의 힘에 의해서 민주적인 균형이 잡히는 일은 좀처럼 드물다. 이들 법인은 고도로 숙련된 은닉의 명수이고 또한 광범한 영향을 미치는 것처럼 보이지만 피할 수 있는 공공의 통제를 받아들이는 데에도 능란하다.

보통의 주주에게는 거의 실질적인 영향력을 미치지 않게 하는 중역겸임제도나, 경제·정치·고등교육, 그 밖의 모든 분야에서의 최고 지도자간의 연결 등이 실질상의 권력적 과두정치를 낮게 하고 있다. 이러한 일이 특히 심하게 나타나는 나라는 미국과 같이 집단조직에 대한 대중의 참여나 지배가 악화되기 쉽고, 이 때문에 이를테면 노동조합 등에서의 대중 지도자가 서로 한 패가 되어 공모하는 데 쉽게 끌려들어가는 나라들에서 볼 수 있다. 영국에서는 아직도 살아남은 계급적인 위계 체계가 포착하기는 어려우나 확고한 구조를 제공하여 이러한 비민주적인 권력 집중에 이바지하고 있다.

소득층의 이익이 되는 개혁은 고소득층에 주어지는 보다 큰 이익을 은폐하기 위한 뇌물에 지나지 않는다는 경우가 흔히 있다. 대부분의 서구적 국가에 있어서의 농업정책이 이에 대한 풍부한 증거를 제시하고 있다. 나는 이미 과세상의 누진제도의 대부분은 다만 겉치레에 지나지 않는다는 것을 지적한 바 있다.

부유계급은 보통 자기의 이익을 보호해 주는 정당에 헌금하며 '달러와 더불어 투표'를 해도 상관없다. 비밀 투표의 원칙이 묘하게 확대되어 부유계급은 보통 그들의 정치헌금을 익명으로 할 수가 있다. 정치헌금을 받는 사람은 실제로 과세의 대상이 되는 소득에서 정치헌금을 공제받는 수가 많으며, 그 결과 이와 같이 사적인 지시에 의해서 돈으로 권력을 매수하는 것은 사실상 대부분이 국가 자체에 의한 지원을 받게 되는 것이다.

내가 알기로는 스웨덴 이외에서는 개인의 부와 소득은 공적으로 기록될 문제가 아니라 전적으로 개인의 사적인 문제로 되어야 한다고 본다. 다만 세액사정 당국에 비밀리에 실정을 밝혀야 하고, 또한 그것들이 통계에는 사용될지도 모른다는 규정이 있을 뿐이다. 물론 통계에서의 개인은 집단 속에 은폐되고 만다. 개인의 경제적 지위에 대한 비밀은 중요한 시민적 자유라고 하는 권위에까지 그 지위를 올려준 것이다.

이러한 비민주주의적이고, 보호주의적인 사회제도에서는 무서운 힘을 가진 통신사업이 주요한 역할을 하게 되고, 그것이 대중의 태도와 선택을 좌우한다. 통신의 자유는 민주주의의 하나의 기본원리로 되어 있으므로, 그 활동을 아주 실제적으로 침해한다는 것은 있을 수 없는 일이다. 그러나 그것도 하나의 산업인 이상 그 서비스는 일정한 가격을 지불하면 입수될 수 있으며, 따라서 그 운영은 화폐적 유효수요에 따라 이루어진다.

통신사업이 사람들에게 영향을 주는 한, 그것은 그들의 소비양식을 결정할 뿐만 아니라 공적 문제에 대한 그들의 여론과 투표로 결정하게 될지 모른다. 통신사업은 참으로 민주주의의 근저를 걸머지고 있는 것이다.

이미 내가 암시한 바와 같이 모든 종류의 사적 소비를 증대시키려는 선전의 영향아래 조직화된 사회가 제공하는 서비스의 소비를 위한 똑같이 강력한 선전활동이 이루어지지 않는다면, 유권자는 공적 지출을 합리적인 수준 이하에 묶어두게 되는 경향이 있다. 그러나 더욱 일반적으로 말한다면 유권자가 투표로써 보인 참다운 의향을 효과적으로 실현시키기 위한 개혁안, 이를테면 세부담의 분담이라든가 혹은 생산통제 등에 관한 개혁안들은 어느 나라에서도 현상유지에 기득권익을 갖는 사람이나 집단에 그 사용권이 들어가게 된 통신사업의 서비스가 자아내는 무시무시한 억압력을 극복해야 하는 것이다.

그러나 부와 지배력을 통해서 사업기관을 손아귀에 넣고 있는 지배계급의 강력한 기득권익이라든가 또한 지배계급이 통신사업의 서비스를 특약적으로 이용함으로써 사들일 수 있는 여론에 대한 영향력 등을 젖혀 놓고라도 훨씬 더 완벽한 민주주의에 있어서조차도 아주 특수한 이해관계를 가지고는 있지만 워낙 작은 데다가 압력 단체로 될 만한 단결도 하지 못한 집단이 그들의 이익이 불충분하게 보호된다는 것을 알게 되는 경향을 언제나 볼 수 있다. 이를테면 범죄자, 정신이상자 혹은 정신박약자, 그리고 그들의 부양가족 등이 이러한 집단에 속한다.

그들은 소수이며 또한 쉽게 조직화 되지 않는다. 그들 중의 하나가 된다는 비운에 빠질 개연성이 아주 적다.—어쨌든 보통 적은 것으로 생각되어 있다.—따라서 외부사회의 이러한 사람들과 연대책임을 지도록 동원된다는 것은 어려운 일이다. 서구적 국가의 어떠한 나라에서도 사회가 이러한 류의 사람들을 대우하는 방법은 결코 정상인을 대우하는 보통의 후생수준 혹은 체면치레를 할 만한 수준까지도 도달하지 못하고 있는 것이다.

이에 반해서 보통 노인의 이익은 잘 보호되어 있으나 그것은 우리들이 언젠가는 노인이 된다는 것을 누구나 다 잘 알고 있기 때문이다. 이것과 비슷한 이유로 병자라든가 불구자는 복지국가에서 잊혀지지 않고 있다. 그런 반면에 자녀가 많은 가족이 소득은 재분배방책이 채택되고 있음에도 불구하고 아직도 대체로 냉대 받는 집단에서 머물러 있다.

어린이들에겐 투표권이 없고 자녀가 많은 부모는 통계적인 유권자 총수로 보더라도 불과 소수파에 지나지 않는다. 서구적 국가의 청년층은 소수의 자녀를 가지고 계획하는 것이 보통이고, 노년층은 소수의 가족을 가졌거나 아니면 대가족이었다 하더라도 사회로부터 그다지 원조를 받지 못했다는 것을 기억하고 있으므로 대가족과의 연대 책임감이 거의 없는 것이다.

내가 생각하고 있는 심리과정은 다음의 사실에 의해 아주 명백하게 예증된다. 즉 자동차의 소유자가 아직은 소수파에 속하는 나라까지도, 그들은 강력한 압력단체로 등장하여 어느 정부이고 세심한 주의를 가지고 고려하지 않을 수 없게 되었는데, 이것은 보다 많은 사람들이 언젠가는 자동차를 갖고 싶어 한다는 지극히 간단한 이유 때문이다.

복지국가도 비틀거리게 만든 이러한 문제들에 있어서는 교육에 의하지 않고서는 진보가 있을 수 없다. 각 개인은 자기 자신의 참다운 이해관계라든가 보다 깊숙한 곳에 있는 자기의 가치판단의 수준에서 품고 있는 이상까지도 포함해서 사회적 사실들을 보다 정확히 알도록 해야 할 것이다. 그때 비로소 개인은 보다 '선전에 현혹되지 않게'(propaganda safe)될 것이다.

이 전문적 용어는 제2차 세계대전이 발발하기 전에는 미국에서 널리 사용되고 있었지만 이제는 불행히도 보통 사용되지 않게 되었다. 그것은 아마도 통신사업이 그 용어가 갖는 의미를 좋아하지 않기 때문일 것이다. 각 개인은 그가 살고 있는 국민사회에 대한 객관적인 지식이 향상됨에 따라 결코 권력적 과두정치에 의해 오도되지는 않을 것이다.

그는 과세와 그 밖의 모든 것을 개혁할 것이다. 자기 자신의 참다운 포부와 자기와 같은 시민의 상황을 이해하게 됨에 따라 각 개인은 더욱 큰 연대감을 국민사회 속의 모든 집단—비록 그것이 작아서 분열된다거나 불행한 집단이라 할지라도—에 대해 느끼게 될 것이다.

이러한 처방이 '지식은 사람을 자유롭게 한다'는 해묵은 자유주의적 신념 이하도 그 이상도 아니라는 것을 나는 충분히 알고 있다. 그러나 어디에서나 복지국가는 교육에 대한 신념을 견지하고 있으며, 지금도 더욱더 많은 노력—그리고 공공자금—을 교육수준의 향상에 바치고 있다는 사실과 그리고 복지국가는 모든 분야에서 실제로 자주 교활한 권력적 과두정치의 극히 공고한 기득권익이나 가장 치열하게 이루어지는 통신사업의 능력동원 등을 몇 번이고 헤치며 전진을 계속하고 있다는 사실 등에 희망을 걸 수 있다고 나는 생각하는 바이다.

인플레이션적인 압력

나는 대부분의 서구적 국가들이 인플레이션에 돌입하는 경향에 대해 간단히 논평함으로써 복지국가가 한 가지 중요한 점에서 머뭇거리고 있다는 것을 좀 더 구체적으로 예증하기로 한다. 과도적인 현 시기에는 이러한 인플레이션의 경향은 서구적 국가의 고도화 되어 가고 있는 경제수준에 의해 금융적 균형의 유지가 훨씬 가능하도록 해야 함에도 불구하고 민주적 복지국가의 특징을 나타낸다고 말할 수 있다. 인플레이션을 아무런 저항도 없이 그 진전에 맡긴다고 한다면 실질소득이나 부의 분배, 그리고 투자나 생산의 방향 등에 반드시 바람직하지 못한 결과를 가져올 것이다. 그것은 한 나라의 정치적 안정마저 위협하게 되는지도 모른다.

총수요와 총공급의 균형을 회복시키지 않고 인플레이션을 억제 혹은 완화하는 데는 그 대신에 어떠한 시민집단도 자기 자신의 이익을 위해서는 지지할 것 같지 않은 형태의 많은 직접적 국가통제, 즉 배급·건축통제·할당·가격통제 등이 불가결하다. 만일 전세계가 동일한 방향으로 혹은 동일한 속도로 가고 있지 않다면 외환이나 무역의 직접 통제를 도입하는 것도 또한 필요하게 된다. 지금 여기서 내가 서술하고 있는 것은 대부분의 서구적 국가들이 전쟁 후에 때때로 겪었던 상황이다.

이와 같은 직접적인 국가간섭이 확대되어 전면적인 통제경제화까지 이르면, 생산과 투자에 관한 갖가지 불경제적인 그릇된 자원배분을 초래하게 된다. 그것은 실업계나 통제에 책임이 있는 정부 부문의 도의(道義) 수준을 위태롭게 한다. 정부 및 정당에 속하는 정치나 경제의 전문가들은 국민경제의 주요문제에 전념해야 함에도 불구하고 이러한 사소한 참견에 여념이 없는 것이다.

그들이 계획을 세우는 노력은 강한 의지도 힘도 없어 방지할 수 없는 인플레이션적 압력으로부터 생기는 가격 상승에 대한 뒤치다꺼리로 낭비되고 마는 것이다. 다시 말하자면 이것은 또한 경제과학의 연구를 광범위한 문제로부터 사소한 단기(短期)의 문제로 향하게 하는 경향이 있는 것이다.

생산자간의 단체교섭

이러한 과도기에서 서구적 국가들의 민주적 복지국가가 인플레이션에 돌입할 위험이 있다는 데에는 약간의 일반적인 이유가 있다. 우선 어떠한 정부이고 어떠한 의회이고 간에 그것은 시민─전략적으로 시민의 집단─에게 정당하게 부과시키고자 하는 세(稅) 부담보다 적게 하여 만족을 주려고 하는 유혹을 받지 않을 수 없는 것이다.

화폐 소득의 합계가 국민생산보다도 상승하는 것을 방지한다는 것은, 공공정책에 대한 책임이 점차 분산되어 주나 시의 자치정치를 통하거나 거대한 하부구조의 내부에 있는 모든 조직체를 통하게 되면 더욱더 곤란하게 된다. 더욱이 이러한 조직체는 단체교섭에 의해 각각 그 내부에서 가격·임금·소득 및 이윤을 결정하는 것이다. 이들 모든 기관은 모두가 교섭에 의해서 타협적 합의에 도달해야 하는 널리 승인되어 있는 실천적인 전제하에서 활동하고 있다.

협정에 도달하고 분규를 피하려고 하는 충동은 교섭의 당사자로 하여금 시장가격에서 실제로 할 수 있는 것 이상으로 서로가 조금이라도 관대해짐으로써 협정이 성립되도록 계속 원하지 않을 수 없게 한다. 가격이 조작되는 경우에 이러한 인심 좋은 출비(出費)는 잇따른 교환을 통해서 다음 상대에게 이전할 수 있는 것이 보통이다. 이러한 과정이 일반적으로 가장 자유로이 작용하는 것은 유력한 기업이나 강력한 노동자의 조직에 의해서 지배되고 있는 산업부문에서이며, 적어도 그것은 미국의 경험에서 찾아 볼 수 있을 것 같다. 그렇지만 선진적인 복지국가에 있어서는 모든 집단 사이에서 어떤 세력의 균형이 달성되고 있다. 농민·공무원 심지어는 양로연금 수령자까지도 자기들의 이익을 옹호하기 위해서 효율적으로 조직화 되어 있는 것이다.

이제 여기서 중요한 것은 사람들은 대개 소비자로서가 아니라 소득이나 이윤의 가득자로서의 자격으로 교섭하기 위해 조직화 되어 있다는 사실이다. 어떠한 종류의 '생산자'—각종 부문의 공업가나 판매업자, 규모를 달리하는 농장을 경영하고 이종작물을 전문으로 하고 있는 농민, 각 분야의 전문직업자, 각종 기업에서 각양의 작업에 종사하고 있는 사무원과 육체노동자 등—로서 그들은 모두가 특별하고 또한 특수적인 이해관계를 가지고 있다.

그들은 자연히 별개의 집단이나 하부집단으로 나누어지고 나머지 다른 사회에 대해 이해관계라는 연대감에 의해서 뭉치게 되는 것이다. 물론 모든 사람은 소비자임에 틀림없다. 그러나 사람들이 소비자로서의 저물가나 생산비의 저하(低下)에 관심을 갖는다는 것은 공통적이고 일반적이며 또한 널리 분산되어 있다.

이러한 이유로 말미암아 모든 서구적 국가에서 효율적인 소비자의 조직체를 형성한다는 것은 훨씬 곤란하다는 것이 판명되었다. 이에 대한 또 하나의 부수적인 이유는 소비지출의 대부분을 좌우하는 주부들이 사회적 통제에 참여하는 것을 꺼리고 있다는 사실이다. 겨우 몇몇 나라에서만이 소비자 단체가 미미한 교섭력을 얻고 있는 것이다.

복지국가 발전의 현 단계에서 가장 중요한 하나의 사실은 다음과 같은 것이다. 즉 이익단체의 구조와 국회 내에 작용하는 압력이라든가 지방이나 심지어 도시에서까지도 그 선출로 구성된 의회 내에서 작용하는 압력이라고 하는 것이 소득이나 이익을 높이려는 생산자의 이해관계를 유리하게 하는 쪽에만 치우쳐 있다는 사실이다.

일반적으로 이것이 민주주의의 결함의 하나라는 것은 생각되지 않고 있다. 그것은 각자가 소비자일 뿐만 아니라 소득이나 혹은 이윤의 가득자(稼得者)이기 때문이다. 그래서 복지국가라는 제도적 배경에서는 노동자나 농민의 단체는 유권자로서의 정치적 권력을 행사하여 국회와 지방의회 및 시의회에서 모든 정책을 결정함으로써 꾸준히 강해지고 있다. 더우기 이들 각급 의회는 노동자나 농민의 단체가 교섭할 때 따라야 할 조건들을 결정한다. 이러한 상황이 의미하는 바는 오직 이제는 제도적 배경이 달라져 거기에서 각종 직업에 종사하는 모든 사람들이 생활수준의 향상을 위한 그들의 노력을 한층 효과적으로 화폐 소득을 보호하고 증대하고자 하는 기도로 전환하고 있다는 것뿐이다.

그들은 물가나 생계비의 등귀에 대해 불평할지도 모른다. 그리고 그러한 추세를 소득 향상을 요구하는 동기로 이용할는지도 모른다. 그러나 그들은 보통 행동통일에 의해서 물가의 상승 향상을 정지시키는 데 유효한 수단을 하나도 갖고 있지 않다.

생산자 집단 간의 하나하나의 교섭에 있어서는 오직 전국민 소득의 일부분만이 결정될 뿐이다. 그들 모두가 한편은 상대편이 국민생산의 더 큰 몫을 차지하는 것을 당연하게 생각한다는 데 대한 한 쌍의 교섭당사자를 동반하게 되는 것이다.

스웨덴의 재무상인 에른스트 비그퍼스(Ernst Wigfors)는 일찍이 의회에서 지적 용기를 내어 다음과 같이 설명한 적이 있었다. 즉 만일 스웨덴의 농민과 노동자가 보다 높은 소득을 획득하고 또한 서로에게 배분되도록 하겠다고 결심한다면 그들이 이에 필요한 모든 권력을 쥐고 있는 한, 누구도 이를 막을 수는 없을 것이라고 했다. 그러나 물론 그들은 실질국민생산물을 그렇게 쉽사리 증대시킬 수 있는 힘을 갖고 있지는 못하다.

재정·금융정책만으로는 해결될 수 없다

현재의 상황하에서는, 그리고 보다 구체적으로 말한다면 하부구조 내의 모든 단체, 더욱이 이들 단체는 위에서 말한 의미에서의 주로 생산자 단체이지만, 그들에게 일체의 권력이 주어져 있는 상황에서는, 국민경제의 균형이 전면적인 금융 및 재정적 통제만으로 옛날처럼 회복될 수 있다고 믿는 것은 하나의 환상에 불과하다.

대부분의 서구적 국가의 최근의 경험에서 알 수 있는 바와 같이 그러한 전면적인 통제가 유발하여 일반적 축소를 발생시키고 있을 때조차도 생산비가 물가를 등귀시키는 경향은 존재하기 쉬운 것이다. 나아가 그러한 통제도 물가의 상승향상을 정지시킬 만큼 충분히 효과적으로 그리고 장기적으로 적용될 수는 없다. 왜냐하면 국민사회는 축소가 대규모적인 실업을 발생시킬 경우에는 축소를 용납하지 않기 때문이다.

서구적 형의 민주주의에 있어서 완전고용을 수반하면서 화폐적 안정을 확보한다고 하는 이 문제가 충분히 만족스러운 방법으로 해결되기 위해서는 교육의 일반수준을 향상시켜 국민이 모든 수준에서의 결정사항에 적극적으로 참여하는 것을 더욱 강화하고, 또한 물가수준이 걷잡을 수 없게 되어서는 안 된다고 하는 공통의 이익에 관해서 누구나가 가져야 할 인식을 크게 강화하며, 나아가 그것에 의해 국내 계획이나 모든 시장의 정합을 위해 필요한 이해와 연대감의 기초를 마련하는 것 등에 의하는 수밖에 없다. 그렇게 해야만 총수요와 총공급의 안정적인 균형이 경제활동의 수축 없이 유지될 수 있는 것이다. 여기에서도 또한 교육과 보다 발달된 민주주의에 의존할 수밖에 없는 것이다.

그렇게 되면 우리들은 경제가 완전고용하에서 발전한다고 하는 추세를 안정시킬 뿐만 아니라 비록 이러한 균형을 잃게 된다 하더라도, 특히 불쾌한 직접적인 국가간섭 따위의 필요성을 감소시키게 될 것이다. 이러한 것을 달성하기 위해서 제도적 하부구조 내에 강력하고 효과적인 소비자의 조직체가 발전할 필요가 있다.

소비자의 조직체는 현존의 생산자와의 평형을 실현하고, 단체교섭에서 물가안정과 양립되지 않아도 보다 높은 소득과 이윤을 요구하는 현재의 지배적인 편향도 중화(中和)할 수 있게 될 것이다.

국가 자체가 전혀 존재하지 않거나 존재한다 해도 이상할 만큼 무력한 소비자 단체를 대신하여 지극히 효과적으로 대역을 한다는 것은 거의 있을 수 없는 일이다. 만일 국가가 생산자 단체 간의 단체교섭에 개입하여 임금·물가·소득 및 이윤의 상승을 생산성의 상승과 같은 보조로 억제하려고 해도 크게 성공할 가망은 없는 것이다.

그 이유의 하나는 그것이 교섭을 위한 규칙의 작성자로서의, 그리고 심판자로서의 국가 본연의 역할을 위태롭게 한다는 것을 의미하기 때문이다. 교섭은 보다 부자유스러워질 것이다. 게다가 소비자 단체가 없거나 혹은 약할 때 국가는 일반적으로 현존하는 생산자 단체의 압력을 받으면서 활동할 것이다. 국가라 할지라도 소득이나 이윤의 가득자를 위하여 현재의 제도적 체계의 고유한 편향에 의해 좌우된다는 것을 회피할 수는 없는 것이다.

스칸디나비아에서는 소득이나 이윤의 가득자의 모든 주요한 집단 간에서 이루어지는 전국적 교섭에 관해 상당한 경험을 쌓아 왔다. 이와 같은 국가의 지도아래 이루어지는 다각적인 단체교섭은 확실히 큰 전진이다. 특히 스칸디나비아에서는 소비자 단체가 다른 나라에서 볼 수 있는 것처럼 아주 무력하지 않은 것은 그것이 교섭에 적극적으로 참가하고 있기 때문이다. 그러나 완전고용과 함께 안정된 물가를 유지하는데 대한 문제의 해결을 보기에는 아직도 요원하다. 이것을 달성하는 데에는 소비자 단체가 보다 강력해야 된다는 전제가 필요할 것이다. 내가 보기에는 이것이야말로 우리들이 이러한 경험으로부터 배울 수 있는 교훈인 것이다.

내가 이것을 강조하는 이유는 최근의 사고 경향, 특히 미국의 사고 경향이 '국가가 지원하는' 전국적이고 다각적인 임금과 물가에 관한 교섭에 너무나 많은 것을 기대하고 있는 것같이 보이기 때문이다.

이와 같은 교섭은 이미 언급한 바와 같이 기초적인, 그리고 인플레이션적인 제도적 편향을 극복하지 못한다. 시민이 소득과 이윤의 가득자로서 이미 조직되어 있는 바와 마찬가지로 소비자의 자격으로도 효과적으로 조직화 되었을 때 비로소 '대항하는' 힘이 실현될 수 있다. 그때에야 비로소 국가는 자신을 그러한 편향으로부터 해방할 수 있게 되는 것이다.

제8장 다른 2대권에서의 경제계획

소련에서의 계획

서구적 국가에서의 경제계획을 특징지우는 주요한 공통적인 특색은 그것을 세계의 다른 2대권에서의 경제계획과 대조함으로써 두드러지게 될 것이며, 또한 명백히 될 것이다. 소련권 나라와 비소련권에 있는 저개발국과의 계획에 관한 다음의 간단한 서술은 이에 대해 보다 넓은 전망을 주기 위한 것이다. 단순화를 위해서 소련권 나라를 소련으로써 대표시키기로 한다. 소련이야말로 소련권의 다른 나라가 현재 착수하고 있는 계획에 대하여 그 원형을 제공하고 있기 때문이다.

반세기 전의 러시아는 거대했지만 후진적인 빈곤한 나라였다. 당시에도 그 대부분을 외국 자본가에 의지하는 상당한 공업의 맹아(萌芽)가 있기는 했었지만, 그 나라는 역시 주로 전원적이었고 또한 대체로 봉건적이었다.

러시아는 전제적으로 통치되어 있었고, 민주적인 수준에 접근하는 효율적인 지방이나 도시의 자치형태는 거의 찾아볼 수 없었으며, 개혁이나 발전에 중요한 기능을 할 만한 자발적 이익단체도 거의 없었다. 제1차 세계대전과 정치혁명, 뒤이은 내란과 외국 군대의 침입은 혼란과 재난을 낳았을 뿐 새로운 질서를 창출하지는 못했었다.

여기에서 흥미 있는 것은 과연 러시아에서는 서구적 모든 국가에 있어서와 마찬가지로 그 당시에 이미 자유주의 혁명이 있을 수 있었는가. 그리고 그 혁명에 이어서 계속적인 공업화와 지역적 사회나 부문별 사회에서의 협력과 교섭에 적합한 자율적 기관의 발달과 대중의 태도의 합리성 증대를 위한 전개, 그리고 민주주의의 착실한 성장 등이 이루어질 수 있었는가 하는 문제와 더불어 그러한 과정으로부터 단기적으로 그리고 장기적으로 어떠한 결과가 생기게 되었을까 하는 문제 등을 생각해 보는 것이다. 그러나 제1차 세계대전과 수년 동안의 심각한 동란 및 투쟁과 공산주의 지도자 자신들 간에서의 많은 동요를 거쳐 실제로 일어났던 일은 결국 힘에 의한 전체주의적 단일 권력국가의 창립이었다.

전 공업을 국유화하고 이어서 압력으로 농업을 강제 집단화함으로써 국가는 이미 서구적 국가에서 성숙하게 되었던 자발적 조직체로 이루어진 하부구조를 대신해서 사실상 모든 것을 포괄하고, 또한 각처로 퍼져가는 중앙으로부터의 지령에 의한 국가 관리를 시작했다.

원래는 농업과 많은 공업, 그리고 일부의 상업에 이용되었어야 할 협동형태조차도 공업이나 기타의 부문에서의 노동조합의 조직망이 그러했던 바와 같이 결국은 주로 국가에 의한 중앙지령의 매개체로 되어버리고 말았다. 이러한 제도적 전체 구조는 동시에 이루어졌던 지방과 도시의 자치기관과 마찬가지로 공산당에 의해서 단단히 결속되고 있었다. 그리고 이러한 공산당도 또한 단일권력의 원리로 조직되어 중앙지령을 받게 되어 있었다.

이러한 사회관계가 체계를 갖는 전체 구조를 통해서 위로부터의 지령이 단체교섭을 대신하게 되었고, 단일 권력적 국가의 작용에서 가장 본직적인 특징으로 부각되는 경제계획은 그 성질상 프로그램적이고 또한 포괄적이기도 했다.

저개발국에서의 계획

큰 빈곤이야말로 저개발국에 있어서의 중요한 사실이다. 그들 나라의 대부분은 혁명 전의 러시아 이상으로 빈곤하고 저개발상태에 있다. 저개발국은 흔히 서구적 모든 국가의 공업화 이전보다도 더 빈곤하다. 이러한 사실은 특히 저개발국 중에서도 가장 인구가 많은 나라에 해당되며, 그러한 나라들은 비교할 수 없을 만큼 중요성을 가지고 있다.

다만 내가 여기서 열거할 수 있는 여러 가지 이유 즉, 이들 저개발국의 대부분이 대처하지 않으면 안 되는 기후(氣候), 그곳에서의 사회적 계층 및 지배적 가치체계, 그 인구 발전의 추세, 외국자본 획득상의 보다 큰 곤란, 세계에서 차지하는 무역상의 지위, 그리고 저개발지역에 에워싸인 섬과 같이 스스로는 우뚝 솟아날 수 없다고 하는 사실이 있기 때문에 그 개발상의 모든 문제가 훨씬 커지는 것과 관련되는 많은 이유로 말미암아 이들 저개발국의 대부분의 상황을 객관적으로 분석하여 얻어지는 결론은 서구적 국가들이 확립했던 역사적 유형과 흡사한 방식으로는 이들 저개발국이 발전할 것 같지 않다는 점이다. 만일 국가가 처음부터 서구적 국가들이 산업혁명기에 취했던 것 이상으로 발전을 일으키는 데 대한 책임을 크게 지지 않는다면, 저개발국이 크게는 아니 조금이라도 발전한다는 것은 참으로 있을 수도 없는 일이다.

서구적 국가에서는 내가 지적한 바와 같이 공업화는 자기의 이익이 되도록 새로운 기술을 개발하는 하나하나의 이윤 추구자의 기업열이 길러내는 자발적 성장의 누적과정에서 주로 생겨난 것이었다.

현재 저개발국에서 널리 커지고 있는 경제계획이라는 관념은 어느 정도까지 그들의 발전에 대한 갈망과 그들이 처해 있다고 생각하는 역경에 관해서 그들의 지식으로부터 얻어진 합리적인 추론의 성질을 띠고 있다.

현대의 세계는 역시 아주 다른 세계이고, 또한 아주 다른 일련의 이데올로기적 충격을 주고 있는 것이다. 1백 년 혹은 그보다 이전의 산업혁명 이래로 서구적 국가들은 내가 이때까지 앞에서 언급해 온 바와 같은 하나의 노선에 따라 경제계획으로 통하는 긴 여정을 걸어왔던 것이다. 그리고 소련권 국가들에서의 단일 권력적이고 전체주의적인 국가에 의한 경제계획은 그들 대부분의 나라가 현재 혹은 최근에 이르기까지 그 자체가 저개발국이었다는 점에서, 그리고 일반적으로는 그들의 계획이 상당히 뚜렷한 발전 효과를 가져왔다는 점에서도, 또한 어느 면에서는 더 많은 관련을 가지는 하나의

본보기로 되어 있는 것이다. 그렇지만 소련권 국가들로부터
의 이데올로기적 영향은 아주 별문제로 하고서도 서구적 국
가들은 그러하지 않았음에도 저개발국이 개발의 초기 단계에
계획을 적용하는 데 기울어지고 있다는 사실은 참으로 소비
에트적 계획에 유사한 하나의 극히 다른 성격을 그 계획에
주고 있는 것이다.

저개발국이 처해 있는 상황에 관한 논리 그 자체에서 본다
면 계획은 그 접근 방법에 있어서 프로그램적인 것으로 된다.
이러한 계획은 서구적 국가에 있어서처럼 마침내는 '기정사
실'로 되어버리는 하나의 점진적 과정을 통해서 사회는 때때
로 혹은 대부분은 아직도 계획을 하나의 이념으로서 대부분
받아들이고자 하지 않는 동안에 국민사회에 그 계획 자체를
강력하게 떠맡기는 형식으로는 되지 않는다. 저개발국에서는
이념이 그 실현에 앞서 있는 것이다.

경제발전이 저절로 이루어지는 것으로 기대할 수는 없으므
로 계획은 서구적 국가에 있어서처럼 발전과 이에 따르는 다
른 모든 변화의 뒤에 나타나는 결과가 아니고 도리어 발전의
전제조건으로 되는 것이다. 이리하여 저개발국은 서구적 국
가의 역사에 비추어 본다면 하나의 지름길처럼 생각되는 계
획을 기도해야 할 것이다.

모든 이러한 일들은 계획이 비교적 개발의 초기단계에 적
용되어 가고 있다는 사실과 저개발국의 발전을 위한 조건들
이 매우 불리하므로 계획이라는 것이 합리적인 동기를 갖는
것처럼 보인다는 또 하나의 사실에서 생기는 당연한 귀결인
것이다. 그리고 저개발국의 상황이 갖는 논리의 또 하나의

부분은 이들 여러 나라의 프로그램적 계획이 서구적 국가에 있어서처럼 실용주의적이고 단편적인 것이 아니라 포괄적이고 완전한 것으로 되어야 한다는 사실이다.

원칙상으로 또한 이론적 접근상으로도 계획은 공공적 모든 정책을 예상하는 것이다. 이 계획은 이미 시작된 모든 정책을 조정할 필요에서 생겨나는 것은 아니다.

물론 저개발국의 어디에나 아직은 계획다운 계획이 거의 없다. 계획화에서는 가장 앞질러 있다는 인도조차도 '기능하고 있는 무정부상태'라고 특징지워짐이 정당할 정도이다. 저개발국의 어느 나라도 모든 서구적 국가에서 공통화 되어 있는 계획인 전면적인 경제적 국가통제의 수준에까지는 접근조차 못하고 있다. 그러나 이념은 또한 현실이기도 하다. 이러한 이념이 계속 퍼져 나가고, 또한 서구적 국가의 계획이 가지고 있는 이데올로기나 사실들과는 달리 계획이 경제개발의 하나의 프로그램적이고 포괄적인 국가 지도를 의미한다는 사실은, 모든 저개발국에 있어서 정치적 행태의 일부로 되어 있는 것이다.

이러한 의미에 있어서 저개발국이 계획화를 기도하는 것은 아직은 그 성과가 보잘 것이 없다 할지라도 소비에트적 세계에서 달성된 계획에 더욱 유사한 것이다.

서구적 국가로부터의 유산

그렇지만 지금 또 하나의 주요한 정치적 소련 밖에 있는 저개발국이 발전을 위해서 민주적인 계획하는 것을 원하고 있다는 점이다. 어쨌든 저개발국은 계획의 전제조건으로서 전체주의적 단일 권력국가를 받아들일 용의는 없는 것이다.

저개발국은 모두가 그 국가계획의 목표를 명확히 서구적 국가의 근대적인 민주적 복지국가를 기준으로 하고 있다. 특히 이러한 사실은 극히 최근에 이르기까지 서구적 열강의 식민지적 종속국이었던 남아시아, 즉 동남아시아의 개발국에 관해서도 대체로 해당되는 것이다.

경제적 진보와 완전고용·사회보장·기회·부·소득의 균등이라는 근대적인 서구적 이상, 그리고 이러한 이념을 달성하는데 적당한 정책을 수립하는 국가의 책임에 대한 인식 등은 헌법이 새로 기초될 때에는 흔히 그 속에 명문화 되고 있다. 그러한 것들은 계획문서나 주요한 사회적·경제적 모든 문제에 관한 공식보고서의 서문에서 한결같이 해명되고 있으며, 또한 정치인이나 지적 지도자가 행하는 선언이나 그리고 물론 정당의 강령 속에 계속 명시되기도 하는 것으로 그러한 것들은 공식적인 이상(理想)인 것이다.

많은 저개발국들은 애써 자기 나라가 복지국가라는 것이 강조되기를 원했다. 이러한 이상이 실현되기에는 많은 거리가 있다는 사실은 더욱이 이 경우 그러한 이상을 기회가 있을 때마다 보통 서구적 국가에 있는 민주적 부유국인 복지국가에서의 관행 이상으로 절대적인 용어로써 공시되기를 바라는 근거로 되어 있는 것 같다.

역설적으로 들릴는지 모르지만 이러한 목적의 유사성은 만일 저개발국과 서구적 국가들과의 비교가 발전이라고 하는 견지에서 합리적인 방법으로 이루어진다면, 즉 저개발국 집단의 현상과 저개발 상태로부터 겨우 벗어나게 되었던 당시의 서구적 국가 집단의 상황과를 비교한다면 그것은 도리어 두 집단 간의 하나의 기본적인 차이를 의미하는 것이다. 만일 저개발국이—우연히 전 세계의 지원을 얻어—이제는 경제발전을 하나의 정치문제와 국가의 책임으로 생각하게 된다면, 그리고 만일 저개발국이 발전을 국민대중의 복지의 증대라는 용어로 정의한다면, 소련권 이외의 저개발국에 관한 한 그것은 전혀 다른 새로운 사태라 할 것이다.

이와 유사한 하나의 꼭 같은 기본적인 차이가 이러한 목표를 향하는 개발계획을 달성케 한 것으로 생각되는 '국가' 자체에 대한 정치권력의 기초를 구축하는 경우에 최후까지 지켜지는 이데올로기적인 측면에서도 볼 수 있는 것이다.

산업혁명 당시의 서구적 국가들은 법의 지배 위에서 세워지고, 또한 흔히 이미 기능하고 있는 의회의 대의제(代議制)까지 갖춘 통일적 국민국가를 가지고 있었다.—이러한 두 가지 점에서 서구적 국가들은 원칙적으로 오늘의 저개발국보다도 훨씬 선진국이었다. 그러나 그들은 민주주의라는 말의 근대적 의미에 있어서는 민주적 국가가 되지 못했다.

선거권은 소득상의 자격에 의해 일반적으로 소수의 국민에 한정되어 있었다. 역사상 보통 선거권을 갖춘 완전한 민주주의가 의도한 대로 성공을 거두었을 때에는 반드시 이미 상당히 높은 생활수준과 고도의 기회균등이 달성되었던 것이다. 그렇지만 보통선거의 원칙은 거의 모든 저개발국에서, 특히 새로이 해방된 나라에서 받아들여졌다. 그것은 마치 이행해야 할 유일한 일인 것처럼—마치 어떠한 대안도 없는 것처럼—받아들여졌다.

많은 문맹 인구와 경직된 신분적 계층과 계급 구분, 그리고 종교적 혹은 인종적 차이를 갖는 저개발국의 대부분에서의 민주적 통치는 그 활동을 저지당하거나 혹은 그 실현이 지연되고 있다. 근래 저개발국의 대부분은 어떠한 형태이든 군부의 독재체제를 향하는 경향이 있다.

정기적 선거가 이루어지고 있는 나라에서도 거기에는 이따금 부정이 따르거나, 혹은 국민이 자기들의 이익을 마지막까지 지켜나갈 만큼 충분하게 각성되어 있거나 지식이 있거나, 그리고 조직화 되어 있지는 못하고 있다. 대규모의 부패와 친위 등용, 그리고 개인적 권력과 부정이득을 얻고자 하는 시시한 음모 등이 상당히 보편화되고 그것들은 정치체제나 행정제도의 능률과 권위를 멸살하는 경향이 있다.

저개발국이 필요로 하고 있는 것은 '교도되는' 민주주의 즉 '현실적'이거나 '형식적'이 아닌 민주주의를 필요로 하고 있다는 생각이 퍼지고 있는 것이다. 이러한 용어의 의의는 보통 아주 불명확한 채로 남아있지만, 그 일반적인 경향은 크건 작건 어떤 형태의 권력주의를 향하고 있다. 그러나 권력이 국민 전체로부터 생겨나고 부자나 빈자가 다 같이 공공정책의 결정에 평등한 발언권을 가져야 한다는 원칙은 확립되어 단단히 지켜지고 있다. 나아가 민주주의가 흔들리고 있는 저개발국의 정치 권력상의 아주 명백한 단점이 일반적으로 소련형의 능률적인 전체주의적 독재체제를 받아들이기 어렵게 하는 것이다.

만일 공산주의 혁명이 일어나서 내가 여기서 논의하고 있는 지역권으로부터 저개발국을 이탈시키는 일이 있다면 사정은 달라진다. 그러므로 저개발국은 소비에트식과 같은 프로그램적이고 포괄적인 계획을 향해 노력하지 않으면 안 되는 반면에 그들의 정치적 여러 제도와 국민사회의 전 조직이 이러한 계획에 관한 기술을 채택하는 가능성에 대해 한계를 좁게 하고 있는 것이다.

민주적이거나 혹은 그러한 방향으로 적극적으로 노력하고 있는 저개발국은 물론 전체주의적이고 단일권력적인 체제를 갖고자 하는 용의가 되어 있지 않다. 민주주의가 흔들리고 있는 저개발국도 혹은 군사적 독제하에 들어가게 된 나라조차도 그러한 용의는 없다. 그리고 비록 그들이 그렇게 하고자 한다 해도 공산체제에 암암리에 내재하는 열광적인 기율(紀律)을 실시한다는 것은 그들에게는 불가능할 것이다.

이러한 기본적인 정치적 저지 요인은 별도로 하더라도 그들의 경제적 여러 제도에는 하나의 차이가 있다. 소련권 국가와는 달라서 그들은 전면적인 생산의 국유화에는 착수하지 않고 있으며, 또한 국영기업이나 집단화를 원칙으로 하고 있지도 않다. 또한 그들은 그 외국 무역이나 외환거래를 국가독점형으로 조직화 하지도 않았다.

몇몇의 저개발국이 현재 실제로 기도하고 있으며, 또한 보다 많은 저개발국이 접근하고 있는 것은 경제개발의 프로그램적이고 포괄적인 국가계획을 위해 전체주의적인 독재국가가 결여되어 있다는 것과 생산 및 무역의 주된 사적 소유와 관리라고 하는 것에 모순되지 않는 소비에트적 기술의 요소만을 이용하는 데 있다고 말할 수 있을 것이고, 또한 그렇게 말하는 것은 본질적인 진리의 요소를 가지고 있다. 이러한 이종(異種)계획의 혼합에서 생겨나는 것은 소비에트적 계획과는 다른 것과 마찬가지로 서구적 국가에서 구체화 되어 온 계획과도 다른 종류의 계획이다.

소련권 이외의 저개발국에 관련하여 이러한 삽화적인 언급을 하게 된 유일한 목적은 부득이 추상적인 용어로써 그것에서의 경제계획이 왜 다른 두 개의 권(圈)에 있는 여러 나라의 그것과 다른가, 그리고 왜 그러한 근본적인 차이가 있는가 하는 문제에 대해 단지 이유를 제시하고자 하는 데 있다.

이러한 이유는 다음과 같은 사실에서 할 수 있다. 즉 비교가 가능한 발전단계에 있었을 때의 서구적 국가들과는 달라서 저개발국은 현재—발전을 위한 전제조건을 마련하기 위해—발전에 앞서 계획을 적용하려고 기도하고 있다는 것, 그리고 그들의 정치적 및 제도적 여러 조건이 소련권의 전체주의적 독재국가의 계획방법을 적용하는 것을 불허하고 있다는 사실에서 생겨난다.

여기서는 소련권 이외의 저개발국에서의 경제계획에 관련되는 복잡한 문제들에 관한 논의에 들어갈 수는 없다. 그러나 문제 자체의 중요성에 비추어, 그리고 그것이 이미 언급한 경제계획의 기본적 차이를 예시하고 있으므로 계획에 관한 하나의 특정한 문제, 즉 분권화의 문제를 간단히 고찰해 보기로 하자.

소비에트 방식

소련도 또한 그 분권화의 문제에 골치를 앓고 있다. 소련은 국민과의 접촉을 잃지 않기 위해 분권화를 필요로 하고 있는데 그것은 어떠한 나라에서도 중요한 문제로 되어 있는 것이다. 소련이 분권화를 필요로 하는 것은 또한 행정 능률상의 이유에도 의한 것이다. 즉 개발이라든가 그것을 상황의 변화에 따라 합리적인 방향으로 재전환을 한다는 것이 중앙기관의 경직성에 져서는 안 된다고 하는 목적이 있기 때문이다. 그러므로 애당초부터 소련에서는 서구적 국가에서의 공중의 토론에 대응하는 것이 관료주의와 중앙집권주의에 반대하는 투쟁이라고 하는 형태로 거듭 소란을 피워오고 있다는 것을 우리는 알게 된다.

그러나 전체주의적이고 단일권력적인 국가에서는 국민 사이에 참여와 창의, 그리고 침투력이 퍼져가는 데 대해 실질성과 박진성을 부여한다는 것은 어렵게 된다. 중앙통제가 여전히 남아 있으므로 당연한 이유에서 그것은 더욱더 금지되게 된다.

한 예로서 노동조합을 들어보기로 하자. 서구적 국가에서는 노동조합이 조합 상호간과 사용자 조합과의 사이에서 하나하나의 노동자나 사용자가 활용하고 있는 노동시장을 규제하는 규범을 정하거나 장기 및 단기의 협정을 체결함에 있어 책임을 나누어 가지게 됨에 따라 조합은 확실히 사실상으로는 공공당국의 역할이라고 할 만한 기능을 더욱 더하게 된다. 이처럼 조합이 갖는 공적 책임이 증대하는 방향으로 사태가 전개됨에 따라 조합 활동을 위한 많은 조건—아마도 조합 자체의 규약의 본질적인 요소까지도—이 국가의 입법이나 행정에 의해서 규정되었다고 할지라도 때때로 조합 자체가 그것을 촉진했다고 하는 것도 또한 사실인 것이다. 그렇지만 이러한 노종조합이 소련권 국가의 노동조합과 비교된다면 그 차이는 한없이 크게 된다. 이들 소련권 국가의 노동조합은 훨씬 더 강한 통제를 받을 뿐만 아니라 총괄권인 지도도 받게 되는 것이다. 이리하여 그 조합은 그 자체가 국민의 자유선거에 입각하지 않는 국가의 행정기관으로 되는 것을 거의 넘어서지 못하고 있는 것이다.

서구적 국가에서는 공공정책에 대한 책임이 끊임없이 증대함에도 불구하고, 또한 노동조합 활동에 대한 국가통제가 이에 따라 증대함에도 불구하고, 노동조합은 그 조합원의 것이고, 또한 조합원의 의사에 따라 행동을 한다고 하는 매우 자유로이 행동하는 제도인 것이다.

최후 수단으로 조합은 스스로가 파업에 들어갈 수도 있다. 마찬가지로 자기들 집단의 이익에 따라 행동하는 것으로는 협동조합과 산업, 기타의 조직체와 사기업체 그리고 지방과 도시의 자치기관이 있다.

최종적으로는 국가보다도 하층에 있는 제도적 기관의 내부에서 얼마나 많은 침투력이 상하로 작용하는가, 그리고 이러한 국가 자체가 어느 정도로 대중의 억제하에 있는가 하는 것이 문제로 된다. 더욱이 이런 점에서는 서구적 국가들과 소련적 세계 간에는 이들 두 갈래의 침투력의 흐름이 갖는 비중에 아주 큰 차이가 있으므로 이렇게 거대한 양적 차이를

문제로 하는 경우에 순수하게 실적 차이로 될 만한 것을 논하지 않으면 안 되게 된다.

분권화를 향하는 최근의 움직임에 있어서까지도 소련은 목적의 독재적인 통일성과 실천적 노력에 대한 중앙지령이 지배적 정당과 국가의 지도자들의 수중에 굳게 장악된다고 하는 원칙을 아직 포기하고 있지 않다. 그렇지만 소련에서 생활과 교육의 수준 향상이 점차 실현되고 있다든가 혹은 전도에 보이고 있다든가 하면 그 체제가 해이해지기에 이른다는 것도 전혀 있을 수 없는 일은 아니다. 10년이나 20년이 지나면 우리들은 아주 다른 러시아를 보게 되는지도 모른다. 소련이 걸어왔던 다른 길은 영속적인 모든 효과를 남기기는 할 것이나 여러 중요한 점에서 소련은 서구적 세계에 보다 가까워지게 될 것이다.

소련은 중앙집권도가 감소된 국가를 향해 움직이고 있는지도 모른다. 이 경우 전국민의 보다 적극적인 참여가 그 당시에 있어서는 지방이나 도시의—결국은 보다 독립화된—자치기관과 하부구조 내에서 보다 자유화된 기관들의 활동에 의해서 이루어지게 될지도 모른다. 이러한 사실은 또한 개인의 안전과 자유가 보다 잘 보호된다는 것, 그리고 국가 자체가 국민의 의사에 더욱 의존하게 된다는 것을 가정하고 있는 것이다.

실현될 것 같지 않은 이러한 꿈을 이와 같은 관계에서 논급하는 이유는, 현재의 독재적이고 가혹할이만큼 전체주의적인 소비에트 국가와 마찬가지로 이러한 꿈이 서구적 국가들의 근대적이고 민주적·분권적, 그리고 조직적인 국가의 본질적 특징들을 밝혀주는 것이기 때문이다.

저개발국에서는

비소련권의 저개발국은 또한 다른 정세에 놓여 있으며, 서구적 세계의 부유한 나라의 정세와도 그리고 소련권 국가들의 정세와도 아주 그 정세를 달리하고 있다.

저개발국의 국가수준 이하에 있는 제도적 구조는 약체이며 대부분은 발전에 대해 유해하고, 또한 저개발국이 그것으로부터 올라서고자 원하고 있는 저개발과 정체의 상태를 반영하고 있다. 또한 많은 저개발국은 지방이나 도시의 민주적이고 협동적인 자치를 위한 기관이 전혀 결여되어 있다.

흔히 도시나 농촌의 사람들은 어떠한 형태이든 국가의 중앙정부—이것은 최선의 상황하에서 민주주의에 다소나마 접근을 보이는 의회의 통제를 받아왔던 것이다—로부터 명령을 받는 임명된 관리에 의해서 지배되거나 착취되기도 하였고, 혹은 그렇지 않으면 불평등사회에서 사회적·경제적 권력에 입각하여 때로는 세습적 특권으로서 관직을 갖고 있는 어떤 종류의 봉건영주에 의해서 통치되거나 착취되어 왔던 것이다.

어떤 형태의 민주적 대의제나 협동적 자치체제가 지방이나 도시에 존재했을 경우에도 이것이 정체적 사회에서는 국민의 협동적 노력을 자아내게 하는 기초로 되는 일은 드물었다. 이러한 협동적 노력이야말로 국민이 자기들의 사회나 생활을 조건의 변화나 새로운 기회에 합치하도록 개량하거나 재편하는 것이고, 또한 그것이야말로 발전에 대한 갈망을 요구해마지 않는 것이다.

마찬가지로 국가의 헌정체제하에 있는 형식적인 조직들 밖에서 공통의 이상과 이익을 촉진하고자 하는 사회집단으로 형성된 하부구조가 유산으로서 저개발국에 존재한다 할지라도, 우선 이러한 사회집단이 철저하게 개혁되거나 젊어지지 않고서는 그러한 것들이 경제개발을 돕게 될 수 있는 희망은 거의 없는 것이 통례이다. 이들 사회집단은 보통 회원제도를 공개하지 않고 민주적으로 지배되어 있지 않으며, 또한 어떠한 경우에도 변화나 개혁의 정신에 의해 뒷받침 받지 못하고 있다.

참으로 전승된 집단적 조직의 대부분은 개발의 여러 가지 목표에 대해, 그리고 이러한 목표를 추구하는 데 민주적인 방법을 채용하는 것에 대해서도 아주 독립적인 모순에 빠져 있다. 그러한 것들이 재건될 수는 없을 것이다. 그러므로 해체되거나 적어도 중립화 되어야 한다. 그와 같은 하부구조를 예시하는 것이지만 그것은 개발에 필요한 새로운 가동성과 동태성이 활동하는 여지를 주기 위해 타파되어야 할 것이다.

새로운 산업에 있어서 보다 일반적으로는 도시에 있어서 최근에 서구적 국가들의 것과 유사한 산업이나 전문직업의 조직체라든가 노동조합이 성장하고 있다는 것은, 그러한 것들의 단서이고 때로는 단서 이상의 것이기도 하다. 그것들은 보통 아직은 다소 약체이고 자주 개방되지도 않으며, 또한 민주적으로 지배되지도 않고 있다.

조직체들은 어느 경우에 있어서도 충분히 균형을 유지하는 일이 드물기 때문에 공중의 의사에 합치하는 협정이 상호간의 단체교섭에 의해 생겨날 것이라는 합리적인 것은 거의 기대할 수 없다. 국가는 이러한 조직체가 활동하는 조건을 결정하거나 교섭하는 가정을 제정하거나 또한 심판자로서 행동하거나 하여 이러한 조직체에 대해 참으로 만족할 만한 지배력을 확보하는 데 실패하고 말았던 것이다.

그렇지만 가장 중요한 관찰에서 얻은 결과는—그리고 이것은 소련권 이외의 모든 저개발국에 해당되는 것이지만—이러한 새로운 조직체가 아직은 다만 국민사회에서 극히 적은 비율의 사람들과 결부되어 있을 뿐이라는 점이다.

물론 자치와 조직적 하부구조에서의 약체성은 다만 저개발국에서의 제도상이나 태도에 있어서 일반적인 상황을 나타내는 하나의 징후에 불과하다. 그리고 이러한 상황은 오래 계속된 정체에 의해 생겨진 것이지만 동시에 그 정체를 타파하고 개발을 일으키도록 하는 일을 곤란하게 만들고 있는 것이다.

하부구조의 건설

나는 위에서 하부구조 건설의 소비에트 방식에 대해서 언급했다. 그것은 하나의 전체주의적이고 단일 권력적인 독재국가와 강한 규율을 갖는 단일 정당의 지배가 세밀한 지령을 모든 농촌과 모든 작업장에 퍼져 들어가게 하는 것을 의미한다. 그런데 이러한 저개발국은 정치적·제도적 문제를 해결하는 소비에트 방식을 받아들일 용의는 아직 없는 것이다.

저개발국이 그 국내에서 실현하고자 하는 것은 서구적 국가에서의 근대적 복지국가의 정치적 방법이나 일반적인 사회 및 경제 질서이다. 저개발국이 이루고자 하는 것은 국가의 입법과 행정에 의한 신축적이기는 하지만 결국은 최상의 통제하에서 참여와 창의 및 침투력을 널리 지역적으로나 부문별로 분산시킨다고 하는 형태의 조직적 국민사회를 국가 수준 이하에서 창출하는 데 있는 것이다. 그러나 그것은 서구적 국가에서는 저개발국의 상황과는 아주 다른 이례적으로 유리한 환경하에서 오랫동안 그리고 점진적으로 발전해 온 결과였던 것이다. 그러므로 국민적 통합에서 그리고 개발계획에서도 가장 앞서게 된 저개발국이 전승된 건설자재에서 이용할 만한 것은 무엇이든 이용하지만, 그러나 주로 서구적 국가들로부터 수입되는 양식에 따르면서, 이제는 지방이나 지역의 자치기관을 건설하는 데 열심히 헌신하고 있는 것을 볼 수 있다.

그러한 나라는 서구적 국가들과 마찬가지로 노동자와 사용자의 자발적이고 자유로운 조직체 상호간의 단체교섭에 입각하여 노동시장을 규제하기를 원하고 있다. 조직체 상호간의 교섭을 조정하기 위해서 그러한 국가는 중재 절차와 근대적인 공장법과 공장 감독, 노동시간에 관한 입법, 고용보장을 위한 규칙, 그리고 어떠한 이유로 수입을 잃은 노동자에 대한 보험의 혜택 등을 채용하고 있다. 그러나 마지막으로 열거한 여러 점에 있어서는 그러한 나라는 흔히 자기 나라 실정에 미루어 현실적이고 효과적인 것을 훨씬 앞질러 가고 싶어 하는 것이다.

여러 가지 공중의 이익을 위한 반독립적인 위원회와 부국 (部局)을 설치하고 그와 같은 단체에다 책임과 권력을 이양하고자 하는 기도가 이루어지고 있다. 전문 직업이나 산업의 단체가 조성되고, 이것들은 국가정책에 관해 상의를 받게 된다. 그리고 실업계는 그 사회적 책임을 보다 충분하게 인식하도록 권고를 받게 되는 것이다.

저개발국의 경제에서 압도적인 부분을 차지하고 있는 농업과 그리고 수공업과 소규모 공업에 대해서는 그 나라들은 협동조합에 신뢰를 두고 있다. 협동조합은 참으로 저개발국에 있어서 중심적인 이상으로 되어 있으며, 그 나라들은 협동조합 운동이 최고도로 구현되어 있는 스칸디나비아와 그 밖의 서구적의 국가들로부터 열심히 배우고자 노력하고 있다.

저개발국은 생산성 수준을 인상하고 그 결과로 저축과 소비의 수준도 인상함으로써 그 나라들의 경제 중에서도 가장 정체적이고 또한 단연 가장 크고 가장 중요하기도 한 모든 부문까지도 진보시키고 싶다고 하는 목적에서 참다운 생산자 협동조합과 소비자 협동조합을 육성하는데 착수하고 있는 것이다. 그 나라들은 협동조합과 책임 분담에다 기초를 두는 새로운 신용제도를 조직함으로써 고리대부업자를 농촌으로부터 그리고 도시의 하층 및 중산계급층으로부터 몰아내고자 원하고 있는 것이다.

자치와 집단적 협동이나 단체교섭을 위한 기구를 창설하고자 하는 저개발국에서의 이러한 노력은 실제로 문제의 핵심을 찌르고 있다. 이러한 기관은 이제까지 극히 낮은 생활수준과 낮은 해득력과 교육수준에 정체하고 있는 사회에서 민주적인 개발계획을 구현화 하기 위해 선택된 이상적인 수단인 것이다.

개발은 국민이 독자적으로 상황을 개선하기 위해서 일을 시작하게 될 때 정체가 깨뜨려지는 것을 의미한다. 만일 이것이 민주적인 방법으로 달성되어야 한다면 국민은 협력하고, 또한 그와 같은 협력을 위한 기관을 형성해야 할 것이다. 그렇지 않다면 달리 취할 방도란 개발을 위한 노력을 헛되게 하거나 혹은 전체주의적 방법에 호소하거나 하지 않을 수 없기 때문이다.

소련권 이외의 저개발국이 자치와 자발적 조직체에 한해 서구적 방식을 따르는 데 성공하는 여부는—아무리 저개발국의 상황이 서구적 국가들의 그것과 다르다 할지라도, 그리고 저개발국의 정책이 다른 보다 특수한 여러 점에서 다른 방향을 취하지 않을 수 없게 된다 하더라도—저개발국이 갖게 되는 경제의 종류를 결정할 뿐만 아니라 그 국민사회의 실체와 국민사회가 활동하게 되는 대부분의 정치체제의 유형을 결정하게 될 것이다.

하나의 기본적인 차이

생활과 교육의 수준이 낮으며 경직적이고 불평등한 사회와 경제구조를 이어받아 왔던 정체적인 사회에서는 자치와 단체교섭, 그리고 협동을 위한 모든 제도를 구축하는 데 있어서의 어려움은 극히 크다. 저개발적인 국가가 직면하고 있는 기본적으로 다른 문제는 이와 같은 모든 제도를 구축하려고 한다면 국가는 계획을 수립하지 않으면 안 되리라는 것이다. 그러한 모든 제도를 마련하고, 또한 그것들을 운영하기 위해서는 복잡한 일련의 의식적 국가정책이 구축되어야 하고 실천에 옮겨놓을 필요가 있을 것이다.

한편 서구적 국가들에서는 이러한 모든 제도는 계획된 것이 아니라 점진적인 발전과정에서의 기술적이고 심리적인 여러 변화의 결과로서 스스로 성장했고, 그리고 이번에는 이러한 여러 제도가 국가를 간섭이나 정합이나 계획화로 몰아넣던 다른 모든 힘을 증강했던 것이다.

자와하랄 네에루(Jawaharlal Nehru)는 인도의 도처에서 현재 착수되고 있는 자치와 협동을 위한 여러 기관이, 국민 자신들에 의해서 운영되어야 하며 공무원에 의해 운영되어서는 안 된다고 하는 논점으로 거듭 되돌아가고 있다. 또한 그는 언제나 영국이나 스칸디나비아 그리고 그 밖의 서구적 국가들의 경험에서 언급하고 있다.

일단 이러한 제도가 시동되기만 한다면 그것들은 지역별이나 부문별에의 참여와 창의와 침투력을 위한 국민의 기관으로서 국민 자신이 관심을 두지 않으면 안 된다고 그가 주장하는 것은 물론 옳다. 그렇지 않으면 모든 노력이 무(無)로 돌아가거나 혹은 그것이 단순히 국가 행정의 도구로 머무르게 될 것이고, 그렇게 되면 그러한 제도는 지역별이라든가 부문별 수준에서의 자발적인 힘을 구현하고 있는 것처럼 보일 우려가 있으므로 도리어 그렇지 않은 경우에 비해 그 능률이나 경제성을 한층 저하시킨다. 그러나 실제로는 정체적인 사회에서는 이러한 제도는 국가정책의 결과로서가 아니면 생겨나지 않는다는 것이 사실이다.

공무원은 그 제도를 선전하고 그 제도를 시동하고, 또한 그 제도를 유도한다는 기능을 가지고 있다. 이 경우 위로부터는 계획과 교사(敎唆)에 의해, 아래로부터는 거센 파도와 같은 운동이 생기게 되어, 마침내 계획이나 교사에다 독자적인 생명을 불어넣게 할 만큼 여유 있게 강한 결과를 가져 오게 하는 방법으로 그 직능을 다한다는 것은 지극히 어려운 과제일 것이다.

이러한 과정은 서구적 국가들의 현상의 배후에 있는 역사적 과정과는 전혀 판이한 것이며, 또한 국가의 계획과 정책에 의해 이러한 과정을 진행시킨다는 문제는 전혀 새로운 문제이고 그것은 서구적 국가들이 한 번도 직면하지 않았던 문제이다.

Part 2
국내계획의 국제적 의미관련
International Implications of National Planning

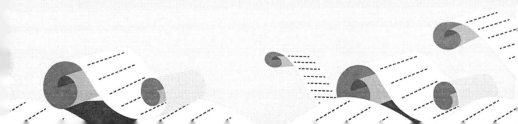

제9장 국제적 분열

50년 전

나는 서문에서 하나의 중요한 역사적 사실로서, 소련권 이 외의 세계사회에서 오늘날 상위계층을 구성하고 있는 몇몇 나라는 50년 전에도 역시 상부(上部)에 있었다는 것을 말한 바가 있었다. 이러한 상부계층 밖에 놓여진 인류의 대부분은, 특히 우리들이 오늘날 저개발국이라고 부르는 지역에 살고 있는 주민의 대부분은 서구적의 학문적 중심으로부터 파견된 인류학자의 연구에 의한다면 일반적으로 세월이 바뀌어도 또 한 대(代)가 바뀌어도 문화적으로나 경제적으로나 그다지 변 화가 없는 정체의 생활을 겨우 이어 오게 되었다고 한다. 경 제발전이 상위계층에 속하는 여러 나라에서 급진전함에 따라 국제적인 계층 차이는 확대되었으며, 더욱이 오늘날에 이르 기까지 꾸준히 확대를 계속하고 있는 것이다.

금세기의 초기에는 열강의 권력적 식민지체제가 지구를 단 단히 사로잡고 있었고, '위대한 각성'의 전조는 거의 찾아 볼 수 없었다. 서구적 국가의 산업 관계자는 상업주의에 입각하여 토지를 획득하거나 농원이나 광산을 경영하고 있었다. 이러한 기업은 당시의 기술과 경영이 미치는 최고수준의 능률에 의거해서 운영되는 일이 많았다.

오늘날에는 식민지체제가 붕괴되어 해방된 구식민지 국가 자체의 경제적 장래를 자력으로 계획하지 않으면 안 되게 되자 이러한 기업은 국민의 자산으로서 중요한 것이 되고, 그것이 없이는 이러한 나라들은 발전은 물론 아마 생존조차도 불가능하게 될 것이다. 도로·철도 및 항만이 건설되었고, 그 나라의 경제에 남아 있었던 외국 부문과 보잘 것 없는 토착산업을 그에 의해서 통합하여 세계통상에 참가했던 것이다.

그러나 이러한 외국 기업이 그 지역에 수요한 것의 거의 전부는 값싼 불연속노동뿐이었다. 식민자들이 사회적 관습의 일부로서 가져왔던 엄격한 인종적 차별과 차별 대우의 관행은 정치적 및 경제적인 종속국에서 권력과 질서를 유지하는데 필요한 것으로 생각되었다.

이러한 관습은 인종뿐만 아니라 교육을 포함하는 모든 생활수준에서의 원천적 격차가 아주 컸으므로 어느 의미에서는 당연한 것이었다. 식민지체제 자체는 이러한 격차를 존속케 하는 경향이 있었다. 그러므로 기업은 엔클레이브(enclave)에 머물게 되었고 토착경제에 대한 파급 효과는 미약했다. 상대적으로 말한다면 국가에 따라 다소 차이는 있었을지라도 어떠한 저개발국에 있어서도 토착적 산업이나 상업의 성장은 크게는 이루어지지 않았다.

엔클레이브적 기업에 의한 노동수요의 증대, 식민지체제하에서의 평화와 질서유지, 그리고 기초적인 위생관리나 때에 따라서는 농업에서의 기술개선을 도입하고자 하는 등은 처음부터 인구의 아주 현저한 자연증가를 가져 왔고, 그 후 인구 증가는 가속화 되고 있는 것이다. 이리하여 평균소득이나 평균소비는 당초의 매우 낮은 수준에서 정체하는 경향이 있었다.

토착민들의 끊임없는 처참한 빈곤상태는 거의 당연한 일로 생각했고, 이러한 것은 토착민의 야심부족, 그리고 그들의 지성과 예견성, 수양 및 지속적 노력 등의 낮은 능력에서 기인한 것으로 설명되었다.

엔클레이브적 모든 기업의 관심은 저렴한 일반 노동자의 공급이 풍부한가 어떤가에 집중되어 있었으므로 인구의 급속한 증가는 식민자의 눈에는 불리한 것으로 생각되지 않았던 것이다.

상위 집단에 속하는 대부분의 나라가 이와 비슷한 빈곤을 경험한 일은 결코 없었던 것이다. 여하튼 금세기 초기까지도 이들 모든 나라는 비교적 고수준의 생산과 필요로 하는 1인당 실질소득의 수준에까지 도달하고 있었으며, 또한 모두가 급속한 경제적 발전을 계속하고 있었던 것이다. 그러한 나라에는 국민적 통합이 진행되고 있었지만, 이것은 무엇보다도 공간적 및 사회적 이동성이 높고 또한 계속 상승하고 있다는 것, 기회의 균등화, 문화적 동질성의 향상, 그리고 완전한 정치적 민주주의를 지향하는 점진적인 발전 등을 의미하는 것이었다.

우리들 대부분은 이러한 상위 집단에 속하는 몇몇 나라 사이에는 50년 전에 상당히 높은 국제적 통합이 존재하고 있었다는 것을 상기할 필요가 있을 것이다. 실제로 제1차 세계대전이 발발하기 전에는 오늘날보다는 훨씬 긴밀히 통합되어 있었던 세계적 사회가 존재했었다. 그러나 그것은 인류의 대부분이 제외되고 있었으므로 세계의 극히 적은 부분만이 그것에 속해 있었을 뿐이었다.

이러한 부분적인 세계적 사회 내에서는 누구나 여권이나 사증이 없어도 여행할 수 있었으며, 애써 외환을 확보할 필요도 없었던 것이다. 보다 중요한 것은 유럽은 대부분이 공동 노동시장이었고, 신세계에로의 이출민(移出民)은 저해됨이 없이 유출되고 있었다.

경쟁적인 국제적 자본시장도 또한 활동하고 있었으며, 비록 관세 장벽이 높아지는 경향이 있었다고는 하지만 무역도 상당히 자유롭게 이루어지고 있었다. 이리하여 경제적으로는 부분적인 구세계적 사회에 속하는 국가들이 긴밀하게 통합되어 있었으며, 노동·자본·상품 및 용역의 이동은 개별국의 경제적 진보를 유지하고 각국 간의 국제적 균형을 존속케 하는 데 중요한 역할을 했던 것이다.

국제적 분열

지난 반세기 동안에 일어난 주요한 변화의 하나는 부유한 서구적 국가들과 후진 지역에 있어서의 서구적 국가 간의 엔클레이브가 형성하고 있었던 부분적인 세계사회가 서서히 분열되고 있었다는 것이다. 상품이나 용역과 마찬가지로 인간과 자본 및 기업의 이동도 통제되거나 제한되거나 왜곡되기에 이르렀던 것이다. 또한 환율도 관리되고 있었다. 통화는 장기간에 걸쳐 교환성을 잃고 말았다.

교환성이 회복되었을 때에는 그것은 시험적이고 모험적인 것이었고, 그리고 각종의 유보조항과 제한, 정책적 간섭 등의 장벽에 의해 보호되고 있었다. 이러한 일련의 조치는 일시적인 교환성의 유지를 위해서도 필요한 것이었지만, 이로 말미암아 그 교환성은 종전의 자동적인 금본위제하에서의 교환성과는 아주 다른 것으로 되고 말았던 것이다.

지난 50년 동안에 생겨난 기술적 진보는 그 스스로가 더욱 긴밀한 국제통합을 향하는 기회와 합리적 동기를 현저하게 증대시켜야 하는 것이었다. 그 이유의 하나는 여객이나 화물의 수송이 다른 모든 수송과 마찬가지로 실질적으로는 아주 신속하고 저렴했기 때문이다.

금세기 초기에 이러한 발전을 예견했고, 그리고 세계대전이나 그 뒤에 잇따른 다른 대변동이 일어나는 것을 예기치 않았던 사람은 누구나 우리들이 지금까지 더욱 잘 통합된 국제사회에서 살고 있을 것이라고 상상했을 것이다.

실제로는 이와 달리 국제경제의 분열화에로의 추세가 끊임없이 존속되어 왔다. 그 장기 추세를 둘러싸고 대폭적인 변종이 있었다. 두 차례의 세계대전과 1930년대의 '대공황'은 국제적인 경제적 분열을 그 단기적인 정점에 올려놓았다. 정점에 달하고 난 뒤에는 언제나 추세를 둘러싼 곡선에 역전이 나타나게 되었다.

이 추세선의 방향을 전환시키고 그리고 국제적 통합의 회복을 목표로 하는 협조적인 여러 정책을 시발시키기 위해 창의적이고 간헐적인 노력이 이루어져 왔던 것이다.

이리하여 제1차 세계대전 직후에는 정상상태에로의 복귀가 일반적으로 기대되었고, 이러한 기대 그 자체가—기대가 언제나 그러한 바와 같이—당시로는 그 기대 자체를 실현하는 방향으로 작용하는 하나의 힘이었음은 의심할 여지가 없다. 그러나 결국 이러한 힘은 분열화의 추세를 역전시킬 만큼 강하지 못하다는 것이 판명되었다. 이리하여 20년대 중기에는 다만 하나의 짧은 중간기를 형성했을 뿐이고, 그 기간에는 유럽 국가의 사람들은 옛날의 부분적인 세계사회가 부흥하는 것을 희구했으며, 또한 이러한 전제에 따라 금본위제로의 복귀나 국제무역 자유화를 시도함으로써 모든 정책을 세우고자 기도도 해 보았던 것이다. 그러나 그 뒤 2~3년도 못가서 '대공황'이 뒤따르게 되었다. '대공황' 후에는 부분적인 회복 이상의 것은 아무 것도 없었으며 이어서 곧 제2차 세계대전이 발발했다.

이 2차대전 후로는 이와 같은 기대는 이미 존재하지 않았다. 사람들은 희망적인 광고나 선전에 의해서 애써 그것을 숨기려 하고 있지만, 실제로는 그들이 1920년대에 믿고 있었던 바와 같이 국제관계가 정상상태로 복귀할 것으로 더 이상 믿지 않고 있다는 것이 사실이다.

사람들은 해외에서 크고, 급박하고, 예견도, 통제도 할 수 없는 변화가 생기고, 그 결과로 국제적 위기가 발발하는 것을 정상적이라고 생각하는 상태에 놓여지게 된 것이다. 그들의 기본적인 현실에 대한 인식에 의하면, 국제경제의 분열화 경향은 모든 나라에서의 국내 경제정책과 대외 경제정책의 일반적 조건으로서 받아들여지고 있는 것이다.

국제법의 약화

국제경제의 분열화를 향하는 전개의 한 특수적인 국면 혹은 단계는 제1차 세계대전 이전에 우리들이 이미 알고 있었던 바와 같이, 국제법 체계가 질적으로 악화되기에 이르렀다는 것이다. 국제적 위기나 그것에 대처하기 위해 채용된 국민정책의 영향을 받아서 공사(公私)의 국제관계에서의 정당한 행동에 대한 일련의 법칙으로서 일반적으로 받아들여진 것이, 말하자면 병들고 더욱더 야위어가고 있었던 것이다. 이러한 법칙의 체계야말로 수 세대에 걸쳐 끈기 있게, 그리고 고생 끝에 세워졌던 것이고, 서구적문화의 일부로 되었던 것이다. 이제는 그 속에서 무엇이 남게 되고 그것이 어떠한 힘을 가지고 있는가는 확정할 수 없는 것이다.

모든 정부는 끊임없는 위기의 계속과 특히 두 번의 세계대전이나 '대공황'의 격심한 비상사태의 압력을 감지했으므로 자기 나라의 직접적인 국가 이익을 옹호하기 위해 협소한 편의주의적 행동을 취할 것을 고려하는 이외에는, 절대적이고 어떠한 확고한 방식으로 구속을 받을 수는 없다는 것을 더욱 절실히 느끼게 되었던 것이다. 지켜지지 않을 때마다 사회적인 힘으로써 구속력의 일부를 잃고마는 것이 법률이라고 불려지는 사회제도의 본질인 것이다.

맨 처음 그리고 특히 전쟁 중이나 그 직후에는 부유한 서구적 국가들이야말로—그리고 그 중에서도 비교적 크고 강력한 나라들이 아주 번번히—확립된 국제법을 제멋대로 해석했던 것이다.

현재에는 빈곤한 저개발국만이 이러한 선례가 자아낸 국제법의 황혼상태를 더욱 잘 이용하고 있는 것이다. 저재발국은 물론 빈곤으로 말미암아 그렇게 하지 않을 수 없는 특별한 압력을 받고 있다. 저개발국은 또한 종속국이었고, 자기들의 자유로운 정부를 자주 갖지 못했던 상황하에서 확립된 법률적 결정에는 도덕적으로 구속되는 일이 비교적 적어도 좋다고 생각하고 있다.

이를테면 새로이 해방된 아시아의 나라들은 그들 상호간에서 그리고 이익이 공교롭게 자기 나라 편에 있을 때에는 부유국과의 사이에서도, 자기 나라가 얼마나 위법적인가 하는 것을 과시하려고 하지만, 자기 나라에 서구적 열강이나 이익단체에 속하는 기득권익이 있고, 그러한 기득권익이 식민지주의와 결부될 수 있는 경우에는 이러한 기득권익에다 마음으로부터 무조건적인 합법성을 주려고 하지 않는다.

이러한 사실이 가리키는 상황은 부유국과 빈곤국간의 모든 관계에다 필연적으로 중요한 결과를 가져오게 한다. 그러나 이와 관련해서 내가 말하고 싶은 요점은 국제법 체계의 부분적인 분열은 보다 이전에 시작되었다는 것이며, 더욱이 그 위험한 선례는 서구적 국가들의 열강에 의해 보여지게 되었다고 하는 것 뿐이다.

새로운 국제적 조직들

　두 차례의 세계대전의 하나가 종결될 때마다 세계적 규모로의 경제통합을 목표로 하는 조직화된 국제협력을 행하려는 계획이 수립되었던 것은 사실이다. 이러한 계획은 제2차 세계대전 중이나 전후에 있어서 더욱 포괄적이고 야심적이기도 했었다.

　각종의 국제조직이 입안되었고 그 일부는 성립되기도 했지만, 그것이 목적으로 하는 것은 새로운 국제통화제도의 실현, 국제자본시장의 재건, 국제무역의 자유화, 일반적 경제상태를 안정화하기 위한 국제적 보장의 형성, 저소비수준 국가에 대한 잉여농산물의 배분, 상품 가격 변동의 안정화 및 국제 카르텔의 통제 등이었다. 아직도 이러한 목적을 완전히 달성하지는 못했지만 그 때문에 노력은 계속되고 있는 것이다. 이 문제에 관해서는 본서의 마지막 장으로 돌리기로 하자.

　후기 초기의 수년 간에 주로 부유국으로 이루어진 옛날 그대로의 부분적인 세계사회 내부에서 큰 구호활동이 이루어지게 되었으나, 그것은 미국이 서구적 국가를 혹심한 외환 부족으로부터 구출하기 위해 대규모적인 자본 원조를 제공한 데서 비롯된 것이었다. 서구적 국가들의 내부에서 경제적 안정의 회복에 관한 한 마아셜 플랜은 크게 성공을 거두었다.

　서구적 국가들의 급속한 경제부흥은 이 계획에 힘입은 바가 컸다. 간접적으로는 부유국의 하나가 일시적 곤경에 빠졌던 수많은 다른 부유국에다 인심 좋은 원조를 했다는 것은 세계 전체의 경제 정세에다 건전한 영향을 준 결과가 되었다.

서구의 경제통합인가?

마아셜 원조는 서구의 국민적 복지국가를 더욱 굳게 뭉치게 했다. 그렇지만 이 계획이 의도한 바는 이 기회를 이용하여 지분지역 내에 있는 몇몇 나라에다 원대한 통합을 가져오도록 하는 데 있었다. 미국이 원조를 하게 된 목적이 여기에 있었음은 아주 명백한 일이었다. 그렇지만 원조가 그러한 방향으로 갈 것이 강력히 요청되고 있었으나, 그 정신적 압력도 미국 자체가 어떠한 국제적 통합에도 참가할 용의가 없었다는 사실로 말미암아 약화되고 있었다.

서구의 경제통합을 위한 각종 계획이 해마다 달라짐에 따라 그 계획을 고취하는 데 과열된 선전활동이 잇달아 일어나게 되었다. 전문적인 경제학자까지도 자기의 저작(著作)을 이러한 선전목적에 이바지하도록 적응시키고자 하는 강한 충동을 자주 느끼고 있었다. 그렇지만 제2차 세계대전 후에 이러한 나라들이 강요되고 있었던 노골적인 쌍무주의나 엄격한 외환관리로 인해 차츰 정상상태로 복귀하게 되었다는 것을 제외하고는 이러한 노력으로부터 얻은 것은 거의 없었다.

소(小)유럽 6개국의 공동시장과 보다 광범위한 서구 자유무역지역을 창설하기 위한 준비활동은 서구의 통합을 지향하는 이러한 노력의 최근의 전환을 보여 주었고, 이것은 더욱 더 진지하게 실천에 옮겨지고 있다.

이러한 계획이 성공리에 수행되기 위해서는 다음 두 가지 조건의 구비를 전제로 해야 할 것이다. 즉 각국 간에 일어나는 산업 입지의 대변화를 받아들일 용의가 있다는 것, 그리고 각국이 세심한 주의를 기울여 국내의 금융과 재정적 균형의 동시화를 유지하고자 하는 의사와 능력이 있다는 것의 두 가지 조건이다.

최근의 역사가 가리키는 바로는 이러한 두 가지 전제가 충족될는지 의심스럽다. 이러한 지분 지역집단 내에서의 국제적 조정에 대한 요구에 이러한 방법으로 원활하게 자기 나라의 경제를 적응시켜야 할 나라들은 모두가 대규모적인 국가계획을 가지고 있는 공고한 복지국가들이다. 이들 복지국가는 국내 안정을 증대하기 위해 자동적인 국제조정 능력의 저하라는 대가를 지불하고 있는 것이다. 나는 이점에 대해서는 뒤에서 더 상세히 언급하기로 한다.

그럼에도 불구하고 만일 그 노력이 단순한 구상태(舊狀態)에로의 복귀에 대해서 양보를 하지 않는다면—나도 그렇게 믿을 생각이다—궁극적으로 달성되리라고 생각하는 '통합'은 약속된 '자유무역'과는 아주 다를지도 모른다. 그것은 자유무역과는 달라서 정책 수단의 복합체계를 형성하여 노골적인 관세 이외의 수단으로 가맹국간의 경쟁을 규제하거나 제한할지도 모른다.

전통적인 형태와는 다소 다를 것이나 할당제는 아마도 새로운 활력을 얻게 될 것이다. 이러한 할당제는 흔히 모든 산업 간 혹은 산업단체 간의 제한적 맹약(盟約)의 형태를 위하여 표면에는 나타나지 않을 것이다. 이러한 맹약은 넓은 의미로는 이른바 국제카르텔이 될 것이다.

이 나라들의 내부에 있는 민주적 모든 힘의 관점에서 본다면 노동자의 조직체보다도 기업가나 사용자의 조직체가 국제화―물론 지분 지역 내에서―하기 쉽다는 것, 그리고 소비자의 조직체는 약체이거나 전혀 결여되어 있다는 데 위험이 있는 것이다. 그러나 멀지 않아 의회와 정부를 갖는 진정한 초국가적 정치 조직을 구성하는 것, 그리고 국가집단의 전체에 걸친 모든 조직체로 형성된 보다 완전한 하나의 하부구조―거기서는 노동자나 소비자의 조직체마저도 초국가라는 큰 테두리 안에서 활동하게 된다―를 창조하는 것도 가능할 것이다. 그렇게 되면 지금까지 서구적의 구성원으로 되어 있던 개개의 국민적 복지국가 대신 서구 전역 혹은 그 일부에 걸친 지분(支分) 지역적 복지국가가 형성되게 될 것이다.

이러한 목표에 이르는 길은 어떠한 상황 아래에서도 멀고 험하다. 한편 위에서 본 몇몇 나라에서의 가맹 정부나 산업 사이의 모든 협정은 자연의 추이로서, 이러한 계획 밖에 있는 모든 나라의 경제 관계를 축소한다고 하는 희생을 치르면서 체결되는 일이 자주 있을 것이다.

초국가적 복지국가라는 꿈이 실현되는 먼 장래에 있어서도 이것을 타당하게 될 것이다. 왜냐하면 이것이야말로 다음 장에서 보는 바와 같이 복지국가의 행동양식이기 때문이다. 다수의 소단위를 대신해서 이러한 한 개의 대단위를 만든다는 것이 결국 세계 전체의 경제통합에 참다운 일보전진이 될 것인지는 나로서는 명확한 답을 줄 만한 준비가 되어 있지 않은 어려운 문제이다. 왜냐하면 그 해답은 세계경제에서 보다 일반적으로 무엇이 일어나는가 하는 데 달려 있기 때문이다.

여하튼 다음과 같은 사실을 강조하는 것은 중요한 일이리라. 그것은 서구의 경제통합을 위한 이러한 계획은 그 자체로는 지역적인 것으로 그치고 사실상 지분 지역적인 성격을 갖는 것이어서 전세계는 말할 나위도 없거니와 옛날의 부분적 세계사회의 전체 조차도 포함하지 않고 있다는 점, 그리고 통합계획이 저개발국 모두가 그 개별적 활동으로 급속하게 활기를 띠고 있는 바로 그 시기에 기획되고 있다는 점이다.

후진국의 입장―그것은 또한 국제주의자의 입장으로 됨에도 틀림없지만―에서는 서구의 부유국과, 그리고 당연히 미국은 그들만의 보호주의적인 '부자클럽'을 형성하는 대신에 이미 지금쯤은 일방적으로 자본이동이나 세계무역에 대한 장애를 철폐할 수 있는 방향으로 대내 및 대외경제정책을 잘 처리해 두었어야만 하는 것이다. 설사 계획이 서구 혹은 그 대부분을 상당할 정도로 통합했다 할지라도 보다 넓은 세계적 관점에서 보는 경우의 위험은 계획이 예정대로 실시되는 정도만큼 국제경제 관계의 구분화(區分化)에 일보 전진하게 된다는 것을 의미하는 데 있는 것이다.

식민지주의의 청산

지금 고찰의 대상으로 하는 시기의 또 하나의 주요한 변화는 식민지주의의 청산이다. 오랜 세월에 걸쳐 국제적 분열화를 향하는 전개는 약간의 부유한 서구적 국가들과 주변적 세계의 광대한 후진 지역에 있는 그 나라들의 식민지적 · 반식민지적 엔클레이브에 의해서 형성된 부분적인 구세계사회의 경계 내에 거의 한정되어 있었다.

제1차 세계대전은 주로 부유국의 부분적 세계사회의 내전이었다고 정당하게 특징지워지고 있었다. 이 점에 있어서는 제2차 세계대전도 크게 다름없는 시작을 했었다. 그러나 마침내 제2차 세계대전은 세계에 확립되었던 정치적 권력체제를 거의 완전히 전복시키고 말았다.

제2차 세계대전의 성과 중에서 가장 중요한 것은 식민지 국민을 해방하는 맹아(萌芽: 식물에 새로 트는 싹)에다 기회와 자극을 주었다는 점이다. 이제는 모든 국제관계가 이러한 정치적 사태의 메아리에 떨고 있으며, 지금까지의 지배국으로 보아서 식민지 국민이 모두가 자력에 의존할 수 있게 될 때까지는 주지하는 바와 같이 이러한 사태는 틀림없이 계속될 것이다.

이러한 세계혁명의 고조는 막을 길이 없으며, 그 영향은 지구의 구석구석까지 미치고 있다. 정치적으로는 독립을 했다 하더라도 경제적·사회적으로는 외국의 지배를 받아왔던 다른 빈곤한 후진 국민도 또한 그 포부를 높이기 시작하고 있다. 이 위대한 운동이 진전되고 전개됨에 따라 그것은 도처에서 생활양식에다 영향을 주게 될 것이다. 그 반향은 금세기 후의 역사를 채우게 될 것이다.

이러한 극도로 빈곤한 모든 국민이 독립국으로서 세계무대에 등장하여 독립뿐만 아니라 개발도 요구하게 되는 직접적인 결과는 과거에 존재한 것과 같은 국제경제 관계의 고정된 유형을 당연히 분열시키는 것이었다.

우선 첫째로 국제경제 관계의 영역이 이들 모든 신국민을 포섭함으로써 확대되고 복잡하게 되었다. 그리고 이제는 이들 신국민은 그들이 이전의 부유국이 구성하고 있었던 세계 사회의 부속물로만 머물러 있었을 때처럼 그렇게 쉽게는 지배될 수 없게 되었던 것이다.

전식민본국의 경제에 대해서는 식민지 지배의 청산과 종래의 투자라든가 혹은 투자의 거리낌 없는 이용권 등을 상실했다는 것은 중대한 충격이었다. 새로운 독립국가는 자기 나라의 국가적 개발을 위해 입안한 경제정책을 실시하는 데에는 저지를 받지 않았다. 이렇게 변화된 세계풍조에서는 정치적으로는 독립되어 있었으나 국가경제 정책에 착수할 수 있는 자유를 그다지 이용하지 않았던 라틴 아메리카나 그 밖의 다른 많은 저개발국도 이제는 그 자유를 이용하기 시작했다. 국가계획이라는 관념이 퍼지기 시작했다.

이러한 모든 것은 필연적으로 국제경제의 전체계에 상당히 급격한 변화를 가져 왔다. 구제국주의 국가의 몇몇은 특히 프랑스는 재정적 출자가 많아서 경제적으로는 파멸적이었던 식민지 전쟁에 말려들어가게 되었다. 더욱이 이러한 전쟁은 전혀 무익한 투자였고, 전무(全無)로 돌아갈 운명을 지니고 있었으므로 더욱 파멸적이었던 것이다.

경제적 식민주의의 이러한 청산과정은 그 멀고 먼 여정을 아직 완전히 주파하지 못하고 있다. 구지배 계층에 속하는 약간의 부유국 사이에서 이미 고도의 단계에 달하고 있었던 국제적 분열은 처음부터 식민제국의 붕괴라고 하는 분해효과를 쉽사리 확대하는 경향이 있었다.

만일 두 차례의 세계대전과 '대공황'이 없었고, 그리고 부유국 사이에서 금세기 초기에 존재했던 것과 같은 상당히 높은 정도의 국제통합이 유지되었거나 더욱 발전을 보게 되었다면, '위대한 각성'이 얼마나 다르게 전개되었을까, 그리고 부유국 대 빈곤국의 관계에 미치는 그 각성의 영향이 어떻게 달라졌는가 하는 것 등에 대해서는 추측이 가능하다 할 것이다.

냉 전

역시 제2차 세계대전 후에 시작되었던 세 번째의 주요한 변화는 물론 소연방의 정치권력의 증대와 공산주의 치하에 있는 영토 및 인구의 엄청난 증가였다. 이와 같은 선풍적인 정치적 대혼란 즉 냉전의 전개 및 통절하게 느껴지는 각종의 위기, 즉 공산주의 전선(戰線)의 한층 더한 전진, 소규모 전쟁, 그리고 원자력시대에는 세계의 파멸까지도 의미하게 되는 새로운 세계전쟁까지도 포함하는 위기 등이 막대한 경제적 효과를 가져 오게 한 것이다.

그러한 이유로 말미암아 모든 나라, 특히 부유국은 국민소득의 아주 큰 부분을 군비에 바치고, 실로 이들 나라는 국민경제를 부득이 전시체제 위에 큰 비중을 두고 있던 것이다. 또한 마찬가지 이유로 모든 국제경제 관계, 특히 강대국이 관련되어 있는 국제경제 관계에서는 전략적 이해가 중요성을 갖기에 이르렀다. 그리고 '대공황'의 초기 수년간에 붕괴되었던 국제자본 시장의 재건은 불가능하지는 않다 하더라도 훨씬 더 곤란하게 되었다. 뿐만 아니라 세계시장은 정치적 경계선에 따라 분단되고 말았다.

일반적으로 말해서 그러한 이유는 국내 및 국제경제 정책상의 거의 모든 문제에 불합리하고 그릇되게 하고 혼란을 자아내는 힘을 투입했던 것이다. 그러나 부분적 구세계사회에서의 국제적 분열화의 추세는 훨씬 더 이전에까지 소급할 수 있다.

이러한 추세는 신민제국이 붕괴되기 시작했던 훨씬 이전 러시아가 중대한 위협이라고 간주되었던 때보다도, 그리고 냉전과 그것에 관련되는 모든 것이 각국의 주요 관심사로 되었던 것보다도 훨씬 이전에 이미 충분히 진전되고 있었으며, 또한 급속히 가속화 되고 있었던 것이다. 만일 서구적 세계의 국제관계를 그르친 책임을 모두 이러한 역사적 이변으로 돌린다면 그것은 편의주의적이고 전혀 허위의 현실관을 기르는 일이 될 것이다.

또한 식민지주의의 청산에는 독자적인 모든 원인이 있었다. 10월 혁명이 이미 식민본국이나 식민지에다 반향을 일으켰다 할지라도, 그것은 러시아의 음모도 아니었고 공산주의 운동에 의한 것도 아니었으며, 더구나 냉전의 결과도 아니었다.

오늘에 이르기까지 공산주의는 아드레 스티븐슨(Adlai E. Stevenson)의 말을 인용한다면, 이 세계혁명은 고취(鼓吹)한 영감이라고 하기보다는 차라리 뒤치다꺼리를 하게 된 청소부였던 것이다. 그렇지만 앞으로 그 영향은 크게 될는지도 모른다.

국민적 통합 대 국제적 통합

최근의 전개에서 가장 역설적인 것은 아마 다음과 같은 사실, 즉 반세기 전에 존재했던 부분적인 세계사회의 국제 경제적 분열이 더욱더 진행되고 가속화 되었던 이 역사적 시기에, 이러한 사회를 구성하고 있었던 서구적 세계의 몇몇 부유국이 국내적으로 눈부신 경제적 진보를 겪고 있으며, 또한 국민적 경제통합에 급속히 전진하고 있다는 사실이다.

이 집단에 속하는 몇몇 국민국가 안에서의 이 행운의 발전은 기세를 잃지 않고 계속되고 있는 것이다. 이 같은 사실이 이들 나라에서 국제경제 관계의 분야에 존재하는 불온한 상황과 전망으로부터 주의를 돌리게 하는 경향이 있다는 것은 당연하다 할 것이다.

서구적의 부유국은 각국을 개별적으로 들어본다면, 지금에 이르러서는 이미 급속한 경제 진보가 거의 자동적으로 이루어지는 단계에까지 도달하고 있는 것이다. 이미 이룩된 경제 발전의 수준이 비교적 높다는 것은 교육이나 훈련의 제도가 개선되어 있다는 것, 그리고 보다 일반적으로는 모든 지역이나 계층의 사람들이 국민문화에 더욱더 광범위하게 참여하고 있다는 것에 반영되어 있는 것이다.

운수나 통신의 이용 가능성의 증대와 더불어 이러한 문화적 진보와 국민적 통일을 향하는 성장 과정은 서구적 국가에서는 한 산업이나 한 지방으로부터 다른 산업이나 다른 지방으로 확장력이 보다 효과적으로 파급한다는 것을 의미해 왔다. 이번에는 이것이 또다시 경제적 진보를 촉진하게 되었던 것이다.

동시에 이러한 상황하에서 이루어졌던 경제적 진보는 국내의 불평등을 감소할 수 있었다. 경제적 진보에 이어서 활동의 여지가 일반적으로 확대된다고 하는 것, 그리고 국내에서 불평등이 감소한다고 하는 것은 정치적 민주주의를 위해 보다 확고한 기초를 구축하는 것이며, 이 민주주의가 부유국에서는 정치형태로서 더욱더 효과를 발휘하게 되는 것이다. 민주적 정치기구는 경제제도가 서구적의 전통적 이상인 만인(萬人)을 위한 자유와 기회균등에 일치하여 작용하는 조건을 마련하는 데 이용되어 왔던 것이다.

서구적 부유한 나라에서 이러한 이상은 실제로 작용하는 사회적인 힘이며, 그 이상이 실현됨으로써 끊임없이 힘을 더하게 되는 것이다. 어떠한 지역적 집단이나 직업집단, 그리고 어떠한 사회적 계급도 그 나라 전체의 일반적 수준보다 크게 뒤떨어짐은 용납되지 않으며, 또한 그 수준 자체도 계속 끌어올려지고 있는 것이다.

학교 교육이나 직업훈련, 그리고 작업상의 결과에 따르는 사회적 이동성과 개인적 승진은 확고하게 보장되어 있다. 특히 새로 탄생하는 사람들에게는 더욱 큰 기회균등이 보장되는 것이다. 이러한 국민적 통합은 각국에서 가장 중요한 천연자원, 즉 국민의 타고난 잠재적 생산력—그것은 가장 부유한 나라에서도 결코 무시할 수 없다—을 보다 완전히 이용한다는 것을 의미한다.

누적된 사회과정에서는 경제적 진보와 기회균등, 그리고 정치적 민주주의는 모두가 순환적 인과관계에 의해 서로 얽혀 있으며, 그 하나하나는 다른 것의 원인도 되고 다른 것의 결과로도 된다. 부유한 나라에 속하는 이른바 '복지국가'의 모든 결함에도 불구하고 이것이야말로 숨김없는 추세인 것이다. 이 점에 관해서는 이미 제7장에서 논평한 바 있다.

이러한 행복스러운 나라에 살고 있는 보통시민은 자기의 경제적 운명의 착실한 개선을 경험해 왔으며, 끊임없이 부유화하고 있는 동시에 시민이 원하는 교육을 받아 왔던 사회적 민주주의의 모든 이상을 향해 점진적 개혁을 통해서 접근하고 있는 국민사회에서는, 자기 자신이나 자기의 자녀들을 위한 보다 밝은 기회가 장래에 온다는 것을 알고 있다.

보통시민이 국제관계에서 일어난 사건, 아니 실제로 해외에서 일어난 사건에 관해 그다지 신경을 쓰지 않는 것은 참으로 당연하다 할 것이다.―그것이 자기의 복지와 안전을 위협하지 않는 범위에서라고 하는 단서에 유의해 주기 바란다.―만일 이러한 사건이 시민의 복지와 안전을 위협한다든가, 혹은 그렇게 한다고 시민이 믿게 되는 경우에 시민은 당연히 국민주의적 관점으로 기울게 된다. 즉 국제적인 사태의 진전을 세계적인 전망이나, 자유와 평등이라는 자기의 이상을 인류 전반에까지 적용한다는 관점에서 보지 않고, 그 대신 자기의 시야를 좁게 하여 거리낌 없이 외국인을 비난하게 되는 것이다.

냉전은 더욱 두드러지게 시민으로 하여금 모든 위협의 책임을 단일한 원인, 즉 러시아인이나 국제공산주의의 음모로 그들 스스로 인정하는 것에 책임을 돌리게 하는 기회를 만들어 주고 있다. 보통시민의 세계관을 더욱 합리적이고 정확한 것으로 하고, 또한 시민으로서 그가 대처해야 할 복잡한 문제에 진실로 부합되게 하는 교육적인 기도―그것은 사회과학자의 의무이다―에서 냉전이 광범한 관련을 갖는다는 것은 인정하지만 그것은 국제경제의 분열을 지향하는 추세에서 오직 하나의 요인에 지나지 않는다는 사실을 되풀이 강조하는 것이 중요하다.

부유한 나라가 그들 자신의 국민경제 상호간에 새롭고 활기에 넘치는 국제적 균형을 갖지 못하는 원인이 결코 러시아인들에게 있는 것은 아니다. 그리고 부유한 나라가 현재 정치적 독립과 국민경제의 개발을 지향해서 급속히 전진하고 있는 비소련권 세계의 저개발국과 보다 우호적인 관계를 맺지 못한 것도 러시아인에게 책임이 있는 것은 아니다.

이러한 여러 사실만으로도 내가 여러 번 그렇게 말했던 바와 같이 비소련권 세계를 하나의 별개의 문제로서—이리하여 우선 소련권의 나라들과 그들의 정책을 사상(捨象)하여—다루어야 할 이유가 있는 것이다.

국제적 분열하에서의 국내 계획의 역할

위의 설명은 세계경제 전반에서의 최근의 발전에 관한 개관(槪觀)을 시도한 것이고, 동시에 국제경제 관계의 현재 상황에 관한 성격묘사이기도 했다. 그것이 의도하는 바는 하나의 특수한 문제, 즉 서구적 부유한 나라에서의 경제계획화를 지향하는 추세의 국제적 의미관련이라는 다음에서 뒤에 논의되는 문제에 대해 하나의 전망을 주려고 하는 데 있었던 것이다.

계획은 국민적인 것이다. 그것은 도처에서 더욱더 강하게 되어가고 있는 국민국가의 하나의 발로인 것이다. 물론 서구적 복지국가에서는 정책의 창안도, 정책의 수행도 지방정부나 시정부의 기관과 하부구조 내의 임의단체에 위임되는 일이 더욱더 많아지고 있음은 사실이다.

공공정책의 수행 량은 늘어나고 모든 영역에서 정책의 중요성이 증대되고 있으며, 동시에 점차로 이러한 공공정책이 서서히 계획에 의해 보다 적절하게 정합되고 있으므로 서구적 모든 집단 내의 가장 선진적인 수개 국에서는 국가 자체가 세부적인 직접간접으로부터 점차 손을 뗄 수 있는 사태가 머지않아 일어나게 되리라는 징조를 우리들은 보게 된다. 그러나 국민사회의 각종 부문이나 수준에서의 이러한 협력활동과 교섭활동은 모두가 강력한 국민국가의 고정된 테두리 안에서 이루어지고 있다.

이러한 활동은 국가정책이 가져 오는 대변화가 조성한 상황하에서 국가 당국이 규정하는 법칙에 따라, 그리고 국가의 정치기관이나 행정기관은 주의 깊은 심판자로서 기능을 다하는 것이다. 국가계획의 결과로서 줄곧 강해지고 있는 강력한 국민국가라는 이러한 테두리가 없었더라면 이러한 활동은 현재만큼은 발전하지 못했을 것이다.

이 특정한 점에 있어서는 소련권 밖에 있는 저개발국의 상황도 전체적으로는 다르지 않다 할 것이다. 그와 같은 비소련권 모든 국가에 실제로 존재하는 공공정책의 계획화와 정합이 훨씬 배타적이고, 그리고 직접적인 국가의 책임이라는 것은 당연하다.

이미 말한 바와 같이 저개발국에서의 국가에 의한 계획 노력의 중심적 부분은 협력이나 단체교섭을 목표로 하는 자치기관과 임의단체를 창설함으로써 공공정책을 분권화하는 수단을 찾는다는 극히 곤란한 과제에 두지 않으면 안 된다.

한편, 국가 자체의 상대적 취약성은 어떠한 수준에서이건 모든 계획화를 끊임없이 억제하고 있다. 대부분의 저개발국에서는 국가의 취약성이 저지적으로 작용하여 일반적으로 인정된 국가계발 계획이라고 하는 개념도 현저히 성공한 실적에까지는 구체화 되지 않았던 것이다.

보다 효과적인 계획을 위한 전제조건은 국민국가의 기초를 공고히 하는 데 있다. 저개발국은 그들이 단일한 의사와 과감한 목적을 갖춘 정부를 가지고 있으며, 그 정부의 노력은 오직 국민을 한데 뭉치거나 단기적 위기를 극복하는 데에만 집중하지 않아도 좋을 만큼 통일되고 조직될 필요가 있는 것이다.

저개발국에서는 계획이 효과적으로 달성될수록 그것은 국민국가로서의 기초가 더욱 공고하게 되었다는 것을 반영하는 결과가 될 것이다. 부유한 나라에서와 마찬가지로 저개발국에 있어서도 계획화는 동시에 그 국민국가를 더욱 공고히 하고 강화하는 주요 수단의 하나로 될 것이다.

국가의 모든 권력은 국경에 의해 제한을 받게 된다. 세계국가도 효과적인 국가 간의 협력도, 교섭도 존재하지 않는 경우에는 국가정책은 필연적으로 국민주의적으로 된다. 도처에서 이제 국제적 분열이라는 희생을 치르면서 국민적 통합이 이루어지고 있음은 불가피한 일이다.

사람들이 모르는 사이에 이러한 전개는 10년을 고비로 하여 국제관계에서 뿐만 아니라 바로 국민사회 자체의 구조에서, 그리고 국민 간의 지배적인 정치적 태도에서 기본적인 변화를 일으키게 할 것이다.

세계의 이곳저곳에서 국제경제 통합에 관한 희망적인 선전이 이루어지고 있음에도 불구하고 경제적 국민주의를 향하는 주요한 경향은 깨뜨려지지 않고 있으며, 이러한 경향의 배후에 있는 추진력은 개개의 나라에서는 진보를 위해 아주 필요하고, 또한 그 국내에서는 아주 건전한 성과를 올리고 있다고 하는 국민계획의 모든 정책 그 자체인 것이다.

이 연구의 제2부는 서구적 국가들에서의 국제적 분열화의 추세와 그 국민계획에 대한 관계에 바쳐지게 될 것이다. 장래에 관해서 말한다면 경제적 국민주의의 계속적인 상승은 자연스러운 과정으로 될 것이다. 왜냐하면 이러한 전개를 추진하는 모든 힘은 순환적인 형태로 상호 교차되어 각 변화는 동일한 방향으로 움직이는 다른 모든 변화의 원인이기도 하고 결과이기도 하여 그 결과의 변화가 모두 누적되기 때문이다. 이리하여 국민주의적 모든 정책은 해외와 더불어 국내에도 영향을 주게 됨으로써 그 자체가 그러한 정책과 동일노선에 따라 행해지는 전진을 더욱 지지하며 추진한다고 하는 데도 그 자체를 국민 사이에다 강화하고 있는 것이다. 이리하여 이러한 모든 정책은 그 자체를 영구화하고 강화하는 원인이 되는 것이다.

내가 지금 언급하고 있는 경제정책은 물론 이들 나라에서는 흔히 국제적인 분열 효과를 목적으로 하는 것이 아니라, 국내에서의 통합적이고 유리한 효과를 목적으로 하고 있는 것이다.

내가 이제부터 지적하는 바와 같이 경제적 국민주의를 지향하는 누적과정에서 정책과 태도 사이에 생기는 관계 중에는 객관적으로 분석해 볼 때, 국민적 이해라고 하는 좋은 견지에서 본다 해도 불합리하다고 증명될 만한 요소가 많이 포함되어 있다는 것도 하나의 사실이다.

노련한 교수는 대중계몽의 중요성을 과소평가하리라고는 생각할 수 없다. 그리고 마지막으로 사람들은 광범한 이해관계를 가지며 단기적인 경제적 이기심보다도 높은 이상에 의해 움직이게 된다고 하는 것 역시 하나의 사실이다. 국민주의자의 주장이 절대적이라고는 보지 않는다. 그러나 그 주장은 더욱 면밀하게 논의될 필요가 있다.

제10장 서구적 세계에서의 경제적 국민주의

복지국가는 국민주의적이다

추상적인 표현을 빌린다면 부분적인 구세계사회가 해체화를 향하는 과정의 경과는 다음과 같은 방법으로 분석할 수 있다. 국제적 모든 관계의 체제가 이러한 움직임으로 된 직접적인 원인은 국민경제를 국제적 위기의 반작용으로부터 방어하기 위해 몇몇 나라가 취했던 정책수단이었다.

세계는 지난 반세기 동안에 계속 그러한 위기를 겪어 왔으며, 한 위기가 지나간 뒤에 그것에 대처하기 위해 몇몇 나라가 취했던 정책수단은 그대로 존속되는 경향이 있었다. 왜냐하면 이때에는 이미 새로운 상황이 조성되었으며, 이것은 부분적으로는 각국이 채택했던 정책수단에 의한 것이었고, 나아가 이러한 수단은 새로운 혼란의 발생을 방지하기 위해 그대로 유지되지 않으면 안 되었기 때문이다.

더욱이 그러한 간섭의 배후에서는 관례에 따라 사적인 기득권익이 확립되어 있었던 것이다. 국민적 정책은 국제적 균형을 달성하고자 하는 목적으로 정합된 것이 아니므로 이러한 정책은 그것이 전전함에 따라 국제적 위기를 영속화하거나 때로는 더욱 악화시키는 경향마저 있었다. 그러나 잇따른 국제적 위기도 만일 이러한 국제적 전개가 서구적 부유국에서의 국내적 전개와 교차되는 역사적으로 극적인 상황이 없었다면, 국내정책을 점차 자급자족적인 방향으로 형성하는 그처럼 광범하고 영속적인 영향은 주지 않았을 것이다.

제1차 세계대전이 시작될 무렵 이들 나라에서의 사회적·경제적 및 정치적인 발전은 내가 이 책의 앞부분에서 분석했던 근대적 복지국가의 성장이 급속히 가속화 되었던 출발점에 도달하고 있었다. 그것은 아주 중요한 일이었다. 모든 서구적 국가들에서 복지국가라는 목표를 향해 강력한 추진력이 국내적으로 존재하여 더욱더 강화되고 있다는 사실은, 국내의 안정과 복지를 유지하기 위해 국제적 위기의 반작용에 대한 정책 행위를 취하는 경향을 강화시켰던 것이다.

이와 반대되는 견지에서 말한다면 이러한 나라에서는 제1차 세계대전 이래로 국제적 위기의 영향에 대해 국민사회를 보호할 목적으로 시장의 모든 힘의 작용을 수정하는 대규모적인 간섭적 행위를 하는 것을 필요로 했고, 또한 점차 관습화되기에 이르렀다는 것이 많은 기회를 열어 주었지만 만일 이러한 기회가 없었다면 복지국가로의 발전은 그렇게 일찍 혹은 급속히 이룩되지 못했을 것이다.

여기에서 또다시 우리들은 순환적 인과관계의 작용과 모든 힘의 누적화를 보게 된다. 국제적 분야에서 새로운 긴급사태가 발생할 때마다 그것은 복지국가의 완성을 위한 새로운 전진의 계기가 되었다.

　한편으로 국제관계의 분야로부터 생기는 국민경제에 대한 긴박한 위기에 대처한다는 방어수단의 성격을 정책수단과, 또 다른 한편으로는 고유한 복지국가정책이라는 양자 사이에서 실제로 어떠한 논리적 분할선을 긋는다는 것은 불가능하다. 사실 근대적 복지국가가 서구적 국가에서 계속 발전하게 되었던 배경은 국제적 분열이 한창 진행되고 있던 때였다. 마찬가지로 부정할 수 없는 사실은 국민적 진보라든가 개인의 평등 및 안전의 증대를 위해 이룩된 복잡한 공공정책 체계이지만 대부분이 오늘날의 복지국가를 성립시켰다 해도 그것은 대체로 국제적 균형을 교란하는 경향을 가지고 있었다는 점이다.

　이러한 공공정책은 어느 나라에서도 국제적 공동행위로서 안출되거나 실행되지 않았다. 해외에 미칠 시기를 막론하고 복지정책은 계획과 실행에 있어서 중요시되는 일이란 거의 없었다.

　국민적 계획은—그것이 국가에 의하든 공공적·반공공적 혹은 사적인 조직체에 의하든, 혹은 개인기업에 의하든—여러 가지 이유로 거의 필연적이며 자급자족의 경향을 가지고 있다. 그 이유의 하나는 한 나라 안에서의 수요와 공급은 예측되거나 바람직한 방향으로 움직인다는 것이 아주 용이하지만, 이에 반하여 국민적 계획의 견지에서는 해외의 수요와 공급은 언제나 불확실하고 국민정책의 지시에 따르는 일이 훨씬 적다.

　아무런 초국민적 권위기관도 없이 오로지 최저한도의 국가

간의 협력과 교섭만이 존재하는 상황 아래에서는 경제적 자동체제에 가해지는 거의 모든 간섭정책은 그 결과에 있어서 자급자족적인 것이 된다.

특히 복지국가의 이상은 만일 국제분야에서의 변동에 대처하는 국내적 조정이나 반응이 안전고용이나 그 이상의 다른 본질적 요소를 희생하지 않으면 안 될 때에는 그러한 조정이나 반응을 불허하고 있었던 것이다. 그러한 이상이 쉽게 그리고 급속히 변경될 수 없는 확고한 제도와 현행 관례의 형태로 구현화 되어감에 따라, 그러한 이상이 국가로 하여금 그렇게 하는 것을 허용했던 상황하에서일지라도 그러한 형태를 조정하는 것은 더욱더 불가능하게 되었다.

국민경제는 영구히 국내조정 가능성의 극대화를 지향하는 형태를 갖추기에 이르렀고—복지국가의 모든 이상을 실현하기에 알맞은 소정의 규칙과 정파의 테두리 내이지만—그것이 국내에서의 진보와 안정의 유지를 더욱더 가능하게 할지라도, 그것은 대외적 신축성을 상실한다는 희생을 대가로 해서만이 가능하다는 사실이 명백하다. 그 결과는 국제적 불안정과 분열로 나타난다.

우리들은 서구적 세계의 부유국에서의 민주적 복지국가가 보호주의적이며, 또한 국민주의적이라는 사실에 정면으로 해결하지 않는 한 결코 오늘과 내일의 국제문화와 씨름할 수는 없을 것이다. 그러한 나라의 국민은 국내에서 경제적 복지—즉 경제적 진보와 자유의 현저한 증대, 그리고 국경 내에 있는 만인에 대한 기회의 균등 등—를 국민주의적 경제정책에 몰두한 희생의 대가로 달성하게 되었던 것이다.

누적적인 사회과정의 순환적인 인과관계에서의 이러한 정책은 부분적으로는 국제적 위기에 대처하고자 채택된 것이지만 그 자체는 끊임없이 국제적 분열화로의 추세를 저지하는 것이다. 상호작용의 과정이 진전됨에 따라 국가의 제도적 전체 구조가 경제적 국민주의라는 틀에 들어박히게 되는 것이다.

도의적 이율배반

서구적 세계의 부유한 나라의 내부, 그리고 그들 상호간에서 작용하고 있는 가장 넓은 의미에서의 인과관계에 관한 이러한 묘사가 옳다고 한다면, 지난 반세기에 걸쳐 모든 개별 국가에서 놀랄 만한 국내적 통합의 성장을 수반해서 국제적 분열의 진전을 보게 되었다는 것은 결코 우연한 역사적 사건만은 아니다. 이들 모든 나라에서 국제관계에는 부정적인 영향을 주고 국내에서는 아주 긍정적인 효과를 주었던 것은 대체로 동일한 국내적인 정책수단이었다.

개별국가의 국경 내에서는 자유와 만인(萬人)을 위한 기회 균등, 그리고 공통의 우애라고 하는 전통적인 이상은 국가의 입법과 행정의 힘찬 전진을 통해 실현되었고, 또한 국가 규제의 테두리 안에서의 그러한 이상은 국민사회의 모든 지역별 및 부분별의 단체를 위한 강력한 조직적 활동을 통해 실현을 보게 되었던 것이다.

국내적 통합은 국제적 분열과 함께 급속하게 진전되었던 것이다. 그리고 상호의존의 관계를 갖는 많은 국면에서의 인과관계는 순환적이었으며 그 과정은 누적적이어서 그것이 철저하게 방향전환이 되지 않는다면 더욱 전진하지 않을 수 없게 된다. 자유주의적인 서구적 전통에서 자라난 선량하고 박식한 사람들이 이러한 모순을 알았을 때 표명하는 가치판단의 태도 속에 있는 이율배반이 이것과 관련을 맺고 있다.

한편으로 그들은 경제적 국민주의가 그릇되고 나쁜 것이며, 또한 만인에게 공통적인 복지를 해친다는 것을 느꼈음에 틀림없다. 그들이 그렇게 느끼게 된 것은 그들이 세계를 하나의 전체로서 바라볼 때이고, 또한 그들이―만일 그들이 정직하고 가장 깊은 신념에 충실하다면 당연히 그렇게 해야 하는 것처럼―드디어 전인류에게 우리들의 도의적 신조인 자유와 기회균등 그리고 보편적 우애라고 하는 이상을 적용할 때이다.

우리들의 이상이 실현된다면 국경도 없고 국민적 차별도 없는 세계, 즉 만인이 마음대로 돌아다니고 평등한 조건으로 그들 자신의 행복을 추구할 수 있는 세계를 틀림없이 창조하게 될 것이다. 이것의 정치적 의미는 모든 국민의 의사에 의해 민주적으로 통치되는 하나의 세계국가일 것이다. 많은 사람들은 마음속의 종교적인 부분의 어딘가에 막연하고 불명확한 방법으로 하나의 완전히 통합된 세계, 즉 극락세계 혹은 세계사회라고 하는 것에 관한 꿈을 간직하고 있는 것이다.

한편 이러한 이상상(理想像)과는 아주 다르고 나날이 그것과의 유사성을 잃어가는 경향이 있는 현실의 세계에서는 이러한 추상적인 국제주의에 관한 긍정적인 가치판단은 일상사에 대처하는 사람들의 정치적인 행동에 대해서는 하등 중요성을 갖지 못하는 것이다.

이미 앞에서 언급했던 도의적 이율배반은 즉 경제적 국민주의 증대의 방향으로 사태를 진전시키는 추진력이 배타적이라 할 정도는 아닐지라도 상당히 합리적인 동기를 가졌다는 사실에서 비롯되는 것이다. 그 합리적인 동기는 개개의 나라에서 경제적 진보와 모든 시민을 위한 안정을 추구하는 노력을 의미하며, 나아가 그러한 노력은 그 밑바탕에 자유와 기회균등, 그리고 공통의 우애라고 하는 이미 말한 현대문명의 도의적 신념과 같은 이상을 동기로 하여 이루어지나 그것은 다만 국경 내에서만 작용할 뿐이다. 이러한 노력은 물론 그 자체로는 올바르고 훌륭하고 또한 건전한 것이다.

그렇지만 개별국가에서의 이러한 노력 그 자체는 훌륭하고 또한 합리적인 것이기는 하나 국제적 분열을 초래함으로 우리들은 실로 딜레마에 직면하게 되는 것이다. 보다 합리적으로 생각해 본다면 어떠한 국민도 국내 상황을 개선하려는 노력을 자진해서 포기한다는 것은 이성으로는 생각할 수 없는 일이다. 그러므로 이러한 딜레마를 해결하기 위해서는 국제주의자는 국내적 이상과 국제적 이상을 조화시켜 하나의 새롭고 보다 광범한 '창조된 조화'를 창조하는 방법을 발견하지 않으면 안 된다.

다시 말하면 이러한 국제주의자는 어떻게 하면 국제적인 협력과 교섭에 의해 보다 통합된 세계경제를 가져올 수 있는 방식으로 국민경제 정책을 수정하는 협정이 이루어질 수 있을까, 동시에 어떻게 하면 이렇게 수정된 정책이 각 국가별 국민적 통합이라는 목표를 꼭 같이 적절하게, 아니 그 이상으로 실현되도록 할 것인가 하는 방법을 제시해야 할 것이다.

복지국가에 대한 저항

이 시점에서의 논의에서 복지국가의 진전이 모든 나라에서 부딪친 저항에 대해 간단한 논급이 있어야 할 것이다. 기회의 균등화와 국가적인 복지의 보다 광범위한 배분은 복지국가를 향하는 위대한 전진의 본질적인 일부 목표가 되는 것이다. 이것은 어느 정도 경제적 부담을 특권계급에 부과하고 또한 그 부력(富力)을 그들 마음대로 사용하는 것을 제한하는 것에 의해 달성되지 않으면 안 되었던 것이다. 일부의 사람들에게 복지국가란 것은 희생을 의미했다.

그러한 생각은 적어도 외관적 및 단기적으로는 사실이었다. 그러나 복지국가는 국민이 갖는 잠재적 생산력을 개방하는 데 매우 강력했으므로 복지국가가 점차 실현되어 가는 동태적 과정에 따라 살펴본다면, 가난한 사람들의 노동조건이나 생활조건의 개선은 경제적으로 전진을 계속하는 경제에서는 애초부터 유복하기 때문에 우선적으로 개혁에 대한 대가를 지불해야 했던 대부분의 사람들의 상황을 압박하지 않고 수행될 수 있었다.

그렇지만 이러한 일이 일어날 수 있었다는 것은 놀랄 만한 일이었다. 그 시기에 있어서의 대부분의 개혁자도 그러했다. 왜냐하면 그들은 보통 그 입장에 대해 사회정의라는 동태적인 용어를 사용해 왔고, 사회정의를 위해서는 부유한 사람들에게 희생을 요구할 생각이었기 때문이다.

개혁이 막대한 생산성을 갖는다는 이론은 주로 상층계급의 염려는 근거가 없다는 것이 판명된 뒤에 나타난 추상(追想)인 것이다. 특히 이러한 개혁운동의 초기 단계에 있어서 낡은 질서 위에 기득권익을 가진 사람들이 자신을 보호하기 위해 정치권력을 동원하거나, 발전도상에 있는 복지국가의 사회적 및 경제적 개혁을 추진하려는 데에 저항하려 하는 것은 지극히 당연한 일이었던 것이다.

실제로 반동세력은 언제나 개혁에 반대하는 후충적(後衝的) 투쟁을 수행했던 것이다. 그것은 오늘날까지 계속되고 있지만, 이제는 서구적 세계의 최선진 나라에서는 복지국가의 정책과 관행이 아주 확고하게 수립되어 일반적으로 널리 받아들여지고 있으므로, 어떠한 정당도 그것에 반대할 수 없게 되었다.

그와 반대로 이러한 나라들은 점차로 정당이 유권자 앞에서 서로 다투어 개혁운동을 한층 더 추진한다는 제안을 하지 않을 수 없는 상태에 도달해 가고 있는 것이다. 이것이 스웨덴에서 '봉사국가'라고 불리워지는 민주적 복지국가의 발전단계인 것이다.

그때에는 우리들은 반세기 이전에 존재했던 바와 같은 낡은 반자유주의적 국가로부터 아주 멀리 떨어진 곳에까지 와 있는 셈이 된다. 오늘날 복지국가란 거의 자동적으로 한층 전진적이다.

사회적 및 경제적 개혁은 오직 경제적 진보의 부산물로서 남게 되고, 경제적 진보 그 자체는 이러한 개혁에 의해 누적적으로 박차가 가해지는 것이다. 여기에서 격렬한 논쟁은 불필요하다. 개혁자들은 대개 미미한 존재였다. 그러나 이러한 사실은 틀림없이 국가적인 무대의 활기와 흥미를 줄이거나, 무대를 광범한 문제에 둘러싸인 논쟁보다도 사소한 입씨름에 빠지게 할 것이다. 그리고 활기를 되찾는다 해도 그것은 불쾌한 것이 될 것이다.

그러나 한때 그것도 오래된 것은 아니지만 개혁자들은 연출해야 할 역할과 결행해야 할 투쟁이란 수단을 가지고 있었다. 그들의 온갖 과감한 노력에도 불구하고 만일 제1차 세계대전과 더불어 시작되었던 기나긴 일련의 국제적 위기가 우리들 나라의 경제생활에 크게 간섭할 기회—어느 정도로는 필연성—을 주지 않았다면, 복지국가를 향해 전개되는 일은 아마 그 당시에 시작되었을 리가 없었을 것이며, 또한 확실히 그와 같이 누를 수 없는 기세가 그토록 급속하게 닥쳐오지도 않았을 것이다.

구학파의 국제주의자

복지국가라는 것이 끊임없이 논쟁되고 있던 전 기간중 대중의 지지를 얻은 개혁운동에 반대하여 최후까지 대항하고자 했던 정치 세력은 구학파의 국제주의 경제학자라는 맹우(盟友)를 얻기는 했지만, 이 학파는 국제적 경제통합을 회복하기 위해 국민적 경제정책을 철저히 해제할 것을 요구했던 것이다.

이들 경제학자는 보다 대대적인 국제적 자동체제로의 복귀를 주장했지만 이러한 체제에서는 개별적인 국민경제는 자기를 에워싼 세계의 변화를 향해 자기 조정을 하지 않을 수 없게 될 것이다. 비록 그러한 자기 조정이 때로는 가혹했으며 경우에 따라서는 실업과 사업상의 손실을 가져오게 했다 하더라도 그렇게 해야 한다.

그들은 용감하게도 이러한 시기, 즉 되풀이 되는 격심한 국제적 위기로 특징지워지는 바로 그 시기에 그러한 요구를 제시했던 것이다. 그러나 그들이 지적할 수 있었던 것은 세계적인 경제관계에 있어서 큰 불균형이 있었으며, 또한 끈덕지게 지속되었다는 것이 부분적으로는 적어도 그들이 역전시키고자 노력하고 있었던 국민정책에 원인이 있었던 것이다.

그들은 주장하기를—그것은 상당한 정당성을 가지고 있었다—국제적 분열은 구제와 그 배후에 있는 국민이 국제체제의 변화에 대처하도록 국민정책을 자동적으로 조정하여, 비록 그 조정의 자연적 과정이 때로는 괴로운 것이라 할지라도 나아가는 대로 두는 것을 싫어했기 때문에 일어났던 것이다.

실제로 일어난 바와 같이 이 학과의 경제학자들은 반동가(反動家)들에게 논거(論據)를 주고 있었으며, 이들 반동가는 경제적 평등화에 반대했기 때문에 복지국가와 싸웠던 것이다. 그러나 기본적으로는 이들 경제학자의 가치 기준은 그 종류를 달리했다. 즉 그들은 국제주의자였던 것이다.

나는 이제부터 설명하는 이유로 이 학과의 실천적인 결론에 동의하지는 않는다. 그러나 결론의 비판에 들어가기에 앞서 이 학과에 속하는 많은 탁월한 경제학자들과의 친밀한 개인적 교제에서 내가 아주 잘 알고 있는 것을 강조하고자 한다. 일반적으로 말해서 그들이 그러한 입장을 취하게 된 것은 빈곤한 자의 곤궁에 대해 무감각했기 때문이 아니라 잠행적인 국제적 분열을 정지시킬 방도를 달리 찾을 수 없기 때문이다.

실제로 그들은 그들의 마음속으로 결코 정치적 반동주의자들의 참다운 동맹자는 아니었다. 소득재분배적 개혁의 필요성에 무관심하다는 것은 위대한 고전적 경제사상의 전통에 따르는 것은 아니다. 그러한 전통 속에서 그들도 전혀 다른 나의 의견에 동의하는 사람들과 같은 입장에 있다. 그리고 내가 부언하고 싶은 것은 나는 구학파의 주요한 가치 전제에 대해서는 그들과 완전히 같은 의견이라는 점이다. 그 전제라고 하는 것은 국제적 분열화에는 무한한 위험이 내재하고 있으므로 이러한 전개에 저항하는 것이 긴급을 요하기 때문에 이것에다 최고의 중요성을 두는 것이다.

이러한 기본적인 논점에 대해 나는 이론을 제기하고 싶지 않다. 실제에 있어서 만일 내가 이제까지 제시했던 딜레마로부터 탈출하는 데 달리 어떠한 방도를 찾을 수 없다면, 나는 아마도 마음의 반(半)을 구학파의 국제주의자의 진영에 두고 있는 분열된 인격자일 것이다.

가냘픈 희망

그러나 여기에 이르러서는 국제통합이 가냘픈 희망으로 되리라는 것을 나는 애써 감추려고 해도 감출 수 없게 될 것이다. 구학파의 경제학자들이 역전시키고자 했던 국민정책은 합리적인 목적에 이바지하고 더욱이 충분히 이바지했다고 보인다. 적어도 사람들은 그렇게 확신하고 있다. 그러한 정책은 이제까지 국민적 복지국가의 건설에 투입되어 왔고 지금은 그것을 확고한 것으로 하고 있는 정책수단의 복합체 가운데서 불가분한 관계를 가지고 있다.

복지국가는 우리들 모든 국민이 단념한다거나 심지어 조금이라도 그 기능을 약화시키고 싶지 않은 '그 무엇'이 되고 말았다. '조직적인 국가'는 해체할 수 없다. 왜냐하면 사람들이 그것을 용납하지 않기 때문이다.

복지국가는—모든 상급기관까지도 포함해서—더욱더 규제적인 것으로 되어간다. 그러나 누가 국제주의를 위해서 이러한 움직임을 비난할 수 있을 것인가. 국제적 자동체제로 복귀할 수 있는 실천가능성을 믿는다는 것은 일단 한 나라의 정부가 낡은 규율을 무시하고 국민경제 정책이라는 지렛대를 조작하는 경험을 갖게 된다면 순전한 이상주의로 되고 말 것이다. 그리고 경제정책의 지도와 수행이 국민정치의 일부로 되어버리고, 그것을 둘러싼 이해단체가 개별적인 국가 내에서 경쟁하게 되면 더욱더 순수한 이상주의로 된다. 왜냐하면 내가 제2장에서 증명한 바와 같이 사회적 자동체제라는 상태는 이러한 계율이 존중되고 있는 한에 있어서만 —즉 특정한 문제는 정책의 대상으로는 되지 않으며 더구나 정치의 일부로도 될 수 없는 한—존재할 수 있기 때문이다. .

국제경제 관계에서 보다 광범하게 자동체제로 복귀한다는 것은 이러한 수많은 문제가 또다시 국민적 정책이나 국민정치로부터 격리된다는 것을 전제로 하게 될 것이다. 그러나 사회적 규율은 그것이 일단 무너지기만 하면 결코 다시는 확립될 수 없는 것이다.

　내가 지금 비판하고 있는 학파에 속하는 경제학자들은 일반적으로 어리석은 사람이 아니었다. 그들의 대부분은 국제적 자동체제로의 복귀가 압도적인 저항에 부딪치게 된다는 사실을 모르는 채로 넘어가지는 않았다. 이러한 딜레마에 빠지자 그들의 대부분은 당시의 정치적 조류 및 기회에 깊숙한 접근을 시도했고, 그 결과 그들 자신의 사고(思考)도 타협시키기에 이르렀던 것이다. 그들 사이에서는 자유방임주의와 구시대의 맨체스터파 자유주의에 대한 충성의 맹세를 끊는다는 것은 거의 하나의 유행으로 되었다. 그리고 이러한 조정을 달성함으로써 그들은 소득 재분재적 개혁을 그것이 생산과 거래에 간섭받지 않고 성취될 수 있는 한 바로 받아들일 용의가 있음을 암시하는 것만으로 그치지는 않았다. 그리고 이 정도의 개혁이라면 그것은 충분히 존 스튜아트 밀(J. S. Mill) 이래의 경제사상의 전통 속에 포함시킬 수 있는 것이다. 그러나 실제로는 소득 재분배적 방안은 대부분이 바로 그러한 간섭과 관련되어 있으므로, 이러한 개혁도 이렇다 할 효과를 가져 오지는 못했다.

　구학파의 경제학자는 그렇게 하지 않으면 그들의 연구가 국민사회에서 실제로 진행되고 있는 것과는 무관하게 되는 운명에 빠질 위험이 있으므로 더욱 많은 것을 용인하고, 그리고 예사로 국민주의적인 정책 수단의 전체 구조를 받아들여 왔던 것이다. 그러한 것은 그들이 약간의 특정 수단을 비판하는 데 그 열정을 집중시키기 위함이었다.

그렇지만 그들이 그러한 사고(思考)를 타협시키는 것은 그들의 논의의 합리적인 힘을 약화시키고 말았다. 그들이 받아들여야 할 국민주의적 개혁수단과 저항하지 않으면 안 되는 그것과의 사이에 그었던 경계선은—저자가 달라짐에 따라 그어지는 것이 달랐고, 또한 자주 임기응변으로 이동하면—대부분의 경우 다만 암시적인 것에 지나지 않았으며 아주 명백하게 되는 일이란 거의 없었다.

이것은 충분히 설명할 수 있는 일이다. 왜냐하면 그러한 시도는 처음부터 임의적이었고 논리적 기초가 결여되었기 때문이다. 이러한 상태하에서는 어느 정도의 국제적 자동체제의 부활, 그리고 그 결과로서의 국제통합의 부활이 그들의 더욱 한정적인 충고를 따르기만 하면 이루어지게 될 것으로 그들 자신이 기대할 만한 권리를 가지고 있다 해도 그들은 물론 사람들을 납득시킬 만한 이유를 거의 설명할 수 없었던 것이다.

결국 그들은 일반적으로 실천적인 성공을 거두지는 못했다. 이 시대의 정치사는 많건 적건 극적인 사건이 산재하고 있었다. 왜냐하면 이 시기에는 국민의 지지를 얻은 정권 담당자가 경제학자의 긴급한 사고와는 반대로 행동했고, 또한 그렇게 하는 데 특별한 즐거움을 느꼈던 것으로 보이기 때문이다.

신학파의 국제주의자

복지국가란 면밀하게 조직화된 경제를 의미한다. 이러한

국민경제의 제도적 구조는 국민적 민주주의의 내부에서 작용하고 있는 경제적·사회적·정치적인 모든 힘의 영향을 받아 끊임없이 수정되고, 그리고 한층 견고하게 되어 가는 것이다. 그러나 그것은 하나의 구조로서 국민의 지지를 얻고 있다. 따라서 이러한 구조는 제거될 수 없으며, 결국 이러한 사실이 구학파의 국제주의자의 노력을 중도에 그치게 하고 말았던 이유로 되는 것이다. 그러나 구학파의 국제주의 학자들의 국제통합은 국민경제 정책의 결과로서 생겨난 모든 국가 간의 장해를 타파하고 그 대신 보다 신축적인 국제체제를 둠으로써 비로소 성취될 수 있다고 주장했던 것은 옳은 일이었다.

모든 국가가 그 국민경제 정책을 제거한 데 결코 동의하지 않을 것이므로 내가 보기로는 그들은 그럴 만한 이유를 가지고 있다. 나는 국제통합이라는 목표를 향해 전진하는 유일한 방법은 현존하는 이들 정책의 구조를 실천화하지 않으면 안 된다고 하는 실천적 결론을 얻게 되었다.

신학파의 국제주의자에 속하는 사람들은 그들의 마음을 복지국가의 이상에 두고 있다. 우리들 대부분은 사회적 기술자의 일원으로서 청사진을 작성하거나 전문가로서, 그리고 때로는 실천적 정치가로서 각자의 나라에서 복지국가의 완성을 목적으로 하는 사회적 및 경제적 개혁을 적극적으로 추진했던 것이다.

현대의 이 위대한 개혁운동이 개인으로서 관여하고 있다는 것을 떠나서도, 우리들은 각자의 국민을 아주 잘 알고 있으므로 어떠한 경우에 있어서도 이러한 운동은 중단되거나 역전될 수 없다는 것을 확신하게 될 것이다. 그러나 우리들은 국제주의자로서의 우리들의 이상을 타협시키고자 하는 생각도 또한 없다.

만일 우리들이 국민적 통합과 국제적 분열의 결부에서 생기는 딜레마로부터 벗어날 길을 찾고자 한다면 우리들은 문제에 접근하는 방향을 전환할 필요가 있다. 즉 우리들은 국민경제 정책의 구조를 국제적으로 조화시키고 정합하고, 또한 통합하는 것을 목표로 삼아야 할 것이다. 국민정책을 그렇게 수정함으로써 그 국민정책이 이들 국민국가 계획에 적합하게 된다면 국민정책이 의도하는 개별적인 국민국가를 위한 건전한 효과를 계속 유지하는 한편, 국민적 정책이 지닌 국제적 분열 효과를 크게 무시하게 될 것이다.

서구적 국가를 위해서 주어진 계획화의 정의에 따른다면 국민정책의 이와 같은 정합은 결국 국제적 경제계획이 되는 것이다.

국내경제 정책의 국제적 정합

확실히 이것은 합리적인 해결책이 되며, 또한 그것은 계획으로서도 논리적으로 완전히 실행이 가능한 것이다. 그 조건은 물론 정부와 국민이 현재보다 대규모적으로 국제적인 협력과 교섭을 기꺼이 받아들이는가 어떤가 하는 데 있는 것이다.

만일 그러한 의사가 있고, 그리고 정부의 대표자들이 공통된 경제정책을 형성할 목적으로 자리를 같이 할 수 있다면 국민정책의 어느 국면은 개별적인 국가의 복지를 위해 대부분은 불가결하지 않다는 사실이 곧 드러나게 될 것이다. 그러한 국면은 만일 한 나라에 있어서뿐만 아니라 많은 나라에 있어서도 그러하다면 우리들의 공동의 이익을 위해 폐기할 수 있을 것이다.

보호정책을 폐기할 때에 모든 국민의 공동이익에 비하면 참으로 적은 이익으로 이바지할 뿐이다. 물론 보호정책의 폐기는 다각적 협정의 결과로서 각국이 동시에 시행하는 것을 전제로 한다. 만일 안정적 국제시장과 특히 생산과 수준을 높게 하는 안정적인 세계의 추세가 보다 확실하게 보장한다면 물론 이러한 종류의 '국제경제적 무장해제'의 영역이 확대될 것이다. 왜냐하면 만일 국제적 안정이 증대하는 조건하에서 일반적 확대가 이루어지고 그 결과 그것이 중단되지 않는다면—그리고 만일 모든 국민과 모든 정부가 그 달성에 신뢰를 두고 있다면—국내적 안정을 목적으로 하는 많은 국민경제 정책은 폐기해도 좋을 것이다. 그러나 국민경제 정책의 국제적 조화를 향하는 노력은 다만 모든 국가의 정부가 특정한 정책 수단을 삼가도록 하는 조건을 마련하는 것만으로 그칠 수는 없다. 문제의 중요한 부분은 국민적 정부가 자진해서 포기하고 싶지 않은 정책과 관련되어 있는 것이다.

우리들은 복지국가라고 하는 것이 '조직적인 국가'라고 하는 사실을 직시해야 할 것이다. 자본이나 노동시장에 있어서도 상품이나 용역을 위한 시장에 있어서도 수요와 공급 및 가격의 작용은 지금은 상당한 정도로 '자유롭다'고는 할 수 없다. 그것은 국가나 지방 및 도시의 입장과 행정에 의해 규제되고, 또한 국가의 테두리 안에서나 모두가 국가통제하에서 활동하고 있는 반관(半官)이나 민간의 조직체 및 대기업에 의해서도 규제를 받고 있는 것이다. 결국 우리들이 세계경제를 재통합하고자 원한다면, 국제적으로 정합되고 조화되게 하지 않으면 안 되는 것은 각국 시장의 조직적인 간섭이 그러한 복잡한 전체 구조이기 때문이다.

현재 각 시장을 국민적으로 조직하고 있는 모든 정책을 전세계를 통해서 절대적으로 통일하도록 요구할 수 없다는 것은 당연하다. 실제로 이러한 정책을 개별적인 국가에 있어서도 통일되어 있지 않은 것이다. 가장 선진적인 복지국가에 있어서의 추세는 사회적 통제의 분권화의 방향을 취하고 있으며, 각 주 각 도시 및 조직화된 구역별이라든가 부문별이라든가의 이익단체에다 사람들이 함께 생활하는 양식을 결정하는 자유를 위임하고 있는 것이다. 그러나 국민적 통합이라는 용어가 내포하고 있는 뜻은 그 통합이 국가 전체에 걸친 하나의 공통의 조직적인 구조라고 하는 장치 내에서만 허용된다는 것과 그러한 조직적인 구조는 국민사회를 분열되지 않게 하는 일반적인 모든 규칙을 나타낸다는 것을 의미한다.

만일 우리들이 보다 긴밀하게 통합된 세계사회를 향해서 전진하고자 말한다면 국제관계에도 위와 동일한 원칙이 타당하다. 공업화가 계속 급속하게 이루어지고 있는 시기에는 대부분의 국가는 토지의 경작자들의 생활수준을 보호하기 위한 농업정책의 필요성을 통감하게 될 것이다.

개별국가가 농업정책을 실시한 결과로부터 생기는 국제적 분열을 회피할 필요성은 공통적인 관심사로 대항하지 않으면 안 될 것이다. 만일 기존하는 국민적 결속에 가까운 힘을 갖는 국제적 결합의 근거가 있다면, 각국마다의 국내적 농업정책에 관한 국제협정에 도달하는 것이 가능하게 되어야 할 것이다. 이들 정책은 다양하게 나타나게 될 것이나 그럼에도 불구하고 그것들은 조화를 이루어 오늘날처럼 다만 서로가 부담을 전가하는 각국 간의 경쟁을 가져오게 하지는 않을 것이다.

마찬가지로 모든 나라는 국민적 개발계획의 일부로서 특정의 '유치幼稚)산업'을 지지할 만한 이유가 있다. 또다시 그러한 국민적 정책을 보다 넓은 국제적 각도에서 검토하고, 국민적 각도에서 검토하고, 국민적 정책의 노선에 따라 타협적인 협정을 구하는 것이 가능하다. 나아가 이러한 협정은 보호주의적인 국민정책이 해외에는 악영향을 극소화시키는 한편, 각국에다 최대한의 경제발전을 함으로써 결국은 공통된 이익이 되게 할 것이다.

노동시장과 자본시장은 모든 나라에서 굳게 조직화되어 있다. 그러나 이들 정책이 추구하는 불가결하고도 유리한 효과를 달성하는 데는 국경을 넘는 자본과 노동의 이동이 거의 없거나 혹은 극히 예외적인 거의 완전한 자급자족과 같은 현재의 상황에 빠지지 않고서도 가능하게 되어야 한다.

통제규칙은 여전히 존재할 것이고 더욱 증가하기까지 할 것이다. 그러나 이러한 통제규칙의 범위 내에서는 경제적 결속의 확대에 입각하는 새로운 유형의 국제관계에서 마치 오늘날 개별적인 복지국가에서 보는 것처럼 생산요소에 대한 이동의 자유가 증대할 것이다. 나아가 이들 나라 사이에서는 보다 합리적인 노동과 생산의 분업이 각 지역의 자연적 우위 및 그 국민의 적성과 야심에 따라 일어나게 될 것이다.

개별적인 복지국가가 보다 긴밀한 국민적 통합을 향해 움직이고 있었던 경우와 같이 세계 전체에 있어서도 이러한 국제통합 과정은 경제적 진보라고 하는 자극을 필요로 할 것이다. 오직 급속하게 그리고 착실하게 확대해 가는 세계경제에 있어서만이 서로가 관용을 보이기 위한 조건이 존재할 것이다. 이것이 없다면 그 과정도 참다운 전진력을 얻게 되기를 바랄 수는 없을 것이다. 그러나 만일 국제적 통합이 시동할 기회를 일단 얻는다면 그것은 그 자체로 국민적 통합이 개별적인 복지국가에서 행했던 것과 마찬가지의 방법으로 경제적 확장에 박차를 가하게 될 것이다.

내가 구학파의 국제주의자에 반대하는 주요점은 국제적 통합이 긍정적인 표현—즉 보다 넓은 세계사회에서는 국민적 복지국가의 목표를 다름아닌 자유와 평등 그리고 우애라는 오랜 우리들의 목표를 실현한다는 표현—으로 논의되어야 할 것이지, 서구적 국가의 모든 국민이 각자의 국민사회 내부에서 그 이상을 실현하고자 채택했던 모든 정책을 파괴하기를 원하는 부정적인 표현으로 논의되어서는 안 된다는 것이다.

곤란한 문제들

바야흐로 논의는 윤리적 결론에까지 도달하기에 이르렀고, 그것에 의해 목적이 명백해진 셈이지만, 그 목적은 오늘날 국제관계에서 실현을 본 것으로부터 아주 멀리 떨어져 있는 것이다. 그렇지만 이 시점에서의 논의가 위에서 명확하게 된 바와 같은 모든 목적은 개괄적으로 말해서 제2차 세계대전 말기와 그 직후의 수년간에 국제경제 조직에다 안내 표시로서 주어졌던 지령 그대로라는 것을 말해 두는 것이 적절할 것이다. 이 시기는 새로운 노선에 따라 용감하게 사고(思考)하는 시기였었다. 수년에 걸쳐 신학파의 국제주의자들이 주류를 이루어 서구적 세계에서의 모든 정책의 형성을 결정하고 있었던 것이다.

이러한 모든 지령은 또한 크게 여러 나라의 정부가 동의하는 바가 되었으며, 이들 국제조직의 설립문서에 기재되었으며 언제나 엄숙하고 만장일치적 결의로써 확인되기도 했다. 그렇지만 그것을 실제로 이행하는 데 있어서는 별다른 진전이 없었다. 일찍이 이들 국제경제 조직이 창설되었을 때 모든 국민에게 안겨주었던 희망에 비한다면, 아직 그들 조직은 실패이다. 그러나 그것들은 아직 존재하고 있으며 또한 장래에까지도 존속될 것이다. 비록 이들 조직 속에서의 우리들의 협동적 기도가 미약하고 그 성과가 아직은 보잘 것 없고 불안정하다 할지라도 이것은 이들 조직의 임무인 것이다.

이들 모든 조직에서 우리가 씨름을 하고 있는 문제는 현재로는 아무리 그 효과가 약하다 할지라도 바로 국민경제 정책을 정합하고 또한 조화시킨다는 것, 즉 단순한 국민적 계획 위에다 국제계획을 두고자 하는 데 있는 것이다.

극복해야 할 곤란한 문제들은 엄청나게 많다. 그러나 구학파의 국제주의자가 그처럼 장기에 걸쳐, 그리고 용감하게 싸워 얻고자 했던 이것을 대신하는 해결책은 오직 국민경제 정책을 대규모로 제기하고 경제적 자동체제로 복귀하는 것에 그친다. 전혀 실행이 불가능하며, 또한 참으로 정치적으로 가능성이 없는 것이다. 게다가 그것은 우리들이 당연히 자랑으로 하고 있는 우리들 국내의 업적을 파괴하게 되는 것이다.

신학파의 국제주의자가 제창하는 해결책은 아무리 도달하기 어려운 것이라 할지라도 적어도 상식에 어긋나지 않는 목표인 것이며, 또한 국민적 통합과 국제적 통합이라는 우리들의 이상을 함께 만족시켜 주는 것이기도 하다.

명백한 사실은 이렇다. 즉 일단 국민적 복지국가가 존재하기에 이르러 서구적 세계의 민주주의 국가에서 정치권력을 갖는 모든 국민의 심중에다 확고하게 그 정박처를 구축하게 된다면 국제협력과 상호조정에 의해 복지국가의 건설에 착수하는 이외에는 국제적 분열을 대신할 것은 없다는 점이다.

우리들의 분석으로부터의 이러한 결론은 오직, 그리고 주로 무엇이 바람직스러운가에 관한 정책적 가치판단을 나타내는 것뿐만 아니라 현실의 상황을 증명하는 것으로서 제시된 것이다. 우리들의 분석으로부터 얻어지는 다른 어떠한 결론도 그것은 윤리에 어긋나는 것이고, 또한 서구적 국가의 사회적 현실에 대한 우리들의 지식에도 위배되는 것이다.

제11장 제도적 · 심리적인 수준

관심의 방향성

국제적 통합을 목표로 하는 모든 기도(企圖) 앞에 가로 놓인 모든 곤란을 충분히 평가하기 위해서 우리들은 경제정책이 국민주의적인 방향을 취하는 보다 깊은 원인에 직면하지 않으면 안 된다. 이들 원인은 제도적 그리고 심리적 수준에서 작용하고 있다.

부유한 서구적 국가의 더욱더 효과적인 복지국가 속에 살고 있고, 또한 참여하고 있는 바로 그 경험이 사람들의 관심을 안으로 쏠리게 하는 것이다. 국민적 통합이 진전됨에 따라 국가는 내가 '조직적 국가'라고 부른바 있었던 분권화되고 비관헌주의적인 공동사회로 더욱더 접근하게 되는 것이다.

결정적으로 이것은 사회적 민주주의의 성장을 의미하며 복지국가가 스웨덴의 정치가였던 고 퍼 앨빈 한손(Per Alvin Hansson)이 '국민의 가정'이라고 성격지웠던 이상상태에 접근하는 것도 이러한 발전을 통해서인 것이다. 직접적인 국가

간섭행위가 가해지는 빈도는 비례적으로 증대하지 않고—아마 머지않아 이러한 행위를 위한 빈도는 실제로 감소되고 ― 사회관계는 국민 자신에 의해서 더욱더 규제된다. 사실상 국민은 공공정책으로 되어야 할 것을 대신하여 더욱 많이 책임을 지게 되는 자발적인 이익단체나 대기업의 내부 및 그들 상호간에서 뿐만 아니라 지방이나 도시의 자치를 위한 모든 기관 내에서도 협동하거나 교섭하게 되는 것이다. 어느 의미에서는 이러한 형의 복지적 민주주의에 있어서 의회 자체가 협동과 단체교섭을 하는 많은 기관의 하나에 지나지 않는다. 그리고 의회는 모든 다른 기관을 위해서 테두리를 만드는 유일한 기관으로 되는 것이다.

이러한 방법으로 현대복지국가—그리고 나는 그 속에 다른 모든 협동과 교섭을 위한 국가수준 이하의 기관을 포함하고자 한다—는 성격과 소득을 결정하고, 모든 종류의 경제적 및 사회적 관계에 기준을 두고서 직장에서의 연공서열적 권리를 규제하며, 나아가서는 국민 각자의 후생에 대해 명백하고 직접적인 중요성을 갖는 그 밖의 많은 일을 하는 것이다.

국민이 자기의 생업을 선택하고 거기에서 승급하고 노동에 대한 정당한 보수를 얻고 휴가를 가지며, 그리고 각종의 후생시설과 연금 및 추가적 보수를 받는다는 그들의 기회에 대해 국가는 그 범위를 정하거나 명확한 규정을 하게 되는 것이다.

국가는 또한 가정에서 자녀를 어느 특정학교에 입학시키고 싶다든가, 주택을 임차하고 싶다든가, 혹은 소정의 호조건 밑에서 가옥을 건축하고 싶다든가 하는 경우의 우선순위 결정의 원칙을 규정하는 것이다. 이러한 것들과 그 밖의 많은 것이 북지국가에 있어서 언제든지 비인격적인 시장의 모든 힘의 결정에 방임(放任)되어 있지 않는 것이다.

그 대신에 그러한 것들은 규제를 받게 된다. 그러한 것들은 내가 이미 예증한 바와 같이 시민에 의해 합동으로 규제되는 것이다. 이리하여 공공정책을 결정하는 모든 다른 저위기관(低位機關)을 포함하고 있는 복지국가는 시민의 일상생활에 대해 더욱더 중요해졌으며, 그리고 동시에 국가는 관료주의적으로 되는 일이 더욱더 적어지고, 그 대신에 시민 자신에 의해 직접적으로 유권자로서, 또한 그들의 조직체를 통해서 결정되게 함으로 복지국가는 그 자체의 심리적 기초를 국민의 가치판단이나 기대 속에 고정시키게 되는 것이다.

이리하여 국민국가와의 일체감, 그리고 그 국경 내에 사는 모든 국민과의 일체감이 더욱 증대한다는 것은 민주적인 국민적 복지국가의 성장이 가져오는 자연적인 귀결이다. 동시에 복지국가의 모든 정책이 전진하고 확대될 수 있는 것은 시민이 체험한 국민의 이해관계가 일치하고 있는 확고한 기초 때문이다. 순환적 인과관계의 과정에서는 이러한 기초는 복지국가를 끊임없이 완성시키는 원인도 되고, 또 그 결과로 되는 것이다.

이것이 문제의 핵심이며 또한 그것이 복지국가에 있어서 경제적 국민주의로 향하는 추세가 왜 그처럼 강한가를 설명하는 것이기도 하다. 더욱더 효과를 나타내고—개별적인 시민에 대해서—더 직접적으로 중요한 복지국가의 내부에서 국민적 연대감이 이처럼 증대하는 것에 따르는 부정적인 결과는 의심할 바 없이 국제적 연대감의 감소와 그리고 일반적으로는 국제적 이상에 대한 사람들의 충성심이 감소하는 경향일 것이다. 국민국가와 그 테두리 안에서 진행되는 모든 것은 모든 사람에 대해 실제적인 현실로 되지만 한편 국제주의자의 노력은 비현실적인 꿈으로 되고 만다.

이리하여 서구적 세계에서의 부유한 나라의 현대적인 민주복지국가에 사는 국민은 본질적으로 국제협력에는 무관심하다. 이것은 이미 말한 여러 이유에 의해 복지국가를 실현시키는 아주 많은 경제정책이 그 성격에 있어서 국민주의적이기 때문이 아니다. 경제적 국민주의의 발생에 대한 보다 깊은 이유는 복지국가의 성장과 한층 더한 발전이 국경 내에서 멈추는 인간적 연대감을 확립하기 쉽다는 데 있다.

국민적 복지국가의 심리학상의 모든 문제—국민적 복지민주주의의 발전과 경제적 국민주의의 성장과의 관계, 그리고 국민적 연대감의 강화와 국제적 이상에 대한 국민적 충성심의 감소의 관계라고 하는 문제—를 여기서 나는 다만 시사에 그치고 있지만 집약적인 사회과학적 연구의 대상으로 되기를 바라마지 않는 바이다.

하나의 제도적인 편향

복지국가에 사는 국민의 생각이 이와 같이 내향적이라는 것은 중립적인 것이고 다만 해외에서 일어나고 있는 일이나 해외에 살고 있는 모든 국민의 필요에 대한 관심이 비록 크게 감퇴되는 형태로 나타나게 된다 하더라도 이러한 내향성은 공사(公事)에 대한 국민의 태도가 하나의 비합리적인 요소를 갖는다는 것을 나타내는 것이라 할 수 있을 것이다.

외국에 대한 영향을 고려하지 않고 경제정책을 수립한다는 것은 어떠한 나라의 시민에 있어서도 참다운—올바르게 인식되고 평가된다는 의미로서의 참다운—이권과는 일치하지 않는다. 만일 개개의 복지국가의 내부에서 사람들이 상호간의 이해관계에 대해 사려 깊은 것을 배우게 된 바와 같이 각 국민이 그렇게 하는 데 동의할 수 있다면, 그리고 만일 국민정책이 해외에 미치는 파괴적인 효과가 극소화하는 반면에 국내에서는 정책의 유리한 효과를 극대화 하는 것을 목표로 하여 국제적으로 타협적인 해결을 달성할 수 있도록 다 같이 효과적으로 협동과 교섭할 용의가 각 국민에게 있다면 분명히 그것은 모든 나라의 사람들에 대한 공통된 이익이 될 것이다.

민주주의적 복지국가가 국민의 태도를 이렇게 비합리적인 제도적 및 심리적 조건하에 둘 때 특별히 지적해야 할 하나의 원인이 있다. 그것은 조직 구조에 내재하는 편향이다. 그와 같은 국가의 내부에서는 모든 특수한 이해관계—비록 소집단의 것이라 할지라도—는 조직을 낳게 하는 싹이 되며 그러한 조직 속에서 이해관계가 발언권을 갖게 되고 이해에 대한 정당한 고려를 설득하거나 요청하게 된다. 이러한 일이 일어난다는 것은 복지국가의 불가결한 특색이다. 참으로 그것은 이러한 국가가 기능하는 양식인 것이다.

조직화된 이익단체간의 협동과 교섭의 과정을 통해 그 과정이 도달한 만큼의 새로운 조화를 나타나게 한다. 그러나 국제협력에 대한 관심은—그것이 아무리 현실적이고 또한 아무리 크다 할지라도 정확하게 평가되고 전시민의 통계로서 집계된다면—어느 특정한 집단에 특수적이 아니라 일반적인 것으로 널리 분산되어 있다.

그 관심은 어느 한 나라의 개인 혹은 어느 특정한 집단에 대해 직접적으로 유익한 효과를 갖는 일은 비교적 적다. 그러한 관심은 유효한 조직을 낳게 하여 자체의 존재를 고려하도록 강요하거나 교섭할 수는 없는 것이다. 또한 국제협력에 대한 관심은 국민사회의 내부에 있는 특수이익 단체가 이용할 수 있는 스트라이크, 록아웃 및 보이콧과 같은 최종적 제제중의 어느 것도 위협적으로 내세울 수 없다.

국제협력에 대한 관심이 아무리 적다하더라도 유효한 조직체에 의해 옹호되고 있는 어떠한 특수이익의 반대에 부딪치게 된다면 언제나 그것은 쉽게 굴복하고 만다. 이것에 대해서는 해마다 각국의 국회의사록이 풍부한 예를 제시하고 있다. 개별적인 복지국가 내에서 국민적으로 이해의 충돌이 있을 때에는 이러한 편향에 필적하는 예가 생겨나 특수한 이해관계에는 유리하고 일반적 이해관계에는 불리하게 하고 있다.

이미 지적한 바와 같이 소비자가 생계비의 저하라는 공통의 관심을 진전시키기 위해 유력한 교섭단체를 창설한다는 것은 훨씬 더 곤란하다는 것이 도처에서 판명되었다. 피고용자를 포함하는 생산자는 이들 모두가 소비자이지 공통의 이해관계로 굳게 결속한 명확하게 유력한 특수집단에 소속되어 있다. 생계비의 저하라는 일반적 관심은 국제협력에 대한 시민의 일반적 관심과 마찬가지로 아주 분산되어 있고, 또한 그다지 특수적이거나 직접적이 아니므로 어느 복지국가에서도 생산자 측의 확고한 특수 이익단체와 충돌하는 경우에 언제나 희생되기 쉬운 것이다.

적어도 복지국가가 과도기에 있는 현 단계에 있어서는 현행의 단체교섭은 주로 생산비를 벌고 이윤을 획득한다는 시민활동에 국한되어 있고, 생활에 유용한 물자에 대한 화폐적 지출에까지는 거의 미치지 않고 있다. 약간의 가장 선진적인 복지국가에서만이 실질적 교섭력을 갖는 유력한 소비자 단체에 가깝다고 볼 수 있을 따름이다. 그렇지만 이들 모든 나라에 있어서 국회라든가 지방 및 도시 수준에서의 대의기관이 어느 정도로 소비자로서의 전시민 측의 '대항력'의 결여를 보충하고 있다.

어떠한 조직화된 생산자 단체가 소비자를 착취한다는 더욱 흉악한 사태는 이렇게 해서 저지될 수 있다. 각자가 또한 소득가득자이고 따라서 이 자격으로 되도록 높은 소득을 얻고자 자기의 이익을 옹호하는 전국적 조직에 가입하기 마련이라는 사실이 이익단체로 조성된 불완전하고 편향적인 체제로 하여금 대중의 의사를 왜곡하는 원인으로 되는 것을 경감하는 데 이바지하고 있는 것이다. 그렇지만 이러한 체제는 내가 제7장에서 논평한 바와 같이 복지국가가 인플레이션적인 추세를 향하는 경향에 대해 전혀 책임이 없는 것은 아니다.

복지국가에 대한 소비자의 관심이 상대적으로 약하다는 것은 국제협조에 대한 시민의 일반적 관심이 약하다고 하는 것을 더욱 잘 이해시키는 하나의 예로 되는 것에만 그치는 것은 아니다. 참으로 이들 두 개의 관심은 서로 밀접한 관련을 가지고 있다.

대체로 자주 국제협력에 대한 일반적 관심을 아주 쉽게 압박하고 마는 특수한 국내적 이해관계는, 비록 전자가 아주 크고 후자가 객관적으로 보잘 것이 없을 때 조차도 생산자와 상인 혹은 노동자가 조성하는 국민적 단체의 이해관계이고, 그 반면에 전시민은 소비자로서 손실을 보게 되는 것이다.

이해의 충돌이 국경을 넘어 퍼져갈 때 이것을 시정하는 힘은 여기서 결여되어 있거나 혹은 적어도 충돌이 개개의 복지국가 내부에 한정되어 있는 경우보다 훨씬 무력하게 된다. 일반적으로 모든 이익단체는 국회 자체가 당연히 국민적인 것과 마찬가지로 국민적인 활동범위를 갖게 된다.

감정적인 비난

이러한 사실에 감정적인 비난이 추가된다. 모든 특수적인 이해관계는 합리적인 한계를 넘어 보호를 요청하기 위한 정당한 구실로서 외국인을 적으로 하는 국민적 단결을 되풀이해서 말할 수 있다.국민의 마음이 국내를 향한다는 ─나는 복지국가의 관습이나 제도적 배경이 그렇게 하도록 조건을 조성하고 있다는 것을 이것으로 설명하려고 했다─은 이미 지적한 바와 같이, 비록 그것이 다만 감정적으로 중립적인 관심을 잃게 된 데에서 생기는 것일지라도 비합리적인 것으로 될 것이다. 그러나 내향성은 명백히 그러한 의미에서 중립적인 것은 아니다.

이 내향성이 진전하면 그것은 국제적 노력에 대해 쉽게 감정을 갖게 되는 대중의 감정에다 뿌리를 박기 때문이다. 그렇게 되면 국민주의적인 모든 정책이 그렇지 않을 때보다도 훨씬 멀리까지 추진될 것이다.

대외관계야말로 사람들이 그들의 억압된 적개심과 공격성에 대한 배출구를 보다 자유롭게 찾을 수 있는 분야이다. 그리고 서구적 세계에 있는 부유국의 복지국가에 있어서조차도 반감에 넘치는 이러한 힘이 무시할 수 있을 만큼 약하다는 환상을 가져서는 안 될 것이다.

반감에 찬 힘은 학교 교육이나 훈련을 남과 같이 받고, 인간적인 곤욕과 모순과 긴장 그리고 꺾인 야심과 억눌린 욕망에 의한 좌절 등을 끊임없이 경험하면서 남과 같이 살고 있는 사람들의 마음속 깊이 간직되어 있는 것이다. 우리들 사회의 어디에서나 범죄란 결코 미덕으로는 따를 수 없을 만큼 매력적인 것이다. 간통을 다룬 소설은 행복한 결혼을 그린 소설이 결코 따를 수 없을 정도로 잘 팔리는 것이다.

통신보도 사업이 평소에 불행하고 흉악한 사건을 열심히 선전할 때에도 물론 그것은 뉴스의 구매자, 즉 일반대중의 수요에 응하고 있을 뿐이다. 가옥이 소진된다는 것은 뉴스가 되며, 특히 누군가의 과실로 된다든가 누군가의 계획적 악의에 의해 일어났을 때 그것은 큰 뉴스가 된다. 국제조직에 있어서의 추문이라든가 과격한 충돌 등은 널리 보도되지만 그 반면에 실제적인 해결에 도달하려는 차분하고 유용한 작업은 너무나 전문적이어서 공중의 관심을 일으키는 일이 없다.

독일 사람은 '타인의 불행을 기뻐하는 마음'이라는 단어가 있으며, 그것은 번역할 수 없는 것으로 보이지만 어느 나라에서나 상당히 일반적인 하나의 심리현상을 의미하고 있다.

사람들은 자기의 마음속 깊이 간직한 이상이나 이러한 두둔하는 사람들에 대해 계속 반기를 들고 있는 것같이 생각된다. 그리스도의 시체를 찢어 죽이는 형벌인 책형(磔刑)이라고 하는 종교적 신화에는 우리들의 사회에 관한 깊은 상징적인 진리가 있다. 즉 이 책형은 국민생활의 모든 곳에서 하찮은 일에서 언제나 일어나고 있다. 사람들이 실제로 자선적(慈善的)이고 관대한 충동적인 행동을 하고 있을 때에도 그들은 그렇게 보이는 것을 부끄럽게 생각하고 일종의 도착된 청교도적 기질에서 협소한 자기의 이익을 옹호하기 위해서만 행동하고 있는 것처럼 보인다.

도처에서 유행되고 있는 부정주의(否定主義) 때문에 이렇게 국민적 이기주의를 가장하는 것이 다른 나라 사람들에게 열렬히 환영받고, 또한 이번에는 이들 측에서 국민적 이기주의에 대한 자극으로서 이것이 이용된다. 이러한 무대장치에서는 무엇인가에 대해 찬성하는 것보다는 오히려 반대하게 된다. 사람들을 일어서게 하거나 합세하게 하는 편이 일반적으로 더욱 쉬운 것이다.

물론 이러한 충동은 국제적 노력 분야 이외에 인간의 노력에서도 또한 작용하고 있다. 모든 나라에서 공적 생활이 불유쾌하게 되는 것에 대한 책임의 대부분은 그러한 충동에 있으며, 또한 많은 나라에서 이를테면 미국에서는 정치를 존경할 만한 가치가 없다고 생각되어지고 있는 사실에 대한 모든 책임도 그것이 져야 할 것이다.

대의(大義)와 이상(理想)을 위해 일어선다는 것—이것은 스스로를 대중의 비난을 받는 표적으로 되게 하는 희생을 의미하며 따라서 많은 잠재적인 지도자는 이것에 말려들어가지 않는 익명주의를 선호할 유혹을 받게 된다. 그리고 이러한 선별과정을 통해 만일 그것이 도를 넘는다면 한 나라의 정치는 철면피적인 이기주의자들의 운동장이 되는 경향이 있으므로 정치 자체는 더욱더 존경을 받기 어렵게 될 것이다. 그렇게 되면 이번에는 이러한 사실이 사람들의 회의(懷疑)를 확인하고 지원하게 될 것이다.

그렇게 되면 제7장에서 본 바와 같이 이러한 예상은 때때로 복지국가에 대해 혐오(嫌惡)를 품는 데에까지 진전하는 것이다. 그러나 국내정치에는 대항력이 존재한다. 거기에서는 보통 실제적이고 특수한 것으로서 사람들이 경험하는 이해관계가 필연적으로 등장하게 된다.

사람들은 이러한 이해관계를 옹호하고 촉진하기 위해 형성된 조직과 운동 및 당파 등에 참여할 수 있으며, 이러한 것들은 더욱 적극적인 문제 접근을 향해서 전진하는 것이다. 모든 문제점과 그것들이 자기들의 후생과 어떻게 관련되어 있는가를 이해함에 따라 사람들은 역시 더욱더 합리적인 의견을 갖게 된다.

국내정치에서는 사람들은 경험과 지식을 모은다. 복지국가의 국민적 통합이 진전하면 할수록, 그리고 정치가 하나하나의 시민에 대해 직접적 및 구체적 이해를 갖는 문제에 초점을 맞추는 일이 많으면 많을수록 그만큼 이바지하게 될 것이다.

그렇지만 대외관계와 관련을 갖는 문제에 있어서는 이러한 긍정적인 힘은 훨씬 약하다. 간혹 그러한 힘이 거의 존재하지 않는 수도 있다. 각 국민적 국가가 더욱 완전한 통합을 급속하게 달성하고 있는 반면에 국제적으로 분열을 향하는 추세를 보이고 있는 세계에서는 이러한 차이가 존재하는 것도 충분히 이해가 갈 만한 것이다.

국내정치에서는 사람들은 당파심이 미치는 범위를 제한하는 데 성공할 수 있다. 즉 국민정책에서 사람들은 '우리들'을 기준으로 생각하거나 느끼게 하는 기본적인 인격 수준을 갖고 있다.

국민적 복지국가는 그것이 국민에 '소속하고 있다는 것'을 느낄 수 있는 사람의 수를 크게 증대시킨 것이다. 그러나 국제관계의 영역에서는─옳건 그르건 나의 나라라고 하는─협소한 당파심을 벗어나 행동하는 기본적인 발판을 확보한 사람은 실로 그 수가 적은 것이다.

편의주의와 불안정성

국내정치에서는 모든 문제가 일반적으로 이해되는 명확한 의미를 가지고 있으므로 사람들은 상대적으로 안전하다고 느끼고 있다. 사람들은 자기 나라의 내부에서 자기들이 잘 알고 있고, 또한 이웃에 살고 있는 시민들이 집단적으로 통제를 하고 있다는 점에서 명확하고 처리하기 쉬운 선택을 할 입장에 놓여진 것으로 느끼고 있다.

그와 반대로 국제정치는 대부분 일반시민이 '우리들의' 통제라고 느끼는 것의 외부에 있는 어두운 운명, 즉 불확실한 공포의 초점으로 되는 것처럼 그들에게는 보이게 된다. 참으로 대외정책에는 하나의 객관적인 불안정성의 요소가 있다. 즉 다른 나라가 장래 일관성 있는 태도와 행동을 취하게 될 것인가에 관해서 합리적으로 예측할 수 있는 가능성이 결여되어 있다.

이러한 가능성이 없으면 국제협력이나 국제교섭을 추진할 때 확신을 갖지 못하게 되는 것이다. 세계관이 이성에 의해 지배되는 일이 적어지면 이 현존하는 불안정성은 주관적으로 얼마든지 확대되어 마침내 회의와 불신에까지 이르게 되는 것이다.

대외관계의 분야에서 여론이 지극히 편의주의적이고 매우 불안정하다는 것은 이러한 배경에 비추어 본다면 이해가 갈 것이다. 이를테면 지난 20년 동안에 일본인·독일인·스페인·유고슬라비아인·핀란드인 혹은 러시아인에 대해 미국의 대중이 취했던 태도변화의 폭을 생각해 보아라.

또한 이 짧은 기간의 모든 시점에서 당시 대중의 의견을 수세기 전까지 소급해서 국민적 성격이라든가 국민사(國民史)라고 하는 어마어마한 용어로 합리화함으로써 그것에 합리성과 항구성의 환상을 주기 위해 미국의 유능한 인사들이 꾸며냈던 산더미 같은 저서와 논문을 회상해 보라.

제2차 세계대전 전과 전시중, 그리고 전후 및 현재의 독일인이나 러시아인에 관한 저작을 상기해 보라. 이들 모든 문헌이 변천하는 태도를 편의주의적으로 합리화 하고자 하는 방대한 노력 이외의 아무 것도 아니라는 사실은 뒤에 이르러 이러한 문헌이 공적인 토론에서 공표가 억제되었고, 저자에 의해 숨겨졌을 때 성의에 의해서도 알 수 있다.

영국과 프랑스 및 스웨덴과 같은 나라에 대한 태도도 고도로 불안정하고 당시의 편의주의적 환상에 대해서 특히 부정적인 방향에 있어서는 극히 예민한 반응을 보이고 있다.

좋아하는 것과 싫어하는 것은 다른 나라의 정치체제에다 초점을 맞춘 것이지 국민 자체를 향한 것은 아니며, 국민은 인민으로서 언제나 마음에 들게 될 것으로 생각한다는 것은 때때로 말해지지만 그것은 허위의 구실이다. 왜냐하면 각 시점에서는 모든 종류의 정치체제가 마음에 드는 나라와 마음에 들지 않는 나라 사이에서 나타나고 있기 때문이다.

냉전이 진전함에 따라 특히 이 점에 있어서는 사람들은 너무 차별하지 않도록 규제받고 있는 것이다. 적절하다고 느껴질 때에는 어떠한 정치체제도 관대히 다루어지거나 혹은 환호로서 받아들여지기도 하다. 과거 수십 년에 걸쳐 대중의 평가에서 특히 심한 기복을 경험하게 된 나라 중에 그 정치체제가 여전히 같은 것으로 남아 있는 몇몇 나라가 있다. 핀란드·소련·유고슬라비아 및 스페인을 열거하는 것만으로도 충분할 것이다.

여론조사에서 상대적인 호감과 반감이 이렇게 동요된다는 비합리성은 다음과 같은 흥미 있는 사실, 즉 추측하건대 외국인의 생활상태와 특질이라고 하는 객관적 사실에 관한 사람들의 소신은 감정과 밀접한 상관관계를 가지고 변화하여 이리하여 이번에는 감정이 지적인 지지를 받고 있는 것과 같은 외견을 갖게 한다는 사실에 의해서 밝혀진다.

외국에 대한 공중의 태도에서 보여주는 이러한 불안정성과 편의주의가 심리학자에 의해 보다 주의 깊게 연구되고 그 성과가 광범한 선전에 의해 역설된다면 그것은 이성에 호소하는 바가 클 것으로 믿어진다. 이것에 관한 지식은 현대사 과정에서 필수로 다루어야 할 것이다. 지난날의 어리석음을 깨우쳐 준다면 사람들은 다소라도 진정될 것이고, 또한 오늘날의 옹고집도 완화될는지 모른다.

교회에서의 예배, 그밖에 공중집회에서 대외관계 분야의 왕년의 의견을 일반적으로 숙고하기 위해 조용한 시간을 가지는 것도 유익하리하고 생각된다. 그러나 조사연구나 그 밖의 지적 연습만으로 고도의 합리성과 감정적 안정을 쉽게 이루게 된다는 가능성을 과대시해서는 안 될 것이다. 그러한 어리석은 것들을 빼앗기는 것을 대중은 아주 원망스럽게 생각한다.

나는 일반대중을 비난하기 위해 이러한 말을 끄집어내고 있는 것은 아니다. 그것은 민주주의자를 향해서는 무의미한 기도일 것이다. 왜냐하면 민주주의자는 달리 제안할 수 있는 어떠한 정치적 권위도 가지고 있지 않기 때문이다.

내가 확증하고자 하는 것은 단지 하나의 중요한 사실, 즉 사람들의 태도는 국제문제는 국내문제에 관해서보다 아주 크게 불안정하고 훨씬 냉정하며 현실성과 신뢰도를 잃고 있다는 사실 그것이다.

이것은 다음과 같이 설명할 수 있다. 즉 복지국가는 여러 개의 사회가 긴밀히 통합된 것이고, 그것에서는 사람들이 굳게 세워진 모든 관계 속에 살게 되어 구체적인 이해관계를 객관적으로 잘 알고 있는 충분한 평가를 하고 있으므로 그들의 생각은 매우 현실적이고 합리적인 통제를 받고 있는데 반하여, 국제관계는 이와 달리 무정부적이고 따라서 사람들의 태도를 윤리나 구체적 지식 속에서 합리적인 논거를 찾지 못한 채 떠돌게 하고 있는 것이다.

위험성은 바로 여기에 있다. 왜냐하면 서구적 세계의 민주주의 모든 국가에서의 대외정책은 국내정책과 꼭 같이 여론에 의존하고 있으며, 이것은 특히 미국에 타당하기 때문이다. 사실 대외정책은 여론에 의존하는 바가 더 크다. 그 이유는 통합된 복지국가에서는 국민정책의 대부분은 입법과 행정에 의하는 것은 물론이거니와 여러 조직단체가 널리 계층적으로 얽혀 있는 망상(網狀)조직의 활동양식에 의해 결정되기 때문이다.

이것은 변화를 구하고자 하는 단기적 충동에 저항하는 제도적 타성을 상당히 높게 할 것이다. 이리하여 모든 이해당사자의 발언이 경청되어야 할 뿐만 아니라 그들이 의견을 고집하는 것도 인정되어야 한다는 것이 일반적으로 당연시되고 있으며, 나아가 또한 보건개혁안을 비롯하여 사회보장입법이라든지 주택정책이라든지 무엇이든 간에 이것과 유사한 중요성을 갖는 정책에 변화를 가하는 데에는 많은 집약적인 준비와 계획이 선행되어야 한다는 것이 일반적으로 당연한 것으로 생각되고 있다.

장래에 대한 중요한 공약으로 가득 찬 대외정책의 입장을 취한다는 것, 혹은 그렇지 않으면 모든 외국과의 관계를 근본적으로 변경한다는 것, 혹은 군대를 세계의 먼 구석구석까지 파견한다는 것, 혹은 선전을 포고한다는 것과 같은 일은 실제로는 실현하기가 훨씬 간단하다. 그와 같은 일은 명백히 순간적인 충동으로 이루어지게 되는 것이다.

대외관계의 어느 영역에서는 대규모의 연구진이 외무성을 위해 집약적인 예비연구를 계속하고 있다고 알려져 있을 때마저도 그러한 연구는 일반적으로 실제로 취해지는 결정에 큰 영향을 주고 있는 것 같지 않다. 그렇지만 여론의 동향은 모든 민주적 정부에 대해서는 언제나 중요하다.

적개심과 침략성

우리들이 여기에서 다시 상기하지 않으면 안 되는 것은 대외관계에서 사람들의 태도의 동태에 전진력을 주는 것이 그들의 가장 이성적이고 현명하고 또한 가장 박애적인 인간성은 아니라는 것이다.

이미 지적한 바와 같이 그러한 대외문제는 사람들에게 보통 언제 나타날지 모르는 적개심과 전략성과 같은 감정에 내맡겨져 있는 것이다. 거의 누구나 한꺼풀 벗겨보면 대외 강경론자이다. 알제리아 논쟁이 프랑스에서 인기를 끌고 알제리아인에 대한 증오감이 프랑스에서 다달이 높아가고 있다는 것은 슬픈 사실이다.

1956년의 수에즈 침공은 프랑스에서 뿐만 아니라 영국에서도 광범위한 국민대중에 의해 널리 받아들여졌다. 그렇지만 영국에서는 보수당이건 노동당이건 가릴것 없이 지식계급은 일반적으로 그렇지 않았다. 이로부터 2년 뒤에 보수당 정부의 요르단 파병정책을 비난했을 때 하원에서 노동당의 반대가 아주 신중했던 것은 주로 일반민중이 갖는 대외 강경주의에 대한 이러한 경험이 있었기 때문이었다.

프랑스와 영국 국민은 큰 나라로서의 지위를 점진적으로 잃어가고 있는 과정에서 스스로를 조정하지 않으면 안 되겠다는 특히 좌절감을 느끼게 하는 상황에 놓여 있다. 그들이 직면하는 심리적 및 도의적인 모든 곤란은 스웨덴인에게는 쉽게 이해될 수 있다.

스웨덴인은 자기 나라가 일찍이 구주대륙에다 군대를 주둔시키고 있었지만 드디어 약 3세기 반 전에 결정적 패배를 당하게 되었고, 그 후 오랜 고난에 찬 조정과정을 거친 뒤에야 비로소 행복한 국민국가로서 등장되었다는 경과를 기억하고 있기 때문이다. 그러나 고난은 고사하고 현재 공교롭게도 권력순환의 상승국면에 있는 미국의 아이젠하우어 대통령의 인기투표는 그것이 몇 가지 이유 때문에 오랫동안 하락일로에 있었던 것이, 1958년 가을에 그가 레바논에다 해병대를 상륙시키고 나아가서는 또한 미국의 권세가 동지중해에까지 미치고 있다는 것을 과시하기 위해 그 근처에다 제6함대를 집결시킬 것을 결정하게 되자 돌연 상승했다. 그렇지만 극동의 사태가 참으로 험악하게 되었을 때는 미국 국민이 공포에 떨어 정부를 경계하게 되었다는 것도 또한 잊어서는 안 될 것이다.

아이슬란드 정부가 주권이 미치는 범위를 해상 3마일이 아니고 12마일까지로 확장했을 때 그것은 거국일치의 지지를 받았지만 이와 같은 것은 영국 정부가 아이슬란드의 움직임에 공공연히 반항하여 새로운 제한 수역 내에 아이슬란드의 정책을 무시하고 해군 구축함의 호위를 받은 영국의 트로올선을 파견했을 때에도 영국 국민으로부터 볼 수 있었던 것이다.

자기 나라의 이익이나 권리를 위해 궐기한다는 것과, 자기 나라를 방해하는 나라에 대해서 강경책을 취하는 것은 국민적 활력과 미덕을 나타내는 것으로서 일반적으로 환영을 받게 되는 것이다.

외국이 자국 정부와 이해의 충돌, 혹은 의견상의 충돌을 갖는 경우에 어떤 외국에 대해서도 동포가 서로 다투어 반감을 표명하거나 위협과 비난을 서로 주장하는 것은 개인이 주관적으로 동일 국민에 '소속되어 있다는 느낌'을 주장하는 것은 개인이 주관적으로 동일 국민에 '소속되어 있다는 느낌'을 경험하는 것을 실제로 증가시키는 것이다.

그러한 태도는 일반적으로 국민의 결속력이라고 생각된다. 그것은 애국심으로 가는 지름길의 하나이다. 이러한 환경에서 활동하고 있는 정치가는 선량하고 책임감이 있을지라도, 자기의 권력을 증대하고 자기의 정책에 대한 대중의 지지를 획득하는 수단으로서 공격을 국외로 돌리게 하는 용이한 책략을 이용하고자 하는 감정에 몰리는 일이 빈번히 일어나고 있음에 틀림없다. 더욱이 같은 메커니즘이 국경의 저쪽에서도 작용하고 있는 것이다.

여기서의 이들 예는 최근의 역사에서의 보다 극적인 사건으로부터 선택한 것이다. 그러나 일반 재정정책이나 상업정책과 같은 보다 세속적인 문제에 관해서도 같은 힘이 작용하고 있다. 이를테면 미국의 보호주의나 이민정책이 감정적 국민주의의 강한 모든 요소와 관련되어 있다는 것은 이미 논증한 바와 같거니와 실제로 그것은 누구에게도 명백한 사실이다.

산업이나 해운에서의 카르텔의 분야에서 이루어지는 국제적 협동행위, 혹은 상품 가격의 안정을 위한 국제협력, 혹은 국제무역기구의 설립에 이르기까지 이러한 것들에 대해 참으로 반대할 독자적인 이유를 갖는 특수 이익단체가 비합리적인 국민주의에 호소함으로써 대중의 지지를 획득하는 데 성공할 수 있다는 사실도 또한 부정하지 못한다.

국민경제 관계에 있어서 옹졸함과 의심성이 존재한다든가 혹은 국내에서 그와 같은 국민주의적 태도를 의식적으로 창출한다든가 하는 것은 사실상 단기적으로는 명확한 전술적 이익을 자주 가져오도록 하는 것이다. 다른 나라의 장부와 교섭을 진행하고 있는 정부는 만일 그와 같은 국민주의라는 선전약을 여분으로 한 첩 더 먹게 함으로써 그 배후에다 국민을 결속시킬 수 있다면 그 자신의 교섭을 강화하게 될지도 모른다.

국내에서의 국민의 비합리성은 그것이 비활동상태에 있을 때마저도 국제교섭을 하는 데 도구로 이용할 수 있는 것이다. 이러한 기회는 미국 정부에 대해서는 특히 편리한 형태로 출현한다. 즉 미국 정부는 미국에서의 기묘한 헌법상의 결정에 의해 반드시 국회의 신임을 획득하는 것도 아니고 어떠한 특수문제에도 국회의 지지에 의존하는 바가 특히 적다.

전술상 도움이 되는 경우에 미국 정부의 교섭 담당자는 미국의 의회나 여론을 실제로 그러한 것 이상으로 비합리적인 것으로 만들고자 하는 유혹에 빠지는 일이 흔히 있는 것이다. 이것은 미국 당국과 교섭해 본 일이 있는 사람은 누구나 경험했을 것이다.

더욱 일반적으로 국민의 비합리적인 충동에 호소하고자 하는 유혹은 쉽게 거역할 수 없는 것임에 틀림없다. 여기서 어느 정부가 상당한 재군비, 혹은 장래의 동맹국에 대한 다액의 보조금에 대해 충분한 이유가 있다고 가정해 보자.

시민에게 이에 따르는 세 부담의 증가를 납득시키는 수단은 시민을 합리적으로 타당한 것 이상으로 공포에 몰아넣고 또한 객관적으로 정당한 것 이상으로 외적에 대한 증오를 크게 하는 데 있다. 정부가 약할수록, 정부가 반대당에 의해 공격을 받을수록 그리고 그 국민이 역사적으로 평화시에 군비를 하거나 군사동맹을 형성하는 것을 반대할수록, 그만큼 이러한 책략을 이용하고자 하는 유혹은 강하게 되는 것이다.

그러나 이러한 형의 모든 고의적인 선전에 따르는 또 하나의 불이익은 그러한 선전을 끊어야 할 때에도 쉽게 끊을 수 없다는 것이다. 게다가 정직한 사람이 일반대중을 향해 선전을 하다 보면 반드시 자신도 모르게 적어도 부분적으로나마 점차 믿게 된다.

자기가 믿고 있는 이상 이것을 주면 최종적으로 그는 최초에 믿고 있었던 것 이상을 믿게 될 것이다. 그는 선전을 하인으로서 선택했지만 이제는 선전이 그의 주인으로 되어 있다. 이것은 지도권을 부분적으로 포기하는 것과 다름이 없는 것이다.

나는 여기에서 책임 있는 정치가에 의해 실천되고 있고, 정직한 동기를 갖는 정치에 대해 언급했던 것이다. 이미 흔히 겪어왔던 바와 같이 편동정치가에 대해서 다른 국민에 대한 적의를 부채질할 수 있는 가능성을 잘 이용한다는 것은 명성과 대중의 지지, 그리고 권력에 쉽게 도달할 수 있는 길이 된다.

또한 그것은 사람들의 눈길을 돌리게 하여 국내 개혁의 추진을 강요하지 않게 하는 데 이용될 수도 있다. 이러한 이유로 말미암아 어떠한 나라에서도 침략적인 대외정책을 지지하는 것이 자기에게 유리하다고 생각하는 기득권익집단이 존재한다.

1, 2차 세계대전간의 기간에 생겨났던 일반적으로 미국식 틀에 박힌 집단과는 달라서 이들 이익단체는 무기제조업자의 이해집단보다도 그 수가 많다. 외국의 경쟁으로부터의 보호를 주장하고 있는 각 특수 이익단체는 국민적 이익을 가장하고, 또한 외국인에 대한 의심과 반감을 유포시킴으로써 대중의 지지를 얻을 수 있는 것이다.

국제적 이상

서구형 민주주의에서의 경제정책은, 국민의 사고방식에 작용하는 모든 힘의 배경을 떠나서는 현실적으로 분석될 수 없다. 내가 지금까지 사람들의 태도가 국민주의적 편견으로 기울어지는 비합리적인 경향에 대해서 뿐만 아니라 일반적으로 작용하고 있는 부정적인 감정적 충동에 대해서 언급하게 된 것도 이 때문이다. 더욱이 비합리적인 경향은 현대복지국가의 제도적 구성에다 뿌리를 내리는 동시에 그것이 외국인에 관한 문제에 대해서는 무감정하리만큼 관심을 나타내지 않을 때에 있어서까지도 엄존하고 있다. 그러나 국제적 이상과 외국인과의 연대감도 역시 사회적 현실의 일부이다.

인간은 모두가 평등하고 국제관계는 우애와 서로의 이해에 입각해야 하며, 서로의 이익을 위해 협동한다는 것은 서구적 문명의 본질적 요소인 사상이다. 이러한 사상은 이 장 그리고 앞의 여러 장에서 분석해 왔던 각 복지국가의 상황을 이루는 모든 사실에 의해 상당히 옆으로 밀려나고 있다. 그렇다고 해서 이것은 이러한 사상이 아주 무력하다는 것을 의미하는 것은 아니다. 그러므로 시류(時流)를 전환시키고자 하는 우리들의 희망은 결국 국제적 이상이 모든 나라에서 일반 인민을 사로잡는 힘을 강화할 수 있는 가능성에 달려 있다.

고정된 집단에 속하는 나라의 경우, 외부에 대해 갖는 공통된 반감을 흔히 자기 나라의 집단 내에서 보다 큰 결집을 가져오는 수단으로 이용할 수도 있는 것이다. 이리하여 거수의 통합과 그것에 대한 미국의 자금적 원조도 공산주의에 대항하는 전선의 강화를 위한 수단으로서 널리 이용되고 있다.

이미 지적한 바와 같이 어떤 것에나 찬성하는 것보다는 반대하는 것에 단결되기 쉬운 것이 인간의 일반적 특질이다. 이와 마찬가지로 저개발국 원조도 냉전하에서는 그들의 공산주의화를 저지시키고 서구적 블록과 공동전선을 펴거나 적어도 중립으로 멈추게 하는 수단으로 권장되어 왔던 것이다.

여러 나라들의 반공불록을 형성하고 그것을 유지하기 위해서는 냉전에 따르는 긴장의 열기를 고수준에 두는 것이 계속 필요하다고 느껴지게 된다. 이 같은 세계적 분쟁에서 상대측에서도 동일한 필요를 느끼기 마련이다. 이처럼 쌍방이 갖는 필요성에 대처하기 위해 부정적인 형태이지만 거의 완벽한 협력이 두 개의 권력블록 간에 전개되었다.

각 블록은 상대 블록이 그 정책에 의해 이쪽의 구성국 간에 결의와 단결을 채찍질하고, 또한 구성국 간의 동맹이 불가피한 이유를 제시해 주는 것에 언제나 의존할 수 있었다. 이처럼 두 진영이 서로 상대편을 필요로 하는 사태는 최근 어느 편에서도 이를 겪는 일이 별로 없었다.

주지하는 바와 같이 스탈린은 서구적 경제협력기구로부터 북대서양조약기구에 이르고, 나아가서는 반공제동맹의 형성과 강화에 크게 공헌한바 있으며, 그 후계자들도 이 점에 있어서 반공국제협력의 모든 조건을 대폭적으로 변화시키지는 않았던 것이다.

이것은 러시아의 국내 정세에 비추어 관찰되어야 할 것이다. 어떠한 러시아 정부도 그 국민 앞에서는 평화의 투사로서 나설 필요가 있다. 그러나 러시아 정부도 그 서구적인 적대국과 마찬가지로 광대한 제국의 국내적 결속을 유지하기 위해서 세계 긴장을 너무 저조하지 않게 지속시키는 방편을 잘 이용할 수 있는 것이다. 러시아의 문화적·정치적 및 경제적 발전이 현 단계에서는 생활수준, 특히 교육수준이 높아지고 있으므로 이것은 특히 초유의 긴급사로 되어 있다.

'비스탈린화'의 과정은 저지할 수 없는 심원하고 광범한 사회적 추세이며 이 과정을 저지하고자 원하는 지도자는 거의 없을 것이다. 그러나 그것들은 모두가 이 과정이 소련체제와 소련권 모든 국민의 정치적 결합에 대해 물론 고유한 위험이 있다는 것을 자각하고 있다. 이들 지도자는 확실히 소련권 내에 동구의 위성국가들을 묶어두고 또한 소련권 전체의 경제적 통합을 추진하기 위해서도 세계적 긴장을 필요로 하고 있다.

이러한 목적은 냉전이라는 사태가 없었더라면 거의—확실히 그만큼 효과적으로는—충족될 수 없었을 것이다. 소련권 국가들의 국내 통일을 위해서도 또한 이들은 서로 굳게 결합시키기 위해서도 소련권 국가들의 지도자들은 소련권의 주위에 있는 미국의 군사기지를 최대로 선전하는 것이 크게 이익이 된다고 생각함에 틀림이 없다. 그들은 미국 그리고 서구 그 밖의 다소라도 자발적인 미국의 동맹국 등이 채용하고 있는 제한적 통상정책으로부터도 마찬가지의 정치적 이익을 얻게 되었던 것이다.

경제적으로 이러한 모든 정책은, 소련권 국가에다 도리어 추가적인 자극과 긴박감을 줌으로써 당시의 세계적 상황에서는, 어떻든 소련권 국가들에 대해 유리했음이 확실한 전략물자와 설비의 생산을 자급자족하고자 노력하게 한 것을 제외하고는 결코 중요성을 갖지 못했다. 그러나 수출 금지품의 목록은 극히 광범위한 것이므로 이러한 제한적 통상정책은 위성 각국이 경제발전에 중요한 수입품의 거의 전부를 위성국 상호간이나 소련에 의존하지 않을 수 없는 상태에까지 몰아넣었던 것이다.

서구적 정책이 가져온 이런 결과와 스탈린이 '두 개의 시장'이라고 불렀던 것에 대해 선전이 이루어졌으므로 소련 진영의 모든 국민에다 자기들이 고립화되어 있다든가 나머지 세계가 자기들에게 적의를 가지고 있다든가 하는 걱정을 자아내도록 했던 것이다.

　중국에서는 미국인에 대한 비장하고 끝없는 증오가 가혹한 공산주의자의 지배하에서 국민통일을 위한 유력한 수단으로 되어 왔음은 물론이고, 또한 국제연합으로부터의 중국의 제의에 관해서도 말할 수 있다. 따라서 국제연합으로부터의 중국의 제의는 더욱더 공산주의자들에 대해 유리하다는 것이 판명되고 있다.

　순환적인 누적적 인과관계가 연속하는 데 있어서 이러한 세계적 분쟁에 따르는 한편의 공격적 혹은 방어적 방책은 어느 것이든 상대편이 그것과 같은 방향으로 가는 것을 정당화했던 것이다. 그리고 한편에서 어떠한 일이 꾸며져서 그것이 상대편에 보다 긴밀한 결합을 위해 노력하는 구실을 주게 되었다.

　서구적 세계에 관해서 말한다면 공동의 적으로부터 중대한 위협이 오고 있다는 것에 대한 걱정이 때로는 이 집단 내에 그러한 걱정이 없었을 경우보다 더욱 국제적 통일을 추진시키는 힘이 되었다는 것은 부정할 수 없다.

　미국의 국회의원이나 미국의 국민이 공산주의와 싸우고 있다는 생각이 없었다면 서구적 국가에 대한 마아셜 플랜에 미국의 의회가 그처럼 서슴지 않고 동의하지는 않았을 것이다. 그리고 같은 이유로 약간의 저개발국이 보다 많은 자금 원조를 획득했다는 것은 숨길 수 없는 사실이다. 그러나 좋은 일이 어떠한 동기에서 이루어지는가를 안다는 것도 매우 중요하다.

외부 집단에 대한 불신과 공포, 그리고 적의와 같은 부정적인 감정에 기초를 두고 있는 국제주의는 편의주의적인 지름길이기는 하나 국민주의라는 깊은 뿌리와, 따라서 국제적 분열에 이르는 비합리적인 동기를 너무 많이 지니고 있다. 결국 서로 아끼는 것이 관련자 모두에 대한 공통의 이익이 적극적으로 된다는 이유에서 우리들은 모든 국민이 국제적 관심을 갖도록 교육하지 않으면 안 된다. 이것만이 믿을 수 있는 유일한 기초다. 일반 사람들은 흔히 지도자들이 생각하고 있는 것보다 개화되어 있을지도 모른다.

나는 최근 고국을 방문했을 때 저개발국의 긴박한 궁핍에 대한 진지한 관심이 저류를 흐르고 있다는 것을 의외로 생각한다. 그들의 대중운동, 특히 부인이나 청년을 위한 대중운동에서 저개발국에 대한 스웨덴의 자금적 원조를 현재보다도 몇 배나 증대시켜야 한다고 요구했다. 그리고 최근 핀란드의 나머지 전시 채무가 결제되었다고 발표되었을 때 부채의 일부는 면제되었지만 부유한 스웨덴 측이 너무나 인색하다는 빗발치는 비판이 있었던 것이다.

이러한 여론의 전개는 결코 정당으로부터 요청된 것도 아니었고, 그물처럼 퍼져 있는 자기들의 조직 내에서 활동하고 있는 사정에 정통한 보통 사람들의 반응을 아주 잘 나타내고 있는 것이다. 결국 정책은 대중에 의해서 결정되는 것이므로 이러한 전개는 확실히 중요하다 할 것이다.

그런데 스웨덴에도 물론 책임 있는 국회와 정부가 있으며, 그것들은 다른 모든 나라에서와 마찬가지로 예산상의 모든 국란(國亂)과 싸우고 있는 것이므로 대중이 보다 큰 아량을 요구할지라도 오직 그 요구는 부분적으로 또한 시간적으로 상당히 뒤늦게 충족될 따름이다. 노르웨이·영국·미국 그리고 아마도 모든 부유한 서구적 국가에서도 동일한 전개를 여론의 특정 부분에서 볼 수 있었던 것이다.

종전 직후의 영국 노동당 정부의 대외정책은 고(故) 어니스트 베빈(Ernest Bevin)의 영도하에서는 국제주의적인 고려에 대해서 그다지 관심을 보이지 않았다. 당시 발족을 보게 되었던 정부 간 국제기관에서 언제나 양국은 명백히 소극적인 역할밖에 하지 않았다.

실제로 그 정도는 이들 국제기관이 보수당의 정권 장악을 보고 처음에는 안도감을 느끼게 하였다. 그렇지만 지금은 야당—이 때문에 여론에 더욱 민감하게 된다—의 입장에 있는 노동당은 국제협력을 강화할 목적으로 정부 간의 국제조직을 지지하고 이용한다고 하는 대담한 정책을 받드는 자세로 변한 것이다. 국제 원조의 분야에서 노동당은 저개발국에 자금원조를 주기 위해, 전혀 정치적인 끈을 달지 않고 국민소득의 1퍼센트를 제공하려는 계획을 제안하고 있으며, 유전 사용료로서 '중동개발기금'을 설치할 것을 권장하고 있다.

이러한 착상은 정치를 담당하는 책임을 갖지 않는 야당이나 혹은 여당을 지지하지만 권력의 자리로부터 멀리 떨어져 있는 사람들에게는 아주 떠오르기 쉬운 착상이다. 그렇지만 만일 그들도 부유한 나라의 정부가 저개발국에 대한 대규모의 자금원조 계획을 추진할 용의가 있다면 대중으로 부터의 지지를 얻는 데 부족하지 않을 것이라고 하는 나의 견해를 확실히 인정하게 될 것이다.

그 밖의 국제적 경제협력에 관한 모든 문제는 대개는 민심에 호소하는 바가 적다. 특히 통상적인 재정정책이나 통상정책과 보다 직접적으로 관계되는 문제라든가, 그리고 복지국가의 국민적 규제와 교섭의 타결 및 제한 등에 관련되는 문제 등이 그러하다.

이러한 문제에 있어서 고유한 국민주의가 전면에 나타난다. 그럼에도 불구하고 나는 확고하고 그리고 지속적인 교육운동이 좋은 성과를 가져오지 못한다고 생각하지 않는다. 모든 곳에서 확장과 진보를 가능하게 하는 국제주의의 성장을 찬성하는 입장의 장점은 결국 그것이 합리적이고 또한 각자의 이익이 된다는 데 있다.

경제적 국민주의는 비합리적이며 그것이 전진할수록 더욱더 비합리적으로 된다. 경제적 국민주의를 그대로 놓아둔다면 누구에게나 손해를 끼치게 된다. 혹은 적극적인 방법으로 말하면 국제적 타협의 합의에 도달한다면 국제조직의 직원은 누구나 거기에서 생기는 총체적인 공통이익이 개개의 정부가 최후까지 반대하며, 도박에 걸었던 액수의 총계보다도 의심할 여지없이 몇 배나 크다는 것을 증명할 만한 많은 사례를 자기의 체험으로부터 얻어올 수 있는 것이다.

합의를 본 자세한 조건과는 아주 무관하게, 광범한 영역에 걸쳐 당사국의 모두가 전보다는 유복하게 되었을 것이다. 흔히 있는 일로서 합의에 도달하지 못했을 때에는 교섭 담당관이—그 자체가 그 나라의 여론에 의존하는 본국 정부의 지령에 따라—편협하고 비합리적인 국민주의적 정신으로 행동했다는 사실이 그렇게 만든 것이다.

국제주의자가 사물의 논리 혹은 인간의 본성에는 국제협력을 더욱 촉진시키는 것을 불가능하게 하는 일은 없다라고 주장한 것은 옳은 생각이다. 참으로 모든 분쟁의 건설적 해결이 실행가능하다는 것은 개개의 복지국가의 내부에서 경제문제가 공적으로 토론될 때의 하나의 전제인 것이다.

이것은 국제적으로도 꼭 같이 진실이어야 한다. 국제적 분야에서는 더욱 아량을 베푸는 것이 합리적이고, 또한 실제로 모든 당사국에 대해 크게 이익이 될 것이다. 보다 고수준의 경제협력과 국제교섭을 갖지 않는다는 것이 비합리적이어서 모든 나라에 큰 손해를 끼친다는 것은 우리들이 다음과 같은 희망을 가질 수 있는 근거로 되어 있다. 그것은 합리적인 타협의 협정을 거듭하면 누적적 효과가 생길 것이고, 그 효과로부터 보다 긴밀한 국제적 통합이 출현하게 되므로 그러한 방향으로 점차 국제적 추세를 돌려 그 방향을 굳게 할 수 있다는 희망이다.

그렇지만 그동안 우리가 겪게 되는 국제적 위기가 국민주의적 정책에 지나치게 의존하지 않고 처리될 수 있다는 것과 부단히 연속되는 위기에 대한 국민의 반응이 너무나 여러 번 좌절과 공포, 상호적대, 그리고 유치(幼稚)한 국민주의 등에 되돌아가지 않도록 방어될 수 있다는 것 등이 이러한 희망의 조건으로 되어 있다.

제12장 저개발국에서의 경제적 국민주의

보다 넓은 전망

지금까지의 논의는 서구적 세계의 부유국에 집중되어 왔다. 그리고 그런 나라들의 상황과 정책은 본서의 주제로 되어 있는 것이다. 저개발국의 특이한 사정과 특수한 문제는 지금까지 젖혀 놓았던 것이다. 이러한 서술방법은 이들 부유한 나라의 국제경제 관계에 대해 보도기관과 의회에서는 물론이거니와 전문적인 문헌에서도 흔히 볼 수 있는 접근방법과 궤를 같이 하는 것이다. 주된 관심은 이들 상호간의 무역관계와 환(換)관계이다.

관심에 어느 정도로 이와 같은 한계가 있다는 것은 또한 합리적인 동기를 가지고 있음을 말해 준다. 부유한 서구적 세계에 살고 있는 모든 국민은 오직 전체 인류의 일부분에 지나지 않는다는 것이 사실이지만 그들은 세계경제에 대해 지배적인 영향력을 가지고 있다.

인구를 기준으로 한다면 이 집단에 속하는 국민은 비소련적 세계의 6분의 1을 약간 넘지만, 그 반면에 그들이 총생산고 및 총소득에서 차지하는 비율은 약 4분의 3이며, 또한 총 투자액을 기준으로 한다면 그것보다도 훨씬 높아, 아마 10분의 9 정도는 차지하지 않을까 생각된다. 이들 나라가 세계의 금융과 해운 및 통상의 대부분을 지배하고 있다.

실제로는 이러한 숫자가 가리키는 이상으로 지배하고 있는 것이다. 왜냐하면 저개발국의 자본이동 및 무역으로 계상되는 상당 부분이 부유한 나라의 사업 관계자에 의해 세밀하게 관리되어 있는 경제적 엔클레이브가 행하는 거래를 기록한 것이기 때문이며, 더욱이 이들 엔클레이브는 그것이 위치하고 있는 나라의 경제에 보다 완전하게 통합되어 있기 때문이다.

이러한 엔클레이브는 별개로 하고 이들 부유한 나라의 집단에 있는 어느 나라를 보더라도 동일집단 내의 다른 나라들과의 경제적 거래는 세계의 나머지 전체와의 거래보다도 양적으로 훨씬 큰 것이다.

그들 부유한 나라가 자기 나라의 모든 관계를 규제하는 방법은 자연히 저개발국에 대해 극히 중요한 것으로 되지 않을 수 없다. 그러나 부유한 나라는 부의 힘을 가지고 있다. 그들 부유한 나라는 부유국 상호간의 통상적 및 금융적 모든 관계에 대해 그리고 상당한 정도까지는 그들과 저개발국과의 관계에 대해서도 자기들 마음대로 자유로이 행동할 수 있다.

저개발국들은 대체로 그들 부유한 나라의 모든 정책에 어떠한 방법으로든지 자기를 적응시키게 되어 있다. 적어도 그러한 일반적인 금융관계와 통상관계만을 고려하고, 또한 그러한 모든 관계에 대한 보다 넓은 정치적 구조의 현상을 그대로 시인할 경우에 거기에서 볼 수 있는 상태인 것이다.

부유국이 경제적으로 보다 긴밀하게 통합하는 것이 왜 저개발국의 이익이 되는가 하는 데에는 일반적인 이유가 있다. 그 통합은 경제적 안정과 확대를 전제로 하고 동시에 그것들을 조장하게 될 것이다. 그리고 그것은 부유국에서 경제적 국민주의의 약화가 일어나지 않고서는 거의 생겨나지 않을 것이다.

통합은 또한 국제적인 계획과 협조 및 교섭을 위한 기구의 강화를 의미할 것이다. 그와 같은 전개는 부유한 나라를 일부의 억제로부터 해방시켜 저개발국과의 관계에 대한 모든 문제에도 적극적으로 건설적이면서도 대규모적인 해결책을 찾게 할 것이다. 부유한 나라 상호간의 경제통합은 그 자체만으로 저개발국을 해치고 있는 많은 분별없는 국민주의적 정책을 철폐시키거나 수정하는 것을 의미한다.

이러한 사태는 물론 부유한 나라 상호간에 그리고 부유한 나라와 아직도 남아 있는 그 식민지적 종속국과의 사이에 새로운 통로가 열리게 됨에 따라, 여러 가지의 장애가 세계의 모든 빈곤한 나라에 대해 불리한 상태로 지속되지는 않을 것을 전제로 하고 있다.

만일 저개발국의 정부가 그들의 이익을 주장하는 데 지나치게 겸손하지만 않다면 이러한 전제는 실제로 일어나는 사건에 의해서 그 정당성이 증명될 어떠한 기회를 갖게 될 것임에 틀림없다. 부유한 나라의 경제적인 안정과 확대, 그리고 이들의 경제적 국민주의의 필연적 약화라는 일반적인 환경 아래—그리고 이번에는 그 약화는 부유한 나라의 보다 긴밀한 경제통합의 결과로서, 그리고 그 통합이 암시하고 있는 정부 간 협력기관의 작용개선에 의해서도 가속화 될 것이 틀림없지만—당연히 기대되는 것은 보다 넓은 지역에 걸친 통합을 향하는 추세이다. 실제로 부유한 나라로 이루어진 부분적 구세계사회가 재통합에 성공하는 경우, 결국 여기에서 이익을 보게 되는 나라는 주로 저개발국이라고 말할 수 있을지도 모르겠다.

결국 이렇게 저개발국의 이해관계를 보다 넓은 안목으로 관찰할 때 비로소 우리들은 세계에서 부유하고 작은 부분을 차지하고 있는 복지국가의 국민적 모든 정책을 양립하도록 더욱 개선하는 데에는 어떠한 방법이 가능한가에 대한 중요성을 올바르게 평가할 수 있게 된다. 만일 부유한 나라만이 세계에 존재한다면 부유한 나라가 거리낌 없이 저개발국에 있는 대다수의 인류—그리고 냉전과 소련권의 모든 국민 및 모든 국가—를 무시할 수 있다면 그와 같은 접근을 요구하는 압력은 그다지 필요하지 않을 것이며, 또한 그렇게 긴급하지도 않을 것이다.

서구적 세계에서는 그곳에 살고 있는 사람들의 생활이 부유하고, 언제나 더 유복하게 되고 있으므로 국제적 통합이 불완전하다는 것은 충분히 참을 수 있다. 상이한 나라의 정책 사이에서 생기는 모순도 그와 같은 이해의 국제적 충돌이라는 큰 위험으로 가득 차 있지는 않을 것이다.

저개발국의 계획화 문제를 보다 집약적으로 다룬다는 것은 본서의 범위 밖의 문제이다. 이하에서는 간단히 저개발국이 새로이 전쟁에서 얻은 독립과 그러한 새로운 조건하에서 이루어지는 그들 나라의 국민정책이 갖는 국제적인 의미관련에 대해 언급하려고 하지만, 그것은 세계적인 제도적 배후에 관해서 하나의 전망을 좋다는 제한된 목적에 이바지하게 될 것이다.

이러한 세계적인 배경 속에서 서구적인 부유한 나라의 국민경제 계획으로의 추세는 현재 진전되고 있으며, 적어도 추세에 대한 판단이 현실적으로 되려면 그러한 배경 속에서 판단되지 않으면 안 될 것이다. 앞으로 계속 그러한 추세와 부유한 나라의 국민정책이 제기하는 모든 문제를 주요 논점으로 다루기로 한다.

국민주의적인 경제정책을 취하는 근거

비소비에트적 세계의 나라들이 소속하고 있는 두 개의 경제계층 상호간에 친근감을 보존하기 위해 중요한 것은—그리고 이들 사이에 두터운 우호관계를 준비하기 위해 중요한 것은—가난하고 개발되지 못한 나라들이 경제개발을 위해 계획을 수립할 때, 이들 나라가 부유하고 진보적인 서구적 국가 이상으로 국민주의적인 정책을 취하는 데 대해, 객관적으로 그리고 보다 바람직한 이유를 가지고 있다는 서구적 국가의 국민은 이해하고 올바르게 평가해야 하는 것이다.

시장적인 관점에서 본다면 저개발상태에 있다는 것은 그와 같은 나라에서는 공업의 초기에는 경쟁에 이겨낼 수 있는 힘을 갖지 못하는 것을 의미한다. 그렇지 않으면 그 나라는 저개발의 상태로 남아 있지는 않을 것이다. 또한 이것은 시장을 보호하지 않는다면 그 나라의 노동력을 흡수할 만큼의 유효수요가 없다는 것을 뜻한다. 따라서 노동력은 덜 생산적인 방법으로 이용되거나 혹은 실업하게 된다.

참으로 오늘날 모든 저개발국이 전세계의 축복을 받으면서 추진하고 있는 경제계획의 형태가 목적하는 바는 투자와 기업 및 노동에 대한 수요 등에 대해 외국으로부터의 경쟁을 막게 하는 방패를 마련해 줌으로써 그것에 의해 국민경제가 자극을 받아 개발에 착수하도록 전략을 안출하는 데 큰 중점을 두고 있다.

부유한 나라의 경제활동은 매우 높은 수준에 있으므로 시장은 저개발국에 있어서 흔히 그러하듯이 개개의 기업 단위에 비해 별로 작지 않은 것이 보통이다. 정상적으로 이들 부유한 나라는 국민생산을 위한 시장을 개척하기 위해 보호를 필요로 하지 않을 것이다. 만일 어떤 특수한 경우에 새로운 모험에 대해 국내시장이 너무 작다면 그것은 부유한 나라에서는 국가적 보호가 아니고 국제적 통합을 추구하는 데 그 원인이 있다.

어떤 신설 기업으로부터 일어나는 외부 경제는 국민경제에 대한 이익이 되고, 따라서 보호를 찬성하는 이유도 되는 것이지만—즉 기업에 대해서보다는 오히려 산업에 대한 이익이 되므로 그것은 개별기업의 재산에서는 이윤에 들어가지 않기 때문에—이러한 외부 경제도 이미 공업화된 나라에서는 훨씬 작은 것이다. 게다가 부유한 나라는 절대 헛된 노동력을 갖지 않으며, 보통 고수준의 노동 생산성을 바탕으로 완전고용 혹은 초완전고용경제를 성취하고 있다.

끝으로 부유한 나라에서는 상업과 농업의 노동에 대한 보수가 큰 격차—그것은 저개발국의 특징이고, 보호되지 않는다면 공업을 저해하게 된다—를 나타내지 않는다. 보다 일반적으로 말한다면 부유한 나라의 경제는 장기 정체의 징후를 갖지 않으며 그 대신에 그것은 이때까지 장기간에 걸쳐 쌓아 올린 잠정적이지만 높은 발전의 성과인 것이다. 그리고 그 경제는 오늘날에도 자체의 전진력에 의해 급속하게 발전을 계속하고 있다. 부유한 나라의 경제는 저개발국의 경제와 같이 심각하게, 그리고 위험을 느낄 정도로 균형을 잃고 있지는 않다.

논의의 현시점에서 저개발국은 대체로 오직 환 부족을 해결한다는 이유로서 외국무역을 통제할 필요가 있는 것을 상기해야 할 것이다. 경제개발의 추진은 자본재 도입의 필요성을 증대시켜 줄 것이고, 계획대로 노동자를 이동시키기 위해서는 높은 보수를 그들에게 주지 않을 수 없게 하므로 그것은 외환사정을 약화시키지 않을 수 없다. 비록 저개발국이 선진국의 대부분이 반인플레정책을 실시하는 데 성공한 것—선진국은 넉넉한 경제사정, 확고한 정치제도 그리고 월등한 행정제도에도 불구하고 겨우 그 정도로 성공했지만—이상으로 이것을 단행하고자 하는 결의와 능력을 가지고 있다 해도 외환 사정의 악화는 불가피하다.

경제개발을 가속화하기로 결심한 저개발국은 오직 필요성이 적은 수입을 억제하고 발전에 불가결한 수입을 위해 외환을 절약하고자 하는 것으로도, 명백히 강력한 수단에 의한 외국무역 통제를 취하지 않을 수 없게 된다. 같은 이유로서 그 나라는 비록 그것이 보조금의 교부를 의미한다 하더라도 수출을 촉진해야 할 것이다.

그 나라는 비록 보호할 특수한 이유를 전혀 느끼지 않을 때마저도 보호정책을 따르지 않을 수 없을 것이다. 그러나 저개발국은 국제무역에서의 간섭행위—그것은 주로 저개발국의 외환 부족에서 생기는 것이지만—를 생산을 보호하기 위해 활용하는 데 대해서도 부유한 나라 이상의 특별한 이유를 가지고 있다. 왜냐하면 부유한 나라는 생산을 보호할 이유가 전혀 없거나 있다 해도 훨씬 적은 정도이기 때문이다.

부유한 나라와 빈곤한 나라는 각각 사정을 달리하며 따라서 이들의 대외 경제정책을 판단하는 데 있어서 '이중의 도의적 기준'이 합리적이라는 것을 명확히 인식하는 것은, 보다 넓은 국제협력의 모든 조건을 결정하고자 하는 기도가 성공하기 위해 필요한 조건이 된다. 만일 통합이 국민적 발전—그 발전의 조건은 보호이다—을 수반하지 않는다면 빈곤한 나라의 통합을 보다 넓은 국제적인 제도적 배경에서 시도한다는 것은 전혀 의미 없는 일이 되거나, 참으로 바람직스러운 성격의 것으로는 되지 않을 것이다.

이것은 물론 지금껏 저개발국이 채택했던 통상정책과 환정책이 아주 진보한 것이라든가 혹은 좋은 성과를 가져오게 한다는 것을 의미하는 것은 아니다. 그와 반대로 대부분의 저개발국의 모든 정책은 잘 계획되지 않고, 또한 능률적으로 실시되지도 않는다. 이것이 바로 많은 문헌에서 저개발국이 무계획하게 외환을 취급하거나 보호주의를 채용하거나 하지 않도록 충고하는 일반적인 경향을 설명하는 것이다. 그러나 이러한 충고는 경제개발의 희망을 버리라는 것과 다름이 없으므로 그렇게 크게 주목받지는 못하고 있다.

저개발국의 경제적 관심은 너무나 명백하다. 그들이 필요로 하는 충고는 어떻게 하면 무역과 외환에 대한 간섭을 보다 합리적으로, 능률적으로 처리할 수 있는가 하는 데 있다. 그것에 대한 구제책은 계획을 개선하고 행정을 능률적으로 하는 데 있는 것이지 계획을 버리거나 대외관계에 대한 간섭을 포기하는 데 있는 것이 아니다.

국민주의에 대한 정치적 필요성

이리하여 저개발국이 그 대외경제정책에 확고한 국민주의적 방향을 취하게 하는 데 충분한 이유가 있다. 이러한 이유를 고려한 뒤 거기에서 생기는 윤리적 추론을 실제의 정책수단을 통해서 끝까지 추구한다 하더라도 거기에는 반드시 어떠한 감정도 일어나지는 않을 것이다. 그렇지만 나의 다음 문제는 감정에 관한 것이다. 즉 한 가닥의 거센 국민주의적 감정이 저개발국의 정치생활에 있어서는 하나의 본질적 요소로 되어 있다. 저개발국의 정치 지도가 그러한 감정을 조장하는 것은 사리에 맞는 일이다.

최근까지 식민지였거나 혹은 다른 호칭으로 불려졌던 정치적 종속국이었던 빈곤한 나라의 국민주의적 감정의 전요(傳搖)는 외국 지배로부터의 해방에 도전하는 전제조건이었던 것이다. 이것이 오늘날 아직도 식민지 혹은 반식민지적인 예속하에 있는 사람들에 대해서도 꼭 같이 타당하다는 것은 말할 필요도 없다.

외국 지배자에 반대하여 사람들을 궐기시키는 데 필요했던 국민주의적 감정은 그들이 독립을 얻은 뒤라 해도 쉽게 사라질 수는 없는 것이다. 뿐만 아니라 저개발국의 국민 사이에서 볼 수 있는 국민주의적 감정은 하나의 수단으로서 아직도 해야 할 역할이 남아 있다.

이들 나라의 대부분은 각종 원심력에 대항하면서 국민적 통일을 위해 몸부림치고 있는 것이다. 국민정책을 형성하고 그것을 수행하기 위한 첫째 조건—즉 정부와 행정기관 및 불가침적인 사법체계가 전국적 통제로 유효하게 뻗어 있는 통합된 국민국가—은 존재하지 않는다.

비록 그러한 제1 목표가 눈앞에 다가섰다 하더라도 부단한 노력이 국민적 통합을 향해 계속되지 않으면 안 될 것이다. 경제개발이란 다른 모든 조건하에서는 불가능한 것이다. 신생국가는 그 국민을 문화적·경제적 후진성으로부터 해방시키는 원대한 정책수단을 결정하고, 또한 그것을 실시할 수 있는 효율적인 집단적 통일체를 형성할 필요가 있다.

저개발국의 정치적 지도자가 직면하는 첫째의 과제는 대중을 무감동과 좌절의 상태에서 끌어올리고자 기도하는 것이다. 즉 대중에게 경제개발의 꿈을 안겨주고 대중의 기업욕과 협동심을 고취하는 것이며, 또한 대중이 효과적으로 노력하고 근면하게 일하면서 자기를 에워싸고 있는 모든 조건을 개선하는 데 희생을 아끼지 않는 것 등에 필요한 규율을 그들에게 침투시키는 것이다. 이것은 대중을 몰아세워 국민으로서의 통일체를 지향함으로써 비로소 달성될 수 있는 것이다.

이들 모든 나라에서의 초기 상황은 국민의 대부분이 문화적으로 지역사회와 지방사회가 고립되어 있고, 더욱이 이들 사회의 내부에서 사회적·종교적·윤리적 단층과 일반적으로 아주 큰 경제적 불평등에 의해 분단되어 있는 일이 많다. 경제개발을 위한 협동심과는 인연이 멀고 이같이 생기를 잃은 융통성 없는 사회구조는 장기 정체에 의한 결과이다.

오늘날에는 그것이 진보에 대한 주요한 장해가 되고 있다. 그것은 타파되지 않으면 안 된다. 정체가 뚜렷하지 못하고 분산적이며 분단되어 있는 대중은 농촌이나 도시의 빈민가에서 배우지 못하고, 빈곤에 시달리고 전통적인 인습에 얽매여 생활하고 있는 것이지만, 그들을 개조하여 민주적 계획의 토대로서 요구되는 응집력 및 공통의 목적을 체험할 수 있는 국민사회에 집어넣을 필요가 있다. 사회적·경제적 이동성을 가로막는 수문은 개방되지 않으면 안 된다. 기회는 균등화되지 않으면 안 된다.

한 산업과 한 지역으로부터 다른 산업과 다른 지역에로의 확장력의 전요(傳搖)는 보다 효과적이지 않으면 안 된다. 동시에 일반적 교육수준을 제고하지 않으면 안 된다. 나아가 공통적인 문화적 야심에 참여하고 있다는 자각이 널리 걸쳐져 창조되지 않으면 안 된다. 이러한 것들을 시작하기 위해서 국민주의적 충격이 필요하게 된다.

오늘날 저개발국에서 일어나고 있는 국민주의는 이처럼 반동적인 정치적 태도와 결부되는 것이 아니고—선진국에서는 대개가 그렇지만—근대화와 개혁을 향하는 운동과 결부되어 있다. 그것은 더욱더 기회의 균등화, 그리고 사회적 및 경제적 모든 조건의 민주화를 달성하는 힘으로 되고 있다. 국민주의가 이렇다는 것은 극히 중요한 정치적 차이로 되어 있으며, 이러한 차이가 갖는 중요성은 다만 서구적 세계에서는 서서히 밝혀지고 있는 것이다. 후진국민 사이에다 국민주의적 감정을 편동하는 일은 사회적·경제적 진보를 위한 하나의 전제조건이다. 진보가 종착점이라면 이러한 감정의 조성은 그 목표를 달성하기 위한 합리적인 수단이 된다.

오늘날에 있어서는 서구의 어느 부유한 나라에서도 국민주의적 감정이 이러한 정당성을 가질 수는 없는 것이다. 그것에 대해 내가 생각할 수 있는 가장 가까운 예는 집단적 이민시대에 미국으로 이주한 이민에 대해 자기들의 새로운 나라라고 하는 감정을 일으키게 하는 필요성이었다. 그러나 오늘날 서구적 세계에는 비록 그 국민의 특정분야에 한정할지라도 국민주의를 자극하는 것에 대한 충분한 이유를 갖추고 있는 나라는 없는 것 같다.

국민적 통합은 이미 모든 나라에서 상당히 높은 정도까지 달성되었으며, 또한 그 자체의 추진력으로 더욱 앞으로 나아가고 있는 것이다. 모든 부유한 나라에 있어서는 복지국가의 발전이 오늘날에 와서는 국민의 마음을 불합리하다 할 정도로 국내에 쏠리게 하고 있다.

일반적으로 말해서 이제는 서구적 나라들의 국민주의는 불합리한 힘이 되고, 이 힘은 이들 나라를 몰아대어 자기들의 장기적 이익이 되는 그 이상으로 국제적인 면에서 분열적 정책을 쫓도록 하고 있는 것이다.

이성을 넘어선 국민주의

바꾸어 말하면 사회적 통일과 경제적 진보를 얻고자 몸부림치고 있는 저개발국에 있어서는 국민주의라는 약을 다량으로 투약하는 것이 필요한 자극으로 되며, 그 약의 복용은 저개발국에 대해 효험이 큰 것이다. 그렇지만 그것은 위험한 약이기도 하다. 이들 저개발국의 대부분의 실정과 그리고 그들 모든 나라에 있어서의 잠재적 경향은 국민주의가 일단 눈을 뜨기만 하면, 끝없이 성장해 간다는 무한한 성향을 갖는다.

그것은 합리적인 안전성을 갖지 않을 만큼 가열될는지도 모른다. 그때는 그것은 국내적 결속과 결합, 그리고 국민적 통일과 통합에 대한 적극적인 추진력에 지나지 않는다는 상태로부터 쉽게 빗나가게 되고, 대신에 외국인 일반에 대한 그리고 특정한 나라의 외국인에 대한 부정적 적개심으로도 될 수 있는 것이다.

국민주의가 고조되면 다음에는 짓궂게 되고 마침내는 엉뚱한 침략주의로 변하는 경향이 있다는 것은 참으로 당연하다. 모든 제도적 및 감정적 기구—앞의 두 장에서 나는 그것이 서구적인 부유한 나라에서 미치는 영향에 대해 분석한 바 있었다—는 저개발국에서도 마찬가지로 영향을 미치게 된다. 그리고 저개발국의 상황에는 서구적 세계에서 작용한 것으로 기록되고 있는 모든 요소에 더하여 많은 특수한 요소가 있는 것이고, 이들 요소는 저개발국에 있어서 국민주의적 감정의 그와 같은 성장과 방향에 대해 더욱 자유로운 영역마저 남겨 두게 하며, 또한 실제로 그러한 감정을 가속화 하게 하는 경향을 가짐에 틀림없다.

모든 저개발국은 그들의 극심한 빈곤과 후진성을 깨닫고 있다. 이것이야말로 점차로 잊고 있는 '깨달음'의 한 측면이다. 나머지 측면은 이들 대부분의 나라에 있어서는 아직은 빛을 보지 못하고 있지만 진보에 대한 희망이 눈을 뜨기에 이르렀다는 그 사실이다.

저개발국과 부유국과의 관계는 이때까지 종속과 불평등에 의해 망쳐졌다. 그들은 그들 자신의 국토에서 억압을 받았고 또한 불리한 차별을 받아왔던 것이다. 국가적 독립을 쟁취하기 위해 많은 저개발국은 바다 건너의 식민지 열강에 대항하는 투쟁을 하지 않을 수 없었다. 그들은 외국 지배자의 탐욕을 체험했고 자기들 동포 내에서의 분열과 기회주의적인 경향이 이용되는 것도 경험했던 것이다. 비록 전적으로 옳지는 않지만, 어쨌든 그것은 때때로 이들 저개발국의 역사관으로 되어 있는 것이다.

이들 저개발국이 다음과 같은 신념을 기르게 된다 해도 전혀 이치에 어긋난다고는 할 수 없을 것이다. 그 신념이라 함은 이들 저개발국의 비참함과 후진성은 그들 자신의 과오가 아니며, 이것에 대해서는 국제체제가 그처럼 명백한 기회불균등을 국가 간에서 일어나게 방치했으므로 적어도 일부의 책임은 져야 한다는 것이다.

상위 계층의 여러 나라 특히 구식민지 열강에 대해 그와 같이 납득이 가는 불평은 국민주의를 합리화하는 데 이바지할 것이고, 나아가서는 그것을 외부로 향한 증오심으로 변하게 하는 데 이바지할 것이다. 그리고 증오심은 한없이 높아져 과거에 일어났던 사건의 합리적인 분석으로는 제어할 수 없고, 더구나 신생국의 현재와 미래의 참다운 이해관계의 분석을 가지고서는 제어하기가 더욱 어렵게 된다.

저개발국의 현저하게 낮은 교육 수준은 국민주의적 감정이 이성을 넘어설 때에 그러한 감정에 대한 윤리와 객관적 지식이 갖게 하는 억제력을 훨씬 무력하게 만드는 것이다. 저개발국의 대부분은 국내적으로 인종적·문화적 및 종교적인 광신주의에 빠져 있으며, 이것은 또한 국민주의의 고취로 쉽게 전환될 수 있는 감정적 중압을 가져 온다.

많은 나라에서, 외국 지배로부터의 해방이라는 것은 서로가 다르다고 느끼고 있는 집단 간에 그러한 형태의 감정적 진장을 높게 한다는 것을 의미했던 것이다. 분열을 향하는 모든 힘이 강력하게 작용하고 있으므로 상당히 강한 국민주의가 그것에 의해 재발될 것으로 보이며, 마찬가지로 현재 외부세계를 적대하는 공격 태도도 역시 그러한 힘을 동기로 하고 있다. 이리하여 합리적인 한계를 넘어서지 않는다는 것은 반드시 위태로운 균형을 필요로 한다.

신생국가가 국경을 확보하게 되어 이제는 국민적 통일을 확립하려고 노력하고 있음에도, 그 신생국가로부터 분리하려고 하는 운동을 전개하는 지역이 미얀마나 인도네시아처럼 실제로 존재하는 경우에, 열렬한 국민주의를 반역하는 집단에 대해 반대할 뿐만 아니라 외부세계에 대해서도 반대하는 것이 비록 반도(叛徒)와 타협하는 이외에는 어떠한 이유가 없다 하더라도, 적절하게 생각될 것이고, 또한 언제나 그렇게 하도록 유혹하는 것이다.

저개발국이 운이 좋게 충성심이라는 점에 있어서 거의 혹은 전혀 국내적인 분열을 갖지 않을 때에도 이들 나라는 빈곤과 정체가 남겨 놓은 결과와 싸워야만 할 것이다. 그리고 빈곤과 정체의 결과는 장소와 지역을 달리하고 직업과 계급을 달리하는 사람들 사이의 광범위한 사회적 격차라는 형태로 나타나기도 하고, 또한 국가의 사회적·경제적 구조에서의 각종의 경직성이라는 형태로도 나타난다.

정치 지도자는 국민을 하나의 유력한 정치적 단위로 뭉치게 하고 국민적 통합의 과정을 시작하기 위해 국민주의적 감정을 조성하는 실제적인 필요를 느낄 것이다. 그리고 이 같은 국민적 통합의 과정은 경제개발의 추진이 성공을 거두게 하기 위해서는 반드시 따라야만 하는 것이다. 이러한 목적을 위해서 국민적 충성심의 한계선이 그어져야 할 것이고, 또한 강조되어야 할 것이다. 특히 식민지주의와 종속성을 배경으로 갖는 한, 이것은 부유한 강대국에 대한 거리감이나 불만을 동시에 조성하지 않고서는 거의 달성될 수 없을 것이다. 왜냐하면 이들 강대국과의 관계는 아주 철저하게 달라졌으며, 또한 지금도 변화하는 과정에 있기 때문이다.

사람들이 독립과 진보를 쟁취하고자 하는 야심을 깨닫기 시작하고 있는 가난한 저개발국의 일반적 상황하에서는 부정적으로 기우는 민주주의적 감정을 조장한다는 것이 교육을 받은 선택된 사람들로부터 뿐만 아니라 국민대중으로부터 반감을 찾게 하는 명백한 방법이라는 것은 결정적인 사실이다. 그러므로 국민주의적 감정의 조장은 모든 정치가의 첫째 의무인 정치 관련의 획득과 유지에 가장 효과적인 수단, 때로는 유일한 수단으로 되며, 이러한 일은 국민 혹은 세계 일반에 대해 무엇인가 가치 있는 일을 달성하고자 하는 어떠한 정치적 기도에도 앞서는 것이다. 이리하여 저개발국에서의 정치 생활은 개인과 집단이 국민 간에 감돌고 있는 국민주의적 감정에 호소하고, 그것에 의해 부단히 이러한 감정을 자극한다고 하는 개인과 집단과의 경쟁으로 전환되기 쉬운 것이다.

정권을 잡은 정치가는 일반적으로 국민주의에 호소하고, 또한 그것을 부정적인 방향으로 기울이려고 하는 또 하나의 동기를 가지고 있지만, 그것은 국내의 경제개발 사정이 그들의 공약대로 진행되고 있지 않을 때 국민대중의 주의를 돌리기 위한 필요에 의해서이다. 공격적 국민주의는 좌절에 대한 배출구를 제공하는 것이다.

그러한 까닭으로 정치가는 외국의 이익에 반하는 정책수단을 취하는 것이 자칫하면 사실상 강제당하고 마는 입장에 자기도 모르는 사이에 빠지는 수가 있다. 그런 경우 이들 정책수단은 그 나라의 발전과 결부되는 참다운 이익에 의해서 유도되는 것이 아니라 오로지 국민들에게 있는 강한 국민주의적 감정, 즉 정치가가 정권을 보유하고자 하면 반드시 충족시키는 국민주의적 감정에 의해서 유도되는 것이다.

이러한 과정 속에서 그리고 이러한 수단을 취하지 않을 수 없게 했던 국민주의적 감정은 새로운 자극을 받게 되어 더욱 강화되는 것이다.

모든 것을 고찰한다면 빈곤한 나라에 있어서의 국민주의적 불꽃이 외향적인 침략적 적개심으로까지 변화되고만 오늘날에 있어서는 이러한 불꽃이 현재보다도 더욱 뜨겁게 타오르게 되리라고 기대하는 것이 옳을 것이다. 그러나 실제로 그렇게 되지 않는 약간의 이유는 물론 이들 국민의 대부분이 분열과 독립, 그리고 빈곤과 후진성으로부터의 무감각에 아직도 삼켜진 체로 있기 때문이다. 그리고 나머지 다른 설명은 이들 나라의 많은 지적이고 도덕적 및 정치적 지도권이 우리들의 서구적 문명에 친숙하게 된 사람들—이를테면 인도에서는 아주 명확하게—에게 소속되어 있다는 사실에 있는 것이다. 그들 자신도 이러한 상황 속에서 무한한 위험을 느끼고 있는 것이다.

지금까지 그들은 특히 국민주의를 부정적으로 나타내는 것을 너무 자극하지 않도록 절제할 수 있는 입장에 있었다. 그렇지만 두 가지 점에서 사태는 크게 변화할는지도 모른다. 실제로 '위대한 각성'이 훨씬 아래를 향해 대중에까지 미치게 됨에 따라, 그리고 구지도자들이 무대로부터 자취를 감추게 됨에 따라 서구적 문명에 물론 사람들도 변화하게 된다는 것을 각오하지 않으면 안 될 것이다.

이해관계의 충돌

수년 전까지만 해도 대부분의 빈곤한 나라는 식민지로서 혹은 다른 형태로 정치적·경제적으로 하나 혹은 그 이상의 부유한 나라에 종속되어 있었으므로, 대체로 그들 빈곤한 나라는 자기 나라를 대신해서 맺어지는 외교관계에서 어떠한 경제적 국민주의도 표시할 수가 없었다.

자국을 위한다는 명목으로 판단되었던 국민주의적 정책 수단도 대부분은 이들 빈곤한 나라를 지배하는 식민지 본국의 이익의 보호를 목적으로 하고 있었다. 국민적 해방이 뜻하는 바는 이제는 국가권력이 자국민의 이익을 위해 사용될 수 있다고 하는 것이다.

내가 지금까지 언급했던 바와 같은 일련의 폭발적이고 불합리하고 또한 침략적인 국민주의라는 파도에 휘말려 들어가지 않아도 저개발국의 경제정책은 특히 그 초기단계에서는 국민주의적 색채를 띠지 않을 수 없다. 저개발국이 국민주의적 경제정책을 채용하는 데 대한 선진국이 갖지 못한 충분한 이유를 가지고 있다는 것은 의심할 여지가 없다.

이들 이유는 저개발국이 경제개발에 대한 통제로 심하게 균형을 잃게 되고 좌절되어버린 경제를 계승하고 있다는 사실에서 연유하는 것이다. 이리하여 부유한 나라 가운데서도 특히 전통적으로 가장 긴밀한 경제 관계를 맺어 왔던 나라에 저개발국의 정책이 주로 반항하는 방향을 취하지 않을 수 없게 된다는 것은 불가결한 일이다.

왜냐하면 이러한 관계는 식민지적 및 반식민지적 종속성을 대표하고 이러한 종속관계야말로 저개발국에서의 국민적 해방의 성취와 더불어 종결되어야 하기 때문이다. 그리고 이것이 이제는 빼앗기지 않으면 안 되는 특권을 누려왔던 부유한 나라의 이익에 역행한다는 것은 말할 나위도 없다.

오랫동안 확립되어 왔던 수많은 국제경제 관계는 이러한 과정에서 타파되거나 혹은 철저하게 바꾸어야 할 것이다. 대부분의 경우 저개발국은 그 자연자원을 수탈하기 위해서 외국이 소유하는 사실을 국유화하고자 원하게 될 것이다. 그러한 소유와 관리권 지배와의 강제적 변화에 대해서는 아마 가까운 장래에 더욱 많은 실례를 보게 될 것이다.

전혀 시장경제의 법칙을 벗어난 그와 같은 거래에 있어서는 보상금의 급부(給付)가 전혀 자의성을 갖지 않게 되는 일은 거의 없다.—비록 공평을 기하고자 하는 마음가짐이 이제는 자기를 주장하기에 이르른 저개발국간에서 아주 강력한 것이라 해도 그럴 것이고, 더욱이 이러한 상태를 언제나 기대할 수는 없다.—저개발국은 오랜 기간에 걸쳐 정치적으로 보호를 받았던 착취의 기간을 통해서 투자는 충분히 보상되었으며, 더구나 그 이상으로 보상되었다고 때때로 생각하고 있을 것이다.

경제적 해방의 이러한 과정에서 취해지는 특별 조치에 대한 이유는 강하든지 약하든지, 또는 건전하든지 불건전하든지 여러 가지가 있을 것이다. 제시된 금전적 결정이 구소유권에 대해 객관적으로 보아 다소 공평할는지도 모른다. 그러나 어쨌든 이러한 결정은 그것을 강요받은 나라에서는 반감을 일으키게 마련이다. 그리고 이러한 과정은 그것이 진전됨에 따라 모든 부유한 나라에서 저개발국에서의 사업 투자와 사업 관계 일반에 대한 서구의 기업가와 정부의 신임을 거의 필연적으로 약화시킬 것이다.

다음으로 부유한 나라의 이러한 반작용이 저개발국의 경제 발전을 저해하고 좌절을 낳게 하는 경향을 가지게 될 것이다. 그렇지만 이것은 자칫하면 이들 저개발국의 국민 간에다 더욱더 국민주의적 감정을 들끓게 할 것이며, 나아가서는 또한 이러한 감정을 부정적이고 공격적인 방향으로 돌리는 경향을 갖게 할 것이며, 그리고 이러한 사실은 또다시 그 경제정책에 영향을 미칠 수 있는 것이다. 따라서 국제관계를 통해서나 국내적으로나 순환적 인과관계에 의해 국민주의적 감정은 누적적으로 그 장도를 높이는 경향을 갖게 될 것이다. 이리하여 부유국과 빈곤국과의 정치적 거리와 자국이나 각국이 서로 갖는 필요와 문제에 대한 전망의 차이가 더욱더 넓어지게 될 것이다.

국제적 불안정성

빈곤한 나라들이 때로는 그들의 국민주의적 정책의 모든 방안을 추진함에 있어서 그 주요 목적이 적어도 당분간은 자기 나라의 복지향상보다도 오히려 외국의 경제 권익을 불리하게 하는 것 같이 보이는 점에까지 가게 된 것을 안다 해도 우리들은 놀라서는 안 된다.

빈곤한 나라들의 정치적 독립은 그들에게 기본적 실권을 행사할 기회, 즉 그 자신을 어떤 귀찮게 하는 존재로 만들거나 혹은 그렇게 하겠다고 협박할 수 있는 권리를 이용할 기회를 주게 되는 것이다.

참으로 우리들은 모두가 같은 지구상에서 생활하지 않으면 안 되고, 따라서 여러 면에서 필연적으로 상호의존 관계에 있으므로, 세계사회에 불만이 있는 구성원은 정치적 및 경제적인 예속과 무감성(無感性), 그리고 지역적 확립 및 사회적 단층으로 시달린 오랜 시대를 겪은 뒤에 국민적 권력을 잡도록 올라서게 됨에 따라 상당히 능률적인 협박력을 이용할 수 있는 입장에 서게 된다. 그리고 빈곤한 나라들은 자기 나라의 이익이나 권리로 생각되는 것을 증진하는 데 이러한 협박력을 이용하는 방법을 점차 배우게 될 것이다.

대부분의 경우에 저개발국의 국민들은 그들이 세계 전체에 의해 또는 특정한 부유국에 의해 몹시 학대를 받아 왔으므로 이제는 자기들이 자유로이 할 수 있는 일체의 정치적 수단을 이용해도 자기들은 정당하고 공평하다고 느끼고 있다. 혹은 비합리적인 국민주의의 감정적 긴장에 지배되어 그렇게 느끼게 될 것이다. 감정적 국민주의는 자기가 옳다고 생각하는 것에 합리적 동기를 부여하는 대체물을 제공할 수가 있는 것이다.

저개발국들은 지금은 정치적으로 독립되어 있거나 혹은 급속하게 독립하는 데 도달해 가고 있지만, 그러나 그들이 이미 확립을 보게 된 정치적·법제적 및 제도적인 테두리 안에서 행동할 때에는 군사적으로나 재정적으로나 그리고 통상적으로나 모두가 지극히 약하다.

그와 같이 큰 인구를 갖는 상당히 많은 나라들에서도 이렇게 정치적 독립과 커다란 위약성이 결부되어 있다는 것은 오늘날 세계에서의 하나의 유력한 불안정의 요인으로 되어 있는 것이다.

부유한 나라에 있어서는 국제연합의 내부의 정치적 과정을 논평하는 해설자가 가난한 저개발국이 다수를—혹은 중요 의

제의 결의를 위해 규정되어 있는 3분의 2라는 다수마저를—
형성하게 되는 것을 방해하려 해도 더욱더 곤란하게 되는 데
대한 당황과 불안의 뜻을 표명하고 있다.

이러한 불안은 그 자체로서 국제연합 측에서 지나친 야심
을 가졌기 때문이며, 또한 발전단계에 있는 현재의 세계적
조직에서 이루어지는 투표라고 하는 것이 갖는 중요성을 전
적으로 과장해서 생각하는 데에서 오는 것이다. 그러나 이러
한 불안은 비민주적인 편견에 사로잡혀 있긴 하지만 국제연
합이라는 형태를 취하고 있는 국제사회에 관해서 걱정하게
하는 참다운 원인을 반영하고 있는 것이다.

그렇지만 그 불안에 대한 참다운 이유는 그것과는 반대로
아주 많은 독립국이 그처럼 많은 인구를 가지면서도 자기들
에게는 권력 같은 것은 거의 주지 않고 있는 기성의 모든 관
계로 이루어진 테두리 안에서 생활해야 한다는 데 있는 것이
다. 왜냐하면 무력감은 무모한 국민주의에 대한 원인이 되고,
또한 빈곤한 나라가 자기의 이익을 주장하기 위해서는 이용
이 가능하다고 생각되는 모든 수단을 무차별하게 사용하는
데 대한 까닭이 되기 때문이다.

사회의 공동의 이익관계에 대한 책임과 사회의 규칙을 준
수하고자 하는 용의 등은 그와 같은 공동사회를 순수하게 창
조하거나 이러한 규칙의 결정에 있어서의 완전한 참여에서
생겨나는 정신 상태인 것이다. 그렇지 않으면 그것은 세계가
식민지시대에 경험했던 것과 마찬가지로 하나의 관료주의적
중앙집권의 안정 상태를 향해 약한 구성원을 적응시키고자
하는 것이다. 그러나 식민지주의의 안정성은 이미 사라지고

없다. 다만 그것을 대신하게 될 국제적 안정성을 갖는 어떠
한 새로운 체제도 아직은 출현하지 않고 있다는 것이다.

하나의 예

세계정세는 여러 면에서 서구적 세계에 있는 부유한 나라
의 초기의 유동적이고 불안정한 국내 상태와 비슷하다. 초기
단계에서 정치적 민주주의는 하나의 이상 내지 희망으로서
오직 '막연한' 것에 그쳤을 뿐이고, 노동조합은 힘찬 전진을
하긴 했으나 노동자들은 평등한 조건으로 단체교섭을 요구하
는 권리나 그들의 요구를 뒷받침하기 위해 파업을 하는 권리
를 아직 확립하지 못했다.

당시 노동자들은 때때로 압도적인 권력에 대항하여 일어선
일도 있었지만 그들이 무기를 몹시 신중히 선택한다는 것은
언제나 기대할 수는 없었다. 그들이 자기들은 '국외자'라는
것―투표권도 없고 상류계급에 속하는 개인으로부터도 큰 지
원을 받지 못하고, 또한 자기들과는 다른 '타인들'이 속하는
국민사회 속에서 정통수단에 의해서 기본적인 변화를 일으킬
수 없다고 느끼는 국외자라는 것―을 느끼게 될수록 그들은
더욱더 좌절의식이라든가, 때에 따라서는 자포자기라든가의
충동으로 행동했고, 또한 그들의 투쟁에서의 행동에도 신중
성을 더욱 기대할 수 없게 되었던 것이다.

또한 서구적 나라에서의 그러한 사회적 발전의 시기를 맞
이하여, 상류계급에 속하는 많은 사람들―당초에는 이에 속

하는 거의 모든 사람들—이 가난한 대중에게 투표권을 준다면 난세와 파멸이 온다고 생각했고, 마침내 국민사회는 무교육하고 무책임한 무산자(無産者)의 천하가 될 것으로 말한바 있었지만 그러한 것 역시 충분히 이해가 갈 만하다. 그렇지만 우리들의 완벽한 민주화는 막을 수 없다. 그것은 점차로 새로운 힘의 균형과 사회적인 안정과 안전을 가져오게 했으며, 동시에 유례없는 경제적 진보를 수반했다. 무책임한 사람들도 합법적인 권력을 갖게 되자 책임을 질 줄 알게 되었다. 노동자의 파업조차도 질서를 갖기에 이르렀고, 가장 선진적인 복지국가에서는 이러한 최후수단에 호소하는 일은 극히 드물게 일어나는 것으로 되었다. 이제 파업은 거의 필요하지 않게 되었기 때문이다. 나는 가정으로라도 스웨덴에서 큰 노동쟁의가 재발하리라는 것은 생각할 수 없다.

우리들은 겉보기의 민주적 복지세계로부터 아주 멀리 떨어져 있다. 그렇지만 확실한 무엇인가가 있다면 그것은 새로운 국제적 안정상황이 식민지주의의 청산과정을 역행시키는 것으로서 불러들일 수 없는 것이다.

저개발국은 정치적으로 독립되어 있고 장래에도 그렇게 머물게 될 것이며, 현재 독립을 얻지 못한 나라도 머지않아 자유를 얻게 될 것이다. 지금부터 1세대 전에 부유한 나라의 사람들이 당시의 지배적 조류를 충분히 알고 있었다면 그때에 보다 현명한 길로 향하게 되었을까 아닐까 하는 것에 대해 생각해 볼 수 있다.

모든 부문에서 계획화의 실시가 가능하기만 했다면 그것에 의해 이러한 대변동이 모든 당사자에 대해서 돌발적이 아니고 보다 가혹하지 않게 되었을는지도 모를 일이다. 그러나 이렇게 생각한다 해도 오늘날에 있어서는 별로 도움이 되지 못할 것이다.

빈곤한 나라에 부유한 나라의 이권을 존중시키고, 또한 빈곤한 나라가 어떠한 발언권을 얻기에 앞서 약정된 권리와 협정을 지키도록 군사적 제제라는 협박을 가한다는 것은 보다 장기적인 관점에서 본다면 다 같이 부질없는 정책이 될 것이며, 그것은 서구적 나라들이 노동자의 단결을 경찰의 단속으로 파괴하고자 하는 기도와 흡사한 것이다. 나아가 원자력시대에는 이러한 정책은 급속하게 그 모든 매력을 잃어가고 있는 행동양식으로 되어 가고 있다.

부유한 나라의 사람들은 제3차의 최종적인 세계전쟁의 고삐가 풀릴 위험을 더욱더 강하게 의식하게 되며, 소규모적 전쟁에도 경제적이다. 더욱이 프랑스가 최근에 경험한 바와 같이 보잘 것 없는 게릴라 부대라 할지라도 그것이 국민대중 사이에서의 소극적 저항과 협력에 의해 지원을 받게 된다면 최신식 살인병기를 갖춘 대군(大軍)에까지 대항할 수 있게 되는 것이다.

빈곤한 나라가 영구히 '착한 행동'을 취하도록 하찮은 동냥으로 쉽게 매수된다는 것도 있을 수 없는 일이다. 상당한 원조가 주어지고 있을 때라 해도 경제원조에 붙여진 그러한 형태의 모든 조건은 아주 광범위하게 혹은 아주 장기에 걸쳐서 강제될 수 없는 것이다. 이것은 명백히 '버릇없이' 행동하지만 역시 원조가 주어지지 않으면 안 된다는 많은 나라들의 실례에 의해 착한 행동을 하도록 조건지워진 빈곤한 나라들을 포함한 전세계를 통해서 증명되고 있다. 다소 온건한 요구, 아니 정치적인 끈이 붙어 있다는 근거 없는 의심마저도 국민적 자각이 높아지고 있는 저개발국에 있어서는 정부에 대한 민중의 지원을 명백히 뒤집어엎을 수 있는 것이다.

우호적이고 부유한 나라의 관점에서는 '품행이 좋은' 권력적인 정부를 군사원조와 그 밖의 원조에 의해 정권의 자리에 앉히려고 하는 것은 마찬가지로 위험한 정책임이 명백하다. 또다시 국민이 '올바른' 길을 벗어나지 않게 하기 위해서 정치가나 모든 단체에 개별적으로 뇌물을 주어 제도를 움직이게 한다든가, 혹은 이것을 보다 간접적으로 시행하기 위해서 그와 같은 원조가 지배층에 속하는 교활한 정치가나 관리 그 밖의 인사들에게 주어지거나 횡령되는 대규모적인 오직(汚職)이나 부당 취득의 실태를 눈감아 준다는 것은 긴 안목에서 본다면 더욱 자멸적인 정책임이 확실해진다. 이것은 비록 그것이 일시적으로는 효과를 갖게 될 만큼 조직적이고 대규모적으로 이루어진다 하더라도 오직 저개발국가 정부의 기초를 위태롭게 할 뿐만 아니라, 진상이 보다 널리 알려진다면 국내는 증오와 비난을 받게 될 것이다.

당연히 부유한 나라는 그 금융정책이나 통상정책에 있어서 '착한' 나라와 '나쁜' 나라와를 개별적으로, 그리고 집단적으로 차별할 수 있을 것이지만 그러나 경험이 가리키는 바와 같이 그것은 어느 한계를 넘어서지는 못한다. 보다 일반적으로 부유국은 약간의 문제에 관해서 모든 빈곤국에 대항하여 행동하고자 하는 것보다는 차라리 더욱 소극적인 입장을 취함으로써 보복할 수 있다.

이들 부유국은 저개발국의 경제상 및 교섭상의 입장을 강화하는 목적에 이바지하는 유력한 국제협력에 참가하는 것을 거부할 수 있다. 그러나 국제협력에 대해 부정적 태도를 보임으로써, 그리고 저개발국의 개발문제에 미온적인 태도를 갖게 됨으로써 부유국은 오직 빈곤국에다 좌절감을 육성하고, 이리하여 빈곤국민 간에 공격적인 국민주의의 조류를 한층 더 고양시키는 위험을 범하게 된다.

명백한 사실은 일단 정치적 및 경제적인 식민지주의의 권력적 국제체제가 사라지기만 한다면 부유한 나라는 자기의 의사를 실시하는 강력한 제제력을 갖지 못하게 된다는 것이다. 민주적인 복지세계—이것은 부유국과 빈곤국의 양편에서 국제적 결속이 증대한다는 것, 그리고 이것을 토대로 하여 세계적인 규모로 기회를 균등화 하고자 하는 국제협력으로 향하는 추세가 상승한다는 것을 의미한다—를 향해 실질적인 전진이 이루어지는 한, 빈곤한 나라의 정치적 지도자가 규칙을 위반하거나 부유한 나라를 협박하는 데 마침내 그 권력을 사용하는 것을 삼가할 수 있다고 느끼게 되리라는 것을 기대한다는 것은 합리적이다.

한편 약간이라도 공갈인 사례가 있다면 빈곤국의 필연적인 요구와 야망에 대해 부유국을 부정적 태도로 결속시키는 데에 이 이상 효과적인 것은 없다는 것도 똑같이 명백한 사실이다. 이에서 또다시 우리들은 좋지 못한 누적적 효과를 갖는 순환적인 인과관계의 심리과정에 직면하게 된다.

세계무대에서의 마르크스

여기까지 이르러서 마르크스에 대한 논급을 회피하기는 곤란하다. 마르크스는 오늘날의 세계 문화에 직접 관계되는 것을 말한 적은 거의 없다. 사실 마르크스와 그에게 더욱 가까운 후계자들은 현재 우리들이 씨름하고 있는 식민지시대 이후의 모든 문제를 그렇게 명백하게 관찰하지 않았다. 이것은 놀랄 일이 못된다. 왜냐하면 그는 아주 오래 전에 저술했으며, 또한 그 이후로 아주 많은 일이 생겨났기 때문이다.

마르크스주의적 분석의 전통에 따라 뒤에 저술된 것—이를테면 자본주의적 생산의 잉여라고 불려지는 것에 대한 배출구로서의 식민지의 중요성에 대해—은 오늘날의 상황에 그다지 많이 관련되어 있다고는 생각되지 않는다. 마르크스 자신은 그의 분석을 주로 한 나라에서의 자본주의의 국내 발전에 초점을 두었고, 또한 주로 공업화의 초기단계에 있었던 영국에 관한 연구에 자료를 모집했던 것이다. 그는 부유한 소수와 빈곤한 다수 사이의 확대된 격차확대를 예견했고, 마침내는 격분하게 된 무산계급이 늘어나 폭력에 호소하여 권력을 장악하게 된다는 격심한 충돌을 예견했던 것이다.

마르크스 이론의 오류(誤謬)는 서구적 세계에서 실제로 있었던 일에 의해서 증명되었다. 없는 자가 조직을 갖게 됨에 따라 그들은 혁명 없이 권력을 획득하게 되었고, 있는 자는 점차 양보하게 되었다. 권력을 잡게 되자 참여와 충성심, 그리고 책임감이 그것을 뒤따르게 되었던 것이다. 그 결과 부유한 서구적 나라의 국민적 복지국가라는 형태를 취하는 새로운 조건에 입각하여 얻어진 사회적 안정의 회복이었다.

국제적인 장면에서는 현재 하나의 연극이 상연되고 있는데 그것은 마르크스가 일찍이 예견한 것보다도 훨씬 대규모로 마르크스주의적인 파국으로 종결될 것으로 생각된다. 있는 나라와 없는 나라 사이에는 무서운 소득 격차가 있으며, 그리고 가난한 나라가 대중의 역을 맡고 있다.

아직도 이러한 격차는 확대되어 가고 있으며, 없는 나라는 계급의식에 눈뜨기 시작하고 있다. 그러나 권력이 없는 자가 강해짐에 따라 다시 권력이 있는 자가 양보하게 되고, 그것이 새로운 조화를 창조하게 될는지 모른다고 하는 것도 있음직한 일이다. 확실히 복지세계는 국민적 복지국가보다도 실현하기가 훨씬 어려운 것이다. 복지국가가 이미 충분하게 확립된 국민사회의 내부에서 발전한 데 대해 세계사회는 화려한 희망 이상의 아무 것도 아닌 것이다.

우리들이 상상의 날개를 더욱 뻗쳐 정확한 비교를 한다면 이렇게 될 것이다. 즉 서구의 어느 한 나라의 특권계급이 그들만으로 요새화된 고도(孤島)에 계속 살아왔고, 그들은 강력한 군대와 경찰로 방어되고 있는 자가 사는 본토로부터 멀리 떨어져 있으며, 다른 언어를 사용하고 다른 피부색과 문화를 가지고 있다. 더욱이 그 고도와 본토는 오랜 역사를 가지고 법의 지배를 토대로 견고하게 확립되고, 입법권과 행정권 및 과세권을 부단히 행사한다는 단일국가에 의해 통합되었던 일은 없다. 이러한 경우 국민적 복지국가가 탄생하는 데 있어서 틀림없이 심한 고난에 부딪치게 되었을 것이다. 마르크스의 예견은 진실이었는지도 모르겠다.

기본적으로 국제분쟁의 경제적 국가관계에 관한 결정론적, 따라서 본질적으로는 숙명론적인 이론—그것은 유물사관이라고 하는 마르크스주의적 전통과는 아주 거리가 있는 사람들이 국제관계에 대해서 행하고 있는 오늘날의 많은 고찰 속에 암시되어 있다—은 분쟁이 미해결로 남게 될 것이라는 것, 즉 건설적인 국제협정을 달성하기 위해서는 아무런 노력이 이루어지지 않을 것이라는 것을 전제로 하고 있다.

본질적으로 그것은 어떻게 전쟁이 일어나는가 하는 것에 관한 이론이며, 어떻게 평화가 유지될 수 있을 것인가에 관한 이론은 아니다. 그러한 사고는 마치 마르크스 이론이 혁명 불가피의 이론이었고, 평화적인 전진적 개혁에 의하는 복지국가 건설의 이론이 아니었던 것과 마찬가지의 방식을 따르는 것이다. 참으로 우리들은 여기에서 이 견해에 고유한 유물주의를 보는 것이다. 왜냐하면 이러한 견해는 인간이 그 실천적 노력에서 갖는 추리력과 이상의 위력을 에누리해서 생각하고 있기 때문이다.

이러한 패배주의적 가정은 국제적 결속이 흔들리고 있는 현상에 비추어 볼 때 매혹적일는지도 모른다. 그러나 논리적으로 말하면 숙명론적 귀결이 필연적인 덧이라고 가정할 아무런 근거도 없는 것이다. 역사는 사람이 만드는 것이며, 따라서 역사는 맹목적인 숙명이 아니라 우리들의 책임이라는 것은 아무리 되풀이해도 지나치다고는 말할 수 없다.

경제적 이해의 조화는 확실히 낡은 자연법과 공리주의의 철학에서 가정되었던 것처럼, 시장의 모든 힘이 어떠한 것에도 방해를 받지 않고 작용하게 되는 결과로서 생겨나는 것은 아니다. 그리고 이러한 낡은 철학은 아직도 '서설'에서 지적했던 바와 같이 마르크스주의적 이설(異說)과 더불어 전통적 경제학에서도 그러한 사고방식으로 되어 있다. 그러나 조화는 창조될 수 있는 것이다. 서구적 세계의 부유국에 있어서의 계급투쟁은, 만인에 대한 자유와 평등한 기회라는 이상의 보다 완전한 실현을 토대로 하여 강력한 제도적 구조 속에서 관행되었으므로 잘 활용되어 온 것이다.

사물의 논리에도 혹은 인간성에도, 게다가 국제적 분야에도 우리들이 '창조된 조화'를 달성하는 것을 방해하는 것은 아무 것도 없다.―그렇지만 확실히 국제적 분야에서는 훨씬 어려운 과제이기도 하다. 그것을 달성하는 것만이 국제적 계급투쟁을 고양케 하며, 국제분쟁이나 전쟁의 경제적 원인에 관한 결정론적인 생각이 암시적으로나 명시적으로 예언한 바와 같은 불가피적인 반란에까지 가는 것을 회피하게 하는 아주 현실적인 하나의 대안으로 되는 것이다.

냉 전

이러한 세계적인 이해관계의 충돌―그것은 세계에 있는 부유국과 빈곤국 간에 현존하는 큰 불평등으로부터 생겨나는 것이고, 또한 빈곤한 나라가 정치적 독립을 전취하고 있으면서 이전보다도 얼마간 평등하게 부와 권력의 분배에 참여하는 바가 없으므로 이제는 점차로 노골화 되고 있다―은 비록 소련이나 정치적으로 소련과 결부된 국가블록이 전혀 없다

하더라도 그러한 충돌은 역시 존재할 것이다. 그런 경우에 있어서까지도 해결은 어렵게 될 것이다. 그러나 공산권의 무서운 힘과 냉전은 자연히 전망을 더욱 불길하게 하고 있다.

자기 진영 외의 특권이 없는 나라들의 불만을 자기들의 이익이 되도록 이용한다는 것은 공산주의적 열강에 대해서는 당연한 정치적 전략임에 틀림없다. 이러한 사실은 냉전을 하나의 사실로 받아들이는 어느 누구도 놀라게 하지는 않을 것이다. 만일 같은 기회가 이용될 수만 있다면 그것은 물론 공산주의 국가에 대항하여 동맹을 맺고 있는 서구적 나라에 의해서도 간과되지는 않을 것이다.

그렇지만 냉전 행위에 따르는 어떠한 전략적 이익을 별개로 한다면 공산주의자들도 또한 그들의 이데올로기의 중요한 요소 속에 가난한 나라의 편이 될 만한 확고한 기초를 가지고 있다. 그리고 이러한 이데올로기는 공산주의자가 마르크스나 다른 사람들을 통해서 서구 자유주의사상의 주류로부터 계승해 왔던 것이며, 그러한 흐름은 내가 '서설'에서 말했던 바와 같이 존 록(John Locke)이나, 서구적인 평등주의적 이상주의를 더욱 초기에 제창했던 사람들에까지 소급할 수 있다.

저개발국에 관해서 공산국가들은 스스로 이러한 오랜 서구적인 가치관에 대한 대변자로 되게 하는 데 억압을 받는 일이 비교적 적었다. 왜냐하면 공산국가 자체가 외부의 도움을 받지 않으면서 사실상 서구적인 부유국과 날카롭게 적대하면서 빈곤한 나라의 지위를 벗어나고 있는 중이고, 또한 자체의 힘의 배양에 몰두하고 있기 때문이다.

우리들이 공산주의자가 저개발국에 대해 상당한 정신적 영향을 미치고 있다는 명백한 사실은 현실적으로 평가하고자 한다면 공산주의자가 그러한 오랜 서구적 가치관으로부터 이어받은 유산을 잊어서는 안 될 것이다. 그 영향력이라 함은 공산주의국에서 높아져 가고 있는 경제력과 정치력 및 군사력의 결과만은 아니고, 또한 그 주요한 결과라고 까지도 말하기 어려운 정신적인 영향력인 것이다.

공산국들은 모르는 사이에 우리들의 정열을 차지하게 된 것이다. 저개발국의 사람들의 마음을 사로잡기 위한 큰 투쟁 —서구적 나라들은 오늘날 이러한 투쟁에 관해 아주 속속들이 알고 있다—이 현재 계속되고 있고, 마침내 해결을 보게 되리라는 것도 실은 이러한 정신적인 이념상에서 이루어지게 되는 것이다. 그리고 만일 우리들이 어떠한 형태의 자유를 주기만 하고, 다른 편에서 서구적 유산의 또 하나의 주요한 구성요소로서의 이상으로 되는 평등을 부여하기를 꺼려함으로써 정치적 공산주의와 경쟁해서 이길 수 있다는 전망을 믿는다면 이는 자기를 기만하는 행위이다.

국제관계에서의 사회혁명은 높아지고 있으며, 만일 우리들의 모든 희망이 그 무거운 조류에 굴복하지 않아야 된다면 그것을 받아들여야 할 것이다. 윌리암 더글러스(William Orville Douglas) 판사가 서구적 국가들이 차지할 올바른 장소는 세계혁명의 선두에 서는 것이라고 한 충고가 이해되는 것도 이러한 전망에서 비로소 가능한 것이다.

제13장 새로운 세계적 안정으로

여러 조건들

국제적인 계급분쟁이 파국적인 차원에까지 이르도록 방치할 수도 있으나 그렇게 되면 우리들의 문명에 비참한 결과를 가져올 것이다. 그와는 달리 이러한 분쟁을 새로운 세계적 안전상황의 확립에 접근하게 하는 일련의 점진적 조정을 통해 해결할 수도 있을 것이다.

비소비에트 세계의 두 개의 계층에 속하는 모든 나라들, 즉 강대한 부유국과 자립하려 하고 있는 무력한 많은 빈곤국과의 사이의 이해관계의 충돌이 앞으로 어떻게 발전할 것인가에 대해 예보하는 것을 본서는 의도하지 않는다.

예보를 거부하는 이유는 매우 방대하고 운명을 결정할 만한 문제에 대해 예측한다는 것은 무가치하다는 확신에서 뿐만 아니라—과거에 이러한 예측은 언제나 부정확하다고 판명되었으며, 또한 우리들은 예기치 않았던 것을 기대하고 있는 것이다—동시에 예언은 본질상 비합리적이고 또한 참으로 터

무늬없다는 도덕적 신념을 가졌기 때문이다. 장래는 계속 우리들의 선택에 달려 있다. 역사를 지배하는 맹목적인 숙명 따위는 있을 수 없는 것이다.

그렇지만 우리들은 완전히 자유로운 것은 아니다. 사실과 주어진 인과관계가 있는 것이다. 일반적으로 말해서 우리들은 새로운 세계적 안정이 이루어지기 전에 어떠한 상태가 마련되지 않으면 안 되겠다는 것에 대해 많은 것을 알고 있다.

우리들은 정부 입장에서 안정은 무력이나 압력에 호소하는 것에 의해 달성될 수 없다는 사실을 알고 있다. 식민지형의 의존으로 되돌아가는 것은 생각조차 할 수 없다. 빈곤한 나라들은 보다 완전한 독립을 얻어야만 비로소 만족하게 될 것이다.

우리들은 기회균등과 경제적 진보, 그리고 부와 권력을 나누어 가질 권리 등을 수반하지 않는 단순한 정치적 독립만으로는 불충분하다는 것도 알고 있다. 결국 이러한 전세계적인 문제로서의 민주적인 문제에 있어서 민주적인 복지세계를 향하는 발전을 시동시키는 이외에는 국제적 분열을 대신하는 실제적 방법은 없다. 이것이야말로 이처럼 폭넓은 고찰이 서구적 세계의 부유국 경제계획 문제와 관련을 갖는 이유인 것이다.

이리하여 우리들은 적어도 새로운 세계의 안정을 위해서는 부유한 나라가 기회를 보다 광범위하게 균등화하기 위해 그들의 경제정책을 수정할 마음가짐이 없으면 안 된다는 것을 알게 되었다. 이에 대한 서구적 세계의 이데올로기적 준비가 되어 있음은 의심할 여지가 없다.

서구적 세계의 관점에서 본다면 '위대한 각성'이 자유와 평등 그리고 우애라고 하는 오랜 이상이 지구 전체에 급속히 보급되는 것에 지나지 않는다. 이들 이상은 서구적 문명이 소중히 간직했던 교리(敎理)였으며, 또한 그것은 지난 2세대에 걸쳐 서구적 세계의 개별적인 국민주의적 복지국가의 내부에서 점차 실현을 보았던 것들이다. 그러므로 대세는 기회를 광범하게 나눔으로써 부유국이 얼마만큼 신속하게, 그리고 강력하게 적극적인 반응을 보일 것인가에 달려 있다 할 것이다. 그러나 마지막으로 우리들이 알고 있는 것은 다행히 그러한 발전이 실현될 수 있다면 그 배후에서 작용하는 주요한 추진력은 빈곤국 자체의 노력으로 되지 않으면 안 된다는 것이다.

　상류 계층이 자발적으로 하류 계층과 평등하게 되도록 내려왔던 일은 일찍이 없었으며, 단지 도의적인 신념의 귀결로서 특권을 포기하거나 자기의 독점에 참가하는 길을 열게 한 일도 일찍이 없었던 것이다. 그렇게 하도록 유도하기 위해서는 부와 특권을 가진 나라들이 각종의 요구를 강력하게 주장하고, 그러한 요구의 배후에는 권력이 결정되어 있다는 것을 감지해야 할 것이다. 그러한 단계에서 상류 계층의 도의적 이상이 지원하는 역할을 할 수 있는 기회를 얻게 될 것이다.

　이러한 이유에서 빈곤한 나라가 강하게 되면 될수록 새로운 세계적 안정상황이 달성될 가능성이 그만큼 많아지는 것이다. 또한 그럴수록 빈곤국의 반감을 사게 할 정책수단을 삼가하게 될 것이다. 항상 그러한 바와 같이 공동사회에 대한 충성심은 빈곤한 나라가 힘과 확신과 사회에 대한 소속감을 얻게 됨으로써 증대한 것이다.

국민개발계획을 향하는 빈곤국의 노력이 성공하는 것이 그처럼 중대한 세계적 관심사가 되는 것도 이러한 이유에서이다.

빈곤국 상호간의 고립

빈곤국이 힘을 얻기 위해서는 서로 협력하고 자원을 합치고 또한 정책을 계획적으로 정합하는 것이 절대적으로 필요하다. 이들 나라의 비슷한 역사와 현상은 당연히 이러한 노력을 위한 기초를 갖게 할 것이다. 이들의 대부분은 유색인종이며, 유럽계의 사람들에게서 받았던 인종적 차별과 차별대우에 대한 쓰라린 기억을 가지고 있다.

빈곤한 나라를 결합시킬 수 있는 항의문 속에서도 '식민지주의'라는 말과 더불어 '인종적 차별주의'라는 말을 쓰는 것을 볼 수 있다. 무엇보다도 그들은 그들이 가난하고 대부분이 문맹이며, 후진적이라는 것을 알고 있다. 중요한 일은 그들이 자유만으로는 만족치 않고 기회의 균등과 공통의 우애도 또한 함께 요구한다는 것이다. 그들 나라는 스스로를 '저개발국'이라고 부르고 있지만 그것은 분명히 자기들도 경제개발로써 이 세상의 좋은 일에 보다 충분히 참여해야 한다는 의미를 가지고 있다.

국제조직의 가장 중요한 기능의 하나는 빈곤국의 대표자들을 소집하여 의회를 열고, 그곳에서 그들의 이해관계의 일치를 경험할 수 있고, 공통된 불평을 토로할 수 있게 하는 것이다.

정치면에서는 개별적인 특수 문제에 있어서까지도 이를테면 아직도 남아 있는 식민지적 종속국의 해방운동을 합동으로 지원한다는 데 있어서까지도 이미 공통적인 기반을 찾을 수 있게 되어 있다. 더구나 경제적 모든 문제에 있어서 이들 나라는 원조의 증액을 요구하거나 자본의 국제이동과 국제해운, 그리고 국제무역 등의 구조를 대폭적으로 개선할 필요성을 일반적으로 되풀이 하는 이외에는 이렇다 할 공동정책을 확립하지 못하고 있다.

빈곤국 간의 보다 강력한 경제관계가 없다면, 특히 몇몇 지역 내에서의 무역과 분업의 증대가 없다면 일반적인 경제문제에서 공동전선을 형성하고자 하는 기도는 대부분이 공허한 시위로 끝나고 말 것이다. 빈곤국 상호간의 약한 경제적 유대와 지역 내에서도 볼 수 있는 실제적 협력의 결여, 그리고 실로 그들 상호간의 정상적 무역관계의 저개발상태 등은 이들 빈곤국의 이해관계와 포부의 유사성과는 극적인 대조를 이루고 있다.

대체로 이러한 고립화는 장기간에 걸친 경제적 정체와 특별히 식민주의와 그 밖의 형태의 외국 지배의 결과로서 생긴 것이다. 전통적으로 저개발국은 자기 나라의 대외경제관계—그리고 실로 그들의 정치적 및 문화적 관계—를 자국을 지배했으며, 또한 그러한 모든 관계를 독점하는 데 관심을 가졌던 부유국의 한 나라 혹은 몇몇 나라에 전적으로 한정해 왔던 것이다.

모든 수송체계가 사실상 부유국의 이해관계에 의해 좌우되는 종래의 식민지적이고 반식민지적인 강제적 쌍무주의의 형에 적응되어버리고 말았다. 각 저개발국 내에서는 도로와 철도가 건설되었고, 해운시설도 대양횡단으로 이루어지는 통상관계를 위해 시설되었다. 그러나 오늘날에 있어서도—비용이 드는 신항공로를 제외하고는—통상관계의 강화에 불가결한 이웃 나라 사이의 정기적 수송 수단은 대부분의 지역에서 시설이 없지만 있다 하더라도 비능률적이고 부당하게 요금이 비싼 것이다.

식민열강은 외국 지배가 완화되어 있거나 완전히 사라져버린 오늘날까지도 이웃에 있는 저개발국 사이의 긴장과 원한이라는 까다로운 모든 문제를 미해결인 채 남겨 두었던 사태를 그대로 방임해 두거나 빈번히 정책에 의해 그러한 사태의 전개를 자극하기도 했던 것이다. 이를테면 제1차 세계대전 후에 오토만제국이 분단되어 영국과 프랑스 간에 분할되었을 때 서아시아에 창출되었던 인위적 경계, 미얀마에 있어서의 인도 혈통의 임금업자와 지주였던 인도인, 스리랑카의 열대 농원에 이식되었던 타밀인 노동자, 그리고 말할 것도 없이 분리 이래의 인도와 파키스탄간의 적대상태 등을 고려하면 족할 것이다. 제2차 세계대전 후 약간의 지역에서는 냉전이 이웃나라의 사이를 이간시키고 있다.

저개발국의 정부가 이어받고 있는 상호 고립화의 상태는 쉽게 그리고 급속히 변경될 수 있는 것은 아니다. 새로운 통상관계를 세운다고 하는 것은 어떠한 상황하에서도 힘드는 과제이지만 저개발국에 있어서는 특히 그러하다.

이웃 나라간의 수송 시설의 대폭적인 개선도 대규모의 투자를 필요로 하지만 그것은 개발에 필요한 다른 모든 용도와 부족한 자본 공급원을 찾아서 서로 다투지 않으면 안 될 것이다. 더욱이 옛부터 확립된 통상관계는 쉽게 끊어질 수 없다는 사실이 반드시 따르게 된다. 그것을 끊지 않는다는 것은 저개발국에 있어서 참으로 크게 따르게 된다. 그것을 끊지 않는다는 것은 저개발국에 있어서 참으로 크게 유리하다.

저개발국은 이전에 자기 나라를 정치적·경제적으로 지배하고 있었던 부유한 나라와의 무역관계를 유지하는 일이 확실히 필요하다. 빈곤한 나라는 구식민지 본국의 사업가가 가졌던 상대적 독점으로부터 자기를 해방시킴으로써 다른 모든 부유한 나라에 무역관계를 확대할 필요가 있다.

빈곤한 나라가 경제 발전을 위한 자본설비를 살 수 있는 것은 주로 서구적 세계의 부유한 나라—소련과 동구의 모든 국가도 포함해서—로 부터이다. 그러나 저개발국은 저개발 지역에서의 그들 상호간 및 세계 전체에 걸쳐 있는 인위적 장애를 타파하여 부유국과의 관계를 보충할 필요도 있다.

저개발국은 서로 교역하고 공동의 이익을 위해 협력하지 않으면 안 된다. 이것은 또한 부유한 나라와의 거래에서의 저개발국의 교섭력을 강화하게 될 것이다.

계획화의 문제

이렇게 무역을 다변화한다는 목표, 특히 저개발국간에 무역관계를 구축한다는 목표를 향해서 저개발국은 아직 이렇다 할 실질적 전진을 하지 못하고 있다.

정치적 및 경제적인 식민주의의 붕괴와 더불어 출현하게 된 국민적 공동사회는 그 첫번째 파업으로 새로운 국민국가를 통일하지 않으면 안 되었다. 이들 저개발국의 대부분에 있어서는 효율적으로 통치되는 국민적 공동사회라는 이 첫째의 목표에 도달하기 위해서도 아직 해야 할 일이 많은 것이다.

개발을 위한 계획이라는 관념은 그것이 저개발국까지 퍼져감에 따라 편협한 국민주의적 계획이라는 말과 같은 뜻을 갖게 되었다. 외환 부족은 경제정책을 자립적인 자급자족의 방향으로 전환시키는 것과 같은 충격을 주게 되었던 것이다.

부유국의 복지국가에 있어서도 마찬가지이지만 여러 가지 이유로 말미암아 이들 부유국보다 더욱 국민주의를 향하는 경향이 모든 계획화에 암시적으로 포함되어 있다. 국경 내의 정치권력은 계획화의 기준이다.

계획은 국내 자원을 국내 개발에 더욱 효과적으로 이용되도록 방향을 돌리게 된 것이다. 이웃 나라와의 관계를 포함한 대외관계는 계획에서는 독립변수이며 불확정한 변수이기도 하다. 부유국과 마찬가지로 저개발국에서 개발계획이 진지한 문제로 되었고 그 국민이 이것에다 실질적인 관심을 갖는 한 개발계획은 국민의 이해에 대한 관심을 국내로 돌리게 하는 경향이 있었다.

이러한 모든 사실을 염두에 둔다면 저개발국의 경제계획에서의 노력이 부족한 국민주의로 기울 것이며, 특히 다른 저개발국과 심지어 직접 인접해 있는 저개발국으로부터의 비정상적이고 부자연스러운 통상적 고립을 극복하기 위한 진지한 노력을 어디에서도 찾을 수 없다는 것은 조금도 놀랄 일은 아닐 것이다.

모든 것을 참작할 때 식민지시대로부터 이어받은 이러한 고립화는 대부분의 경우 강화되고 있다는 것이 사실일는지도 모른다. 이러한 상황하에서는 아마 고립화 이외에는 어떠한 것도 기대할 수 없었다. 그 이외의 길을 택하려고 했다면 그것은 합리적이나 실제적인 것도 아니었고 혹은 가능하지도 않았을 것이다.

그럼에도 불구하고 일반적으로 모든 저개발국간에 그리고 특별히 동일 지역의 저개발국 상호간에서 보다 긴밀한 통상관계가 출현하게 되리라는 것이 장래에 아주 실제적이고 중요한 문제로 대두하게 되리라는 것을 나는 믿고 있다. 그 때에는 저개발국 일반이 실질적 경제발전을 낳게 하는 데 상당히 성공해 있을 것으로 나는 생각한다.

이러한 생각은 나의 논의에 있어서 아주 중요한 전제로 되는 것이지만 그것은 근거가 희박할지도 모른다. 그러나 이 전제가 부당하다면 총체로서의 세계 발전은 더욱 불길한 방향을 취하지 않을 수 없을 것이다. 이러한 전제를 두고 나는 이제부터 저개발국간의 무역협력과 지역 경제협력이라는 문제가 더 중요하다고 내가 생각하는 이유를 간단히 열거하기로 한다.

장 래

저개발국 간의 수송시설이나 무역과 같은 것의 수준이 이상할이만큼 낮다는 사실은 이러한 수준의 인상(引上)이 서로에 대한 이익이 된다는 것을 의미한다. 저개발국이 그 경제구조에서 상호 보완성을 갖지 못한다는 것은 식민지시대로부터의 정신적 유산으로 널리 퍼져 있는 생각이긴 하지만 그것은 지나치게 과장된 것이다.

현재의 경제구조가 불변한다고 할지라도 나는 다수의 생산물의 무역을 확대하는 것은 유리하다고 믿는다. 세계의 많은 지역에서는 이를테면 농업이나 식량에 대한 국민적 계획을 대신해서 지역적 계획을 작성하는 것이 실제적일 것이다. 식량 부족국이 있는가 하면 식량 잉여국이 있는데 과잉국은 만일에 정상적이고 안정적인 시장을 확보할 수만 있다면 식량의 생산과 수출을 기꺼이 증가시킬 수도 있고, 또한 그렇게 할 능력도 있다.

그렇지만 만일 저개발국이 경제개발에 있어서 전진하게 된다면 보다 긴밀한 경제협력의 유리함은 그만큼 더 크게 나타날 것이다. 모든 저개발국은 공업화에 열중하고 있다. 나라마다 완전한 공업 구조를 구축한다는 것은 쉽사리 실현될 수는 없으며, 또한 어쨌든 크게 경제적인 것도 아니다. 나아가 현대기술은 대체로 대공업시설에다 더 큰 우위를 주고 있는 것이므로 그렇게 한다는 것은 날이 갈수록 어렵게 되고 비경제적으로 될 수도 있다.

이들 저개발국이 무역을 통해 상호간에 분업과 어떤 종류의 전문화를 가져올 수 있다면 이들은 그 공업 발전에 있어서 한층 급속히 전진할 수 있을 것이다. 이러한 것은 특히 소국(小國)에 대해 타당하지만 대국(大國)에 대해서도 또한 옳은 것이다.

4억이 넘는 인구를 가지고 있는 인도마저도 경제적으로는 아직도 오히려 소국이며—금후 몇 차례의 5개년 계획 중에도 여전히 소국으로 머물게 될 것이지만—이 나라의 공업품 시장은 서구의 북부에 있는 어떤 조그마한 나라와 비교해도 그다지 크지는 않다.

그런데 이들 소국의 어느 하나도 국민적인 공업의 자급자족형—이것은 너무나 빈번히 저개발국에 있어서 국민적 계획의 이상으로 가정되어 있다—에 입각하여 더욱더 발전한다는 가능성에 대해서는 생각해 본 일조차 없는 것이다.

이미 지적한 바와 같이 저개발국은 유치산업의 보호에 대해 부유한 나라가 갖고 있지 않은 강력한 이유가 있다. 저개발국의 국내시장은 협소하고 투자를 위한 자본의 공급원, 또한 기업심이나 관리적 숙련이나 기술적 숙련 등의 공급도 마찬가지로 희소한 것이므로, 이들 저개발국이 산업보호를 다만 국내적인 데 그치지 않고 지역적으로 안배할 수 있다면 그것은 이들 나라의 공동의 이익이 될 것이다. 이들 저개발국이야말로 서구적 세계의 부유국보다도 '공동시장'을 가져야 하는 더욱 절실한 경제적 이유가 있다.

서구적 세계의 부유한 나라는 미국과 마찬가지로 그 나라들만이 블록으로 집결하는 대신에 사태를 잘 처리하여 그들의 국경을 이제는 전세계를 향해 개방하고, 자본과 상품의 자유로운 유통을 받아들이는 입장에 있어야 한다는 것이 나의 의견이다. 그와 같은 '공동시장'은 공동계획을 의미하게 될 것이다.

앞으로 15년 내지 20년이 지나면 단순히 국내적인 것이 아니고 지역적인 계획과 보호라는 관념이 저개발국의 실제적 정치에 등장하게 될 것으로 보는 또 하나의 이유는 대부분의 저개발국이 장래의 수입 필요량에 따를 만큼 수출량을 증대시킴에 있어서 더욱 큰 곤란한 문제에 부딪치게 될지도 모른다는 데 있다.

석유라든가 광산물의 매장량이 큰 저개발국은 그 나라의 장래의 수출 전망을 자신을 가지고 내다 볼 자격이 있겠지만 그 밖의 나라들은 거의 그렇게 할 수 없을 것 같다. 생산·소득 및 소비가 상당히 높은 수준에까지 상승하게 되면 저개발국이 아무리 크게 수입품을 국산품으로 대체하는 데 성공한다 할지라도 그들은 더 많은 수입품이 필요하게 될 것이다.

이쯤 되면 저개발국은 제조공업품의 수출국으로서 세계시장에 등장하지 않을 수 없을 것이다. 이러한 일이 대규모적으로 일어난다면—이것은 저개발국이 일반적으로 개발을 향한 노력에서 상당한 정도의 성공을 거두게 될 것이라는 전제와 부합하고 있다.—그것은 대부분의 부유국 저항에 부딪치게 될 것이다. 빈곤한 나라의 임금은 상대적으로 낮은 수준에 머물러 있을 것이므로 그들의 수출은 덤핑으로 간주될 것이다.

앞으로 15년 내지 20년이 지나면 단순히 국제적인 것이 아니고 지역적인 계획과 보호라는 관념이 저개발국의 실제적 정치에 등장하게 될 것으로 보는 또 하나의 이유는 대부분의 저개발국이 장래의 수입 필요량에 따를 만큼 수출량을 증대시킴에 있어서 더욱 큰 곤란한 문제에 부딪치게 될지도 모른다는 데 있다.

석유라든가 광산물의 매장량이 큰 저개발국은 그 나라의 장래의 수출 전망을 자신을 가지고 내다 볼 자격이 있겠지만 그 밖의 나라들은 거의 그렇게 할 수 없을 것 같다.

생산과 소득 및 소비가 상당히 높은 수준에까지 상승하게 되면 저개발국이 아무리 크게 수입품을 국산품으로 대체하는 데 성공한다 할지라도 그들은 더 많은 수입품이 필요하게 될 것이다. 이쯤 되면 저개발국은 제조공업품의 수출국으로서 세계시장에 등장하지 않을 수 없을 것이다.

이러한 일이 대규모적으로 일어난다면—이것은 저개발국이 일반적으로 개발을 향한 노력에서 상당한 정도의 성공을 거두게 될 것이라는 전제와 부합하고 있다.—그것은 대부분 부유국의 저항에 부딪치게 될 것이다. 빈곤한 나라의 임금은 상대적으로 낮은 수준에 머물러 있을 것이므로 그들의 수준은 '덤핑'으로 간주될 것이다. 만일 부유국이 저개발국에다 수출의 배출구를 제공하는 데 적극적인 관심을 갖게 된다면 그것은 당연히 국제적 경제 통합에 도움이 될 것이다. 그렇게 되면 부유국은 저개발국이 수출할 만한 공업품에 대한 자기 나라의 보호를 조직적으로 폐기할 것이다.

이 논의는 노동집약적 공업에 관해서 특히 유력하다. 왜냐하면 부유국은 자기 나라의 왜소한 노동력에 대해 보다 유리한 용도를 가져야 하기 때문이다. 이러한 방향의 단호한 조치야말로 만일 서구적 국가들이 세계 상황과 자기 나라의 장기적 이해를 올바르게 평가한다면 지금은 당연히 착수할 용의가 준비되어 있어야 하는 통상정책 조정의 일부에 불과할 것이다.

　이론적으로 그것은 완전히 윤리에 맞는 행위의 노선이다. 실제적으로도 이에 따르는 일시적인 혼란은 서구적 수준의 생산과 소득에서는 이를테면 전쟁이나 대불황의 경우에 각국이 겪게 되거나 계획까지 각오하는 대전환과 특히 비교한다면 대처하기에 그다지 어려운 것은 아니다. 결국 부유국에서의 이와 같은 산업구조의 개편을 위한 움직임은 일종의 시장적인 조정으로서 무의식적으로 우여곡절 끝에, 그리고 시간적인 지체를 가지고 일어날 가능성이 있으며 또한 일어날 확실성마저 있다. 우리들은 어쩌면 섬유공업에서 그러한 조정의 단서를 보고 있다 하겠으나 거기에서도 조정이 유발하는 저항을 보게 된다.

　복지국가에서는 이해관계가 국민주의적으로 방향지워져 있고, 특히 수준을 달리하는 많은 교섭단체에 세력이 분권화되어 있으므로 이러한 조정에 저항하는 강력한 기도가 존재하는 것이 보통이다. 이에서 나는 복지국가는 국제적 적응성을 저하시킨다는 대가를 지불하고 국내적 안정성과 신축성을 얻는다는 것이 관례로 되어 있다는 것을 상기하게 된다.

　한편 만일 저개발국이 참으로 공업제품의 대규모적인 생산국 및 수출국으로서 등장하게 된다면 이들 나라는 모든 부유국에서 노사의 지지를 받으며, 보호를 요청하는 강력한 기득이익에 대항하여 격심한 시장 획득전을 벌이게 될 것이다. 서구적 국가의 통상정책에 관한 문제는 뒤에 가서 재론할 것이다.

　중앙집권적인 경제체제를 가지며 그 무역을 어느 정도 마음대로 지도할 수 있는 소련권 국가들은 이러한 사태로 되면 저개발국으로부터의 공업품 수출에 대해 일정한 배출구를 자의적으로 간직해 둔다는 것이 가능하게 될 것이다. 그렇지만 그러한 마음의 준비가 있는지의 여부에 대해서는 아직 이렇다 할 징후를 찾을 수 없다.

소련권 국가들의 독점무역에 지나치게 의존하는 것을 회피하고자 하는 저개발국의 입장에서 본다면, 그러한 배출구의 이용—만일 배출구의 이용이 가능하다면—은 자기 나라의 일반적인 수출 곤란이 다소 완화된다는 것 이상으로는 거의 도움이 되지 못할 것이다.

이러한 상황에서 저개발국이 경제개발과 공업화에 성공한다고 하는 바로 그 사실이 만일 실현되었다면 수출시장으로서의 저개발국 상호간의 유용성을 크게 증대시키게 될 것이다. 이것은 모든 무역이 그러한 것처럼 분업과 산업적 전문화를 의미하기도 하고 또한 전제로 하고 있다. 그 결과 이러한 상호 시장화가 이번에는 이들 저개발국의 경제개발이 더욱 전진하는 것을 보다 쉽게 하고 더욱 가능하게 할 것이다.

부유국의 이해관계

이리하여 두 개의 정책노선, 즉 개개의 저개발국 내에서의 경제개발 계획과 저개발국 상호간의 보다 긴밀한 통상관계를 확립한다는 것에는 밀접한 연관성이 있다.

각국은 타국에 대해 유리한 조건으로 되어 있다. 저개발국

간에 보이는 오늘날의 부자연한 고립화는 이미 지적한 바와 같이 정체와 식민주의가 가져온 결과이고, 또한 이들 나라의 저개발상태의 하나의 징후이기도 하다. 이들 두 개의 정책이 만일 성공한다면 저개발국을 강화하여 그 나라들이 서구적 세계의 부유국이나 소련권 국가들과 교섭하는 데 있어서 그 나라들의 인구의 크기에 구애됨이 없이 좀 더 밀접하게 대응하는 교섭력을 주게 될 것이다.

빈곤한 나라의 상당한 교섭력의 향상이 새로운 세계적 안정의 상태에 도달하는 데 필요하다는 나의 주장이 받아들여진다면 그러한 두 개의 정책노선은 부유국에 대해서도 매우 유리하게 될 것이다. 부유국은 '가진 자'로서 이러한 안정의 확립에 큰 이해관계를 가지고 있기 때문이다.

경제 발전에 관한 한, 이러한 결론은 서구적 세계에서는 일반적인 기준에서 받아들여지고 있으며, 다만 하나의 의문은 이러한 이익이 통상이나 그 밖의 단기적 이익을 적잖이 희생해도 좋을 만큼 클 것인가 하는 것과 관련되어 있다. 저개발국 상호간의 통상관계의 강화, 특히 산업적 전문화의 가능성을 충분히 이용하고자 공통의 보호 장벽의 배후에서 저개발국이 한데 뭉쳐 계획을 짜는 데 관해서 말한다면 이것은 대부분의 서구적 국가에서 무분별한 사람들의 저항에 부딪치는 정책노선으로 될 것이다.

저개발국 자체도 아직은 그 대부분이 경제계획에 있어서나 경제정책 일반에 있어서 편협한 국민주의적이었다는 사실에 대해서는 이미 논급한 바가 있었다. 그러나 일부 저개발국이 국제조직에 있어서 보다 특수한 경우엔 지역위원회에서 통상이나 해운 혹은 개발과 같은 어떠한 구체적 문제에 관하여 지역적 협력의 긴밀화를 의제로 내세우는 절차를 밟기만 하면 언제나 서구적 국가들이 관례적으로 반대 의견을 위하게 되었고, 다만 극히 강력한 압력이 있었을 때에만 후회하게 되었던 것이다.

기술원조에 관해서도 대부분의 저개발국은 이 활동의 계획과 관리에 대해서는 가장 편협한 국민주의적 기초를 끝내 지키려고 안간힘을 다했던 것이다. 그러나 주목할 만한 일은 일반적으로 서구적 국가에서도 그러한 몹시 강한 관심을 가지고 있었고, 특히 그와 같은 원조의 지역적 계획화를 회피하고자 원했으며, 이것은 우연히 소련권 국가들이 원했던 것과 일치한다.

빈곤한 나라가 단결하여 지역적으로 혹은 세계적으로 통일 행동을 취하는 것에 대해 그 기세를 꺾는다는 것은 단기적으로 부유한 나라의 이익이 된다는 것은 물론 명백하다. 그렇지만 보다 장기적으로 세계의 안정이라는 우리들의 희망은 저개발국이 할 수 있는 모든 수단을 이용하여 스스로의 힘과 권력을 증대시키는 데 달려 있는 것이다.

원조 뿐만이 아니다

저개발국 자체의 상호협력이라는 이러한 문제는 젖혀 놓고라도 저개발국의 경제발전을 가능하게 하고, 또한 발전을 급속화 하기 위해서는 부유한 나라는 그 경제정책을 이러한 목적에 맞추어 발족시키는 마음가짐이 있어야 한다는 여론이 이제 부유한 나라에서 더욱더 유력화 되고 있다.

보통 이러한 경제정책에 대한 논의는 무상으로 공여되는 자본원조와 기술원조에 거의 전적으로 집중되었다. 이것은 원조의 가장 큰 부분을 제공하는 나라, 특히 미국의 경우에 해당되는 것이다. 그러나 미국과 그 밖의 모든 부유국이 진심으로 빈곤국의 경제개발을 위한 노력을 돕고자 원한다면 무상으로 주어지는 자본증여와 기술원조는 미국을 비롯한 모든 부유한 나라가 당연히 채택해야 할 경제정책의 전체계 속에서는 오히려 작은 일부분에 지나지 않을 것이다.

이러한 사실은 원조액이 합리적인 근거에서 요구되는 액수만큼 늘어났다 하더라도, 그리고 그 원조가 합리적인 정당성을 갖는 동시에 다각적이고 또한 참으로 국제적인 구조로 조직화되어 있다 해도 역시 타당성을 갖게 된다.

원조의 공여(供與)에 더하여 부유한 나라가 채택하지 않으면 안 되는 이러한 경제정책의 체계는 부유국이 서로, 특히 저개발국과 거래를 하거나—혹은 거래를 하지 않는다고 하는—그 모든 거래 양식의 방향전환을 포함하고 있다.

저개발국은 자기 나라의 복지, 그리고 경제개발의 시발의 성공을 위해 무역과 자기 나라의 국경을 넘어서 이루어지는 인간과 자본, 기업과 기술의 이동에 관해서 부유한 나라의 정책에 의존하는 바가 큰 것이다.

만일 부유국이 그 일반적 경제정책을 저개발국에 더욱 유리하게 형성하려고 확고한 조치를 취하기만 한다면, 이것은 그 경제발전에 대해 저개발국이 얻고자 희망할 수 있는 어떠한 원조보다도 훨씬 큰 효과를 가져올 것이다. 만일 그렇지 않고 부유국이 저개발세계와 정상거래를 하는 데 있어서 편협한 경제적 국민주의의 원리와 국내의 근시안적인 기득권익 관계자의 원(願)에 따라 조정한다는 원칙을 고집한다면 아낌없이 주었던 원조마저도 단지 고의적인 수단으로 되어버리고 말 것이다.

원조에 대해서 이처럼 강조하는 설명의 하나는 확실히 자선심(慈善心)일 것이다. 미국에는 불운한 사람들에 대해 관대하다는 기본적인 감정, 약자에 대한 동정심과 연대감이 있다. 이것은 미국의 특이한 물질적 및 정신적인 역사에 뿌리를 박고 있다. 이러한 특성이 인식되지 않는다면 대외관계 및 대내관계에서의 미국 행동의 중요한 모든 요소는 오해를 받게 될 것으로 믿어진다.

비소련적 세계의 6분의 1을 차지하며 부유한 데다 경제적으로 꾸준히 진보를 하고 있는 다른 모든 나라에 있어서는 아주 영락(零落)한 사람에 대한 관심은 불행히도 그렇게 강하지가 못하다. 이에서 어떠한 실제적 결과가 생길 것인가를 측정할 수 있는 척도는 직접적으로나 간접적으로나 미국이 아마도 인류의 과반수를 차지하는 가난한 사람들에 대해 현재 실제로 주어진 각종 형태의 무상자본 원조의 90퍼센트에 가까운 것을 지출하고 있다는 사실일 것이다. 그러나 이같이 인심 좋은 미국이 자주 그 정상적인 통상정책이나 금융정책의 관행에 있어서는 여러 가지 정도로의 다른 모든 부유국이 그러한 것처럼 결국은 인색하고 이기적으로 되고 만다.

이러한 태도와 행동양식은 미국의 국제적 책임에 대해 그 나라에서 이루어지는 공식의 논의에 반영되어 있다. 위대한 자유주의적 전통을 갖는 선량하고 공공심에 찬 미국인은 그가 가령 공화당 혹은 민주당 중 어느 후보에 투표를 하는 일이 있던 간에, 미국이 저개발국에 보다 관대한 원조를, 더욱이 정치적으로 끈을 달지 않은 원조를 공여하도록 계속 주장하고 있는 것이다.

이러한 류의 미국 사람들은 다음과 같은 완전히 정당한 논의를 끊임없이 주장하고 있다. 즉 원조를 근본적으로 정당화하는 논거는 오로지 원조에 의해 저개발국의 사람들이 건강과 행복을 증진하고, 또한 경제적으로 더욱 진취적으로 되고, 이리하여 마침내 그들이 독립한 국민으로서 더욱더 자유롭고 강해지는 보다 좋은 기회를 갖게 하는 것 이외에는 없다고 주장하는 것이다. 그럼에도 저개발국가에 대한 원조의 증액과 원조방법의 개선이 국민의 의무라고 소리 높이 외칠 때 보여준 기백과 용기와는 대조적으로, 미국의 대외경제 관계를 지배하는 국민주의적 정책수단이라는 큰 장벽을 타파할 필요가 있을 경우에는—국민의 지적 지도자간에서까지도 — 조심스러운 냉담함이 눈에 띄게 된다.

그러한 상황은 다른 부유국에 있어서도 크게 다름이 없다. 오직 다른 것이 있다면 그것은 그들이 자진해서 원조를 주는 정도가 낮다는 것뿐이다. 그렇지만 이제는 그 나라들도 기꺼이 그 정도를 늘릴는지도 모른다.

이러한 태도의 차이를 이해하기 위해서 우리들은 또다시 서구적 나라들이 모두 민주적 복지국가라고 하는 사실에 주의를 집중해야 할 것이다. 이들 나라는 부유하므로 상당한 원조액의 증가도 그 나라 자체의 생활수준을 크게 저하시키지는 않을 것이다.

가난한 사람에게 현금 급여를 보증한다는 생각은 사람의 마음에 직접으로 호소하는 바가 있으며, 또한 그것은 부유한 나라 자체의 국민사회 보장제도의 기초로 되어 있는 사고방식에도 합치하는 것이다. 그러나 보다 중요한 사실은 현금원조는 국민적 복지국가의 본질을 형성하는 복잡한 공공정책 체계를 혼란시키지도 않고, 어떠한 특수권익 단체에도 불리한 영향을 주지 않는다는 것이다.

근본적으로는 통상정책이나 그 밖의 정책을 변경시키는 것보다는 현금 원조를 자진해서 준다는 것이 부유한 나라의 복지국가가 갖는 또 하나의 국제적 의미관련인 것이다.

무 역

무역 분야에서 부유한 나라에 요청되는 것은 우선 내가 앞장에서 언급했던 통상정책에서의 '이중의 도의적 기준'의 합리성을 인정해야 한다는 것이다.

통합이 상당히 이루어진 세계의 부유한 나라는 공통의 이익을 위해 외국무역에다 장벽을 설치하는 것을 크게 삼가고, 특히 자기 나라의 시장을 저개발국에 개방해야 할 것이다.

나는 이미 공업개발이 저개발국에서 진행됨에 따라 왜 그들에 대해 그 공업수출품에도 판로가 주어져야 하는가에 대한 이유를 말한 바 있다. 동시에 저개발국 자체도 그 경제개발계획의 야망을 아마도 진지하게 타협시키지 않고서는 이러한 원칙을 따를 수 없다는 것도 인정되어야 할 것이다.

부유국, 특히 미국은 흔히 반대의 '이중의 도의적 기준'에 입각하여 행동해 왔다. 즉 자기 나라를 위해서는 보호주의적 정책을 취할 것을 주장하는 한편 저개발국에 대해서는 자유무역의 이점을 선전했던 것이다.

부유국의 통상정책은 상당한 비중을 갖는다고 이해될 수 있는 특수집단의 이익단체—이를테면 이미 언급한 바와 같이 영국과 그 밖의 나라의 섬유공업과 그 노동자의 이익단체—뿐만 아니라, 매우 하찮게 보이는 이익단체에 의해서도 놀랄 만한 정도로 지배되어 있다.

석유산업이 워싱턴의 국무성을 마음대로 움직이게 할 수 있다는 것은 주목할만 하지만 놀랄 일은 못될 것이다. 그러나 동남아시아에 있는 저개발국에서 미국의 기술원조기관이 과감하게 원조하지 않는 것은 그 원조가 미국에 있는 약간의 통조림 어류 수출업자를 혼란시킬 것이기 때문이라는 데 이르러서는 아마 사정을 모르는 사람들은 깜짝 놀랄 것이다.

더구나 저개발국과의 모든 상거래에서 부유한 나라의 사업상의 이익집단은 정부의 지원을 받으며, 이제는 그들의 우세한 교섭력을 언제나 이용하여 빈곤한 나라가 미이용의 인력이나 다른 자원을 활용한다면 자기 나라에서도 생산될 수 있는 상품, 혹은 적어도 부유국이 빈곤국에 강요하는 만큼의 대량을 자유롭게 수입할 수 없다고 생각하는 것이 당연한 상품을 빈곤국에게 압력으로 수입하게 하는 것이 지금은 관행으로 되어 있다.

부유한 나라는 흔히 수요의 변동이나 활발하지 못한 상품을 경험에서 얻는 솜씨대로 수출시장을 획득하기 위하여 저개발국은 어느 나라를 막론하고 없어도 좋은 것을 수입하도록 강요받고 있는 것이다. 저개발국이 공업시설을 구입하려고 애쓰고 있을 때 필요한 차관이 때로는 역으로 이용되어 이러한 모든 문제에 대해 더욱더 고려가 잘 이루어진다면 저개발국의 경제사정에다 매우 큰 개선을 가져오게 하는 데 도움이 될 것이다.

특수한 무역문제

이러한 모든 원칙의 일반적인 테두리 내에서 수많은 구체적 정책목표가 전쟁 중이거나 종전 직후의 수년에 있어서 선언되었지만, 당시는 국제적 통일행동에 대한 경제적 사고(思考)와 계획이 현재보다도 훨씬 더 건설적이고 대담하고 또한 자유롭기도 했다. 그러한 정책목표의 몇 가지는 선택되어 마침내 창설된 국제경제기구의 의제 중에서 중요한 안건으로서의 지위를 획득하게 되었다.

여러 가지 이유로 현재 저개발국으로부터의 수출의 대부분을 차지하고 있는 제1차 생산물의 세계시장 가격은 달과 해를 거듭할수록 격심한 변동을 보이고 있다. 그 결과 저개발국의 수출 소득의 변동은 대체로 모든 외국원조 총액의 몇 배가 되는 금액에 달하고 있는 것이다. 그러므로 제1차 생산물 가격의 안정화 방책은 저개발국의 경제 상태를 개선하는 강력한 수단이 될 것이다. 결국 그러한 방안은 부유한 나라의 이익도 될 것이다.

그것은 국내적인 이유와 저개발국의 수입 수요를 착실한 고수준으로 유지하는 것이 부유한 나라의 통상상의 이익이 된다는 두 가지의 이유에 의한 것이다. 이리하여 이러한 방책은 부유한 나라에 대해서는 전혀 비용이 들지 않는 '원조'로 된다. 그럼에도 불구하고 상품가격 안정이라고 하는 분야에 있어서 국제적 통일행동을 향하는 전진은 거의 이루어지지 않고 있다.

이러한 실망을 자아내게 하는 결과를 초래한 데에는 몇 가지 이유가 있다. 국제적인 가격안정이 가져올 것으로 예상되는 순기술적이고 순재정적인 곤란한 문제들은 확실히 현실적이지만 그것이 주요한 압력이 되는 것은 아니었다. 보다 중요한 것은 저개발국 측에서 자기 나라의 이익을 전면에 내세우고자 하는 열의와 능력이 결여되어 있었기 때문이다.

약하고 비능률적인 정부와 행정기구는 불행히도 저개발국의 주요한 특징으로 되는 일이 얼마든지 있다. 그렇지만 가장 중대한 장해는 부유국 측이 이러한 분야에서 진지한 방안을 몸소 채택하는 것을 점차 싫어하게 되었다는 것이다.

이러한 부유한 나라의 태도를 결정하게 한 요인의 하나는 부유한 나라가 언제나 참다운 '균형' 수준을 넘어서 고정가격을 갖는 계획을 지지하는 데 말려들어가지 않을까 하는 불안을 가지고 있다는 점이다. 더욱이 모든 부유한 나라에는 상품시장의 투기적 성격을 보존하고 있다. 특수한 이해를 갖는 관계자가 있는 것이다.

이들 특수이익 집단은 그 자체로는 보잘것이 없지만 압도적인 많은 사람들이 무관심하기 때문에 그들이 일반적으로 결정을 좌우하고 있다. 왜냐하면 부유한 나라의 보호주의적 복지국가에서 국제적이고 일반에 공통된 이익관계라고 하는 것은 조직적인 압력단체를 가지고 있지 않은 데 반해, 국민주의적 감정은 언제나 존재하고 특수이익 관계자가 그것을 이용하게 되기 때문이다. 더우기 그들은 보다 큰 이해관계를 위해 이루어지는 적극적 활동을 저지하는 데 열중하고 있다.

경제적 국민주의와 국제주의의 결여에 관한 어떠한 실례도 다음의 실례만큼 뚜렷하지는 못할 것이다. 즉 부유한 나라의 소수의 농민에게 그들이 시장에서 받는 이상의 높은 가격을 주도록 효과적인 방책을 채용한다는 것은 거의 자명한 의무로 된다고 인정되어 있음에도 불구하고, 바로 동일한 부유한 나라가 동시에 국제시장에서는 저개발국의 대다수 사람들의 이익이 되도록 상품 가격을—상승시키는 것이 아니라—다만 안정시키고자 하는 시도를 고려하는 것조차 냉담하게 거부해 왔던 것이다. 그리고 이러한 태도는 비록 제1차 생산물 가격의 국제적 안정이 결국은 부유한 나라에도 똑같이 이익이 될 것으로 생각되는 경우에 도취하게 된다.

둘째의 정책 목표는 공업카르텔과 해운카르텔을 국제적으로 통제하는 데 있었다. 이것은 저개발국에 대해서는 상당히 중요한 것이며, 동시에 부유국 측에도 하등의 실질적 희생을 필요로 하지 않으나 모든 것을 참작한다면 오히려 부유한 나라에도 이익이 된다. 그럼에도 불구하고 여기에서도 또한 행동을 위한 제안은 말없이 매장되고 있으며, 더욱이 그것 역시 같은 이유에서이다.

제한적인 상관습(商慣習)에 반대하는 방책은 대부분의 부유한 나라에서는 개별적으로 채용되고 있지만 국제시장에서는 아직까지 카르텔이 자유로이 활동하도록 방치되고 있다. 적어도 서구에서는 외국인이 강제로 지불해야 하는 것을 지불하지 않아도 좋도록 외국인을 보호해야 한다고 주장한다면 그것은 이상하게 생각될 것이고, 또한 거의 음모라고도 생각될 것이다.

신용대부

저개발국에서의 경제발전은 반드시 비교적 대규모의 자본형성을 의미한다. 이러한 새로운 자본의 압도적으로 큰 부분을 저개발국은 그 자체의 저축으로 마련하지 않으면 안 된다. 그렇지만 저개발국의 개발정책의 성공과 속도는 그 소요 자본의 일부를—비록 그것이 다만 아주 작은 일부라 할지라도—해외로부터 얻을 수 있는 가능성에 달려 있는 것이다.

그것을 가지고 저개발국은 자본재 수입의 증대와 그 밖의 개발정책이 국제수지에 가져오는 결과에 대해 유용하게 지불할 수 있다. 마찬가지로 저개발국은 그것이 필요로 하는 공업기술과 지식의 대부분의 대가를 지불해야 할 것이다. 오직 극히 작은 부분만을 한 나라 혹은 국제적인 기술원조 계획에 의해 무상으로 얻을 수 있게 될 것이다. 이것은 특히 공업부문에 타당하는 것이다.

국제자본시장은 1931년 9월에 붕괴되었으며, 그 후 지금까지 다소라도 전과 비슷한 규모와 형태로 재건을 보지 못하고 있다. 그러나 자본시장이 와해되기 이전에 아니 실제로 제1차 세계대전 이전에 있어서도, 현재는 '저개발국'이라고 특징지어지고 있지만, 당시에는 '후진지역'이라고 불려졌던 세계의 모든 지역에는 비교적 적은 자본밖에 이동하지 않았던 것이다. 그리고 이러한 것은 물론 지금과 마찬가지로 당시에도 이러한 지역에서는 큰 경제발전이 없었다는 사실에 대한 원인이 되고 결과로도 된다는 형태로 관련을 가지고 있다.

그럼에도 불구하고 식민지 통치기구와 그 비호 아래 활동하고 있었던 민간회사는 다소 불안정한 정치적 독립을 누리고 있었던 다른 저개발국의 정부나 회사와 마찬가지로 철도·항만·발전소 그 밖에 공공시설의 건설자금을 얻기 위해 서구적 국가의 증권거래소에다 증권을 방매하는 것은 당시에도 가능했던 것이다. 부유국의 정부를 국제금융사업에 몰아넣게 한 것은 다름아닌 국제적인 민간 장기자본시장의 붕괴였던 것이다. 그렇지만 정부는 국제적 자본공급자로서 기능하기에는 그 기구가 다소 불비하고 또한 이 방면에서의 정부의 활동은 반드시 고무적인 경험으로는 되지 않는다.

나는 국제금융이 비인격적인 시장과정을 통해 이루어지게 되었던 그 당시에 있어서까지도 정치가 그것과 전혀 관계가 없었다고 말하고 싶은 생각은 없다. 그러나 국민이 선거한 대의제의회에 대해 책임을 지고 있는 정부의 기관이 대부의 공여를 직접으로 결정하게 된다면 그 때에는 정치가 정면에서 개입하게 되는 것이다.

그리고 부유국이며 국민주의적이고 보호주의적인 복지국가의 대외관계의 분야에서 이루어지는 여론의 형성에 관해 제11장에서 분석한 것으로도 알 수 있듯이 국제금융에 열중하는 류의 정치가 편견이 없는 진보적인 것으로 되기를 기대할 수 없는 노릇이다. 이러한 배경에 비추어 본다면 미국 정부의 한 기관이라고 불려지게 된 것도 지나친 과장이 아니었다고 볼 수밖에 없는 '국제부흥개발은행'이 그처럼 충분한 일을 하게 되었다는 것, 그리고 또한 대외여신을 위한 다른 정부기관—이것도 주요 미국정부의 기관이기는 하지만—이 그들의 임무를 종전에 못지않게 처리해 왔다는 것은 오히려 놀랄만한 사실은 이들 기관이 저개발국의 공업화를 위해서 현재의 선진국에서 했던 것과 동일한 역할을 하게 된다면 그것은 민간자본시장으로부터 기대될 수 있는 것의 극히 적은 일부분을 넘어서지 못한다는 것이다.

직접투자가 있기는 했지만 그 대부분은 석유와 광산물이 채취될 수 있는 엄중히 통제된 엔클레이브에 투입되어 왔다. 모든 권고에도 불구하고 부유국의 민간산업은 저개발국에 진출하여 그곳에 공업적 기지를 구축하는 것에는 거의 관심이 없었던 것이다.

저개발국에서의 정부의 정책은 때로는 그러한 공업투자로부터 얻어지는 엄청난 이윤에 대한 기회를 감소시키는 데 이용되기도 했다. 많은 저개발국에서는 공업시설, 특히 기간산업국가에서의 공업시설의 외국인 소유에 반대하는 편견을 볼 수 있다.

이들 모든 나라에는 해외로부터 민간자본을 직접 유치한다는 것은 자본 유입을 유인하는 방법으로는 너무나 값비싸다고 하는 의견이 널리 퍼져 있다. 저개발국이 가장 필요하다고 느끼는 것은 확정이자로서 얻는 자본이며, 이러한 자본은 모든 종류의 대규모적인 사회적 간접투자를 가능하게 할 것으로 생각하고 있다. 그러한 사업에 대해서는 정부 혹은 그밖의 공공기관이 기업가적인 책임을 져야 한다. 왜냐하면 이러한 사업은 국내 혹은 해외에서—적어도 저개발국의 정부가 받아들일 수 있는 조건에서는—직접투자를 유인할 만한 것으로 되지 못하기 때문이다. 그리하여 저개발국은 경제개발에 필요한 자본을 아주 조금밖에 얻지 못하고 있다.

이러한 사태를 빚어낸 일반적 원인 사이에 세계의 정치적 긴장과 전쟁에 대한 공포가 불안스럽게 스며들고 있는 것이다. 이러한 정치적 요인이 미치는 직접 및 간접의 영향이 저개발국의 정치와 기업이 발행하는 채권이나 주식의 구매자를 찾을 수 있는 국제시장의 재건을 어렵게 한 사정의 거의 전부를 상세히 설명해 줄 것이다. 평시의 자본 공급원으로서의 경제적 선진국에서는 아주 착실한 호황과 완전고용의 상태가 전쟁이래 지배적이었고, 그러한 상태는 국내에서의 투자 기회를 유리하게 하고 안전하게 했기 때문에 투자가의 흥미를 끌게 했던 것이다.

국제자본시장의 재건을 가로 막는 모든 곤란은 자못 지대하다. 그럼에도 불구하고 만일 세계에서 진보적인 복지적 민주주의를 발전시키고자 하는 우리들의 모든 희망이 무너지는 것을 원하지 않는다면, 이것은 재건하지 않으면 안 된다고 나는 생각한다.

정부 대부와 국제부흥개발은행—확대된 규모로서—의 활동은 국제자본시장이 얼마나 더 회복되든 간에 그 재건을 위해 확실히 중요한 것이다. 이들 기관은 전후 초기의 논의에서 널리 요구되었던 바와 같이 자본시장에 경기순환에 대항하는 힘을 도입하기 위해 특별한 역할을 해야 할 것이다. 그러나 그 과제는 이들 기관에 대해서는 너무나 광범하다. 보다 많은 그리고 종류를 달리하는 통로가 필요한 것이다.

민간자본이 또다시 국경을 넘어서 보다 자유로이 이동할 수 있게 하는 통로와 보장책이 모색되어야 할 것이다. 가능하다면 자금을 가진 일반인들이 자금의 일부를 저개발국이 발행하는 증권의 형태로 보유하는 것이 다시 자연스러운 것으로 느끼도록 노력해야 할 것이다. 비록 저개발국이 필요로 하는 가장 중요한 자본이 그 정부와 그 밖의 공공단체 및 사업회사에 주어지는 장기대부라 할지라도 거기에는 아직 직접적이든 기업가적이든 간에 민간투자를 증대시킬 여지가 있을 것으로 생각된다.

저개발국에 협력하는 새로운 방법으로 여러 가지 제안이 이루어졌다. 그 방법에 따른다면 부유국의 기업은 일정기간 동안 그리고 이윤 및 상환금의 송금에 대해서는 정부가 보증한다고 하는 조건 아래에서 투하자본의 일부를 제공하게 되는 것이다. 또한 이러한 자금 공여협정이 정하는 최초의 기간 동안에 외국의 기업은 경영진을 제공하고 기술과 경영지식의 도입에도 책임을 져야 하는 것이다.

부유국 상호간에서 뿐만 아니라 부유국으로부터 빈곤국으로— 만일 통계에 의한 저지가 없다면 많은 나라에서 지배적인 경향으로 되는 바와 같이 빈곤국으로부터 부유국으로 흘러간다고 하는 역류의 방향이 아니고—자본이동을 가능하게 하기 위해서는 외국자본에 대한 저개발국의 태도변화가 필요할 것이다.

나의 의견으로는 대부분의 저개발국이 이자율을 너무 낮게 잡고 있기 때문에 자본을 끌어들일 수 없고, 또한 이 이자율은 저개발계획과의 관련에서 참으로 자본이 부족하다는 관점에서 보아도 너무나 낮은 것이다. 그러나 부유한 나라에서는 또한 적극적인 유도가 필요하게 될 것이다.

서구적 세계의 개별적인 국민주의적 복지국가 내에서는 그들이 영유하는 식민지 내의 저개발 지역으로 자본이 쏠리도록 하기 위해 각종 보조금이나 보증의 형태로 유도할 필요가 있다는 것이 거의 몇십 년 동안 인식되어 왔고, 또한 믿어져 왔던 것이다.

시장력의 작용에 대해 그처럼 의식적인 간섭이 가해지지 않았다면, 은행제도와 자본시장에서의 다른 각종의 제도적 부분은—실제로 그러했던 것보다도 더욱—빈곤한 지역의 저축 흡수하여 부유한 지역에 보내는 장치로서 활동하게 되었을 것이다. 그리고 국제자본시장을 재건하는 방법에 대한 진지한 연구에서 얻어지는 주요한 결혼은 민간자본이 부유한 나라로부터 빈곤한 나라로 이동케 하는 간섭과 동일한 유도를 준비한다는 것이 바람직하다는 것, 아니 참으로 필요하다는 것은 의심할 여지가 없을 것이다. 그와 같은 유도가 부유한 나라에 가하는 희생은 원조 형태의 증여를 위한 자금조달의 비용보다도 적을 것이다.

국제적 긴장, 세계 도처에서의 전쟁과 혁명이라는 긴박한 위험, 그리고 저개발국의 국민주의적인 차별정책 등이 현재로는 부유한 나라 측이 빈곤한 나라에다 경제개발에 필요한 자본을 더욱 많이 제공하고자 하는 진지하고 대규모적인 노력을 배제한다고 생각하는 것도 아마 무리는 아닐 것이다. 그러나 빈곤한 나라를 확실히 자본에 굶주리게 한다는 것은 동시에 전쟁과 혁명의 위기를 증대시키고 또한 빈곤한 나라의 국민주의를 채찍질하는 가장 확실한 방법일 것 같다.

용이한 해결책은 없다

나는 이제까지 저개발국을 포함한 국제적 통합의 급속한 진전을 위해 필요한 정상적인 무역정책과 금융정책의 변화에 관해 논의함으로써 마침내 그 논리적인 결론에 도달하게 되었다.

실제로 이러한 결론을 정책적으로 받아들일 수 있게 한다는 것이 불가능하다는 것은 더 말할 나위도 없다. 이것은 서구적 국가들이 민주적 복지국가 내부에서 작용하고 있는 제도적 및 심리적 기구에 관해 이미 분석한 것으로도 알 수 있다.

복지국가는 옹졸하고, 그리고 불합리할 만큼 국민주의적이다. 그 공공정책이 모든 이익집단의 분권적 구조에다 그처럼 깊이, 그리고 널리 뿌리를 내리고 있다는 사실 그 자체가 특히 모든 공공정책을 동일한 모양으로 방향을 전환시키는 것을 곤란하게 만들고 있다.

이러한 경우처럼 방향 전환의 동기가 국민적 공동사회 내부에서 감득된 강한 직접적인 요청에서 생기는 것이 아니라 광범위한 세계적 관련을 지적으로 분석한 뒤에 공통적이고 일반적인 이해관계를 인식하는 것으로부터 생기는 경우에 특히 어려워지는 것이다. 이러한 실제적 정치문제에 대해 용이한 해결책이 있는 것처럼 가장한다면 나는 솔직한 사람이 못될 것이다.

그런데 이 점에 관해서 전체주의적이고 단일체제적인 소련적 국가가 결정적으로 유리하다는 점에 유의해야 할 것이다. 외국무역과 금융관계에 대한 완전한 국가독점을 가지고 또한 전경제에 관한 중앙 지도를 하고 있으므로 그와 같은 나라는 보다 광범한 모든 문제를 고려할 수 있고, 또한 통상정책을 국가가 원하는 대로 쉽사리 재조정할 수도 있다.

소련적 국가는 어느 특정한 저개발국이나 다른 모든 저개발국에 관해 수출과 수입을 통일적으로 고찰할 수 있다. 그렇지만 서구적 복지국가가 그렇게 하는 데에는 반드시 큰 곤란이 따르게 된다. 왜냐하면 수출업자와 수입업자는 보통 별개의 집단이고 광범한 이해를 고려하지 않은 채 시장에서 활동할 뿐만 아니라 국가의 통상정책을 좌우하는 그들의 조직을 통해서도 활동하고 있기 때문이다. 다시 말하면 소련적 국가는 그 중앙계획경제의 내부에서 저개발국으로부터의 갑작스러운 수입의 대량 추가를 할 만한 여지를 쉽게 만들 수 있으며, 그리고 같은 방법으로 수출대금의 지불과 그 밖의 통상 조건을 자기 나라와 저개발국과의 관계라고 하는 보다 넓은 관점에 적합하게 조정할 수도 있는 것이다.

이것은 보통 소련적 대외 무상원조의 특히 음융한 국면으로 생각되고 있다. 과연 냉전하에서는 일반적이나 특수한 경우에도 이것은 똑같이 타당할지 모른다. 그러나 보다 기본적으로는 소련적 방식은 오직 합리적인 경제적 이익에만 이바지하게 하기 위해서는 불가피한 대외 경제적 모든 정책을 정합적으로 잘 조정하는 형식인 것이다.

서구적 국가들의 통상정책과 금융정책에 관해 위에서 도달한 결론을 실행한다는 것은 참으로 그러한 정합된 조정을 필요로 할 것이다. 서구적 국가들이 이 목적을 위해 전체주의적이고 단일체제적인 권력 지배에 복역할 용의가 없음은 물론이다. 또한 이들 나라는 외국무역을 국유화할 용의도 없다. 서구적 국가들이 이 분야에서 정책을 합리화하고 정합하고자 원한다면 그 나라들의 실천적 과제는 보호주의적이고 국민주의적인 복지국가의 테두리 안에서 어떻게 이것을 달성할 것인가 하는 데 있다.

그런데 이 복지국가는 널리 분산된 특수권익 관계자에 공동의 이익을 위한 합리적인 정책조차도 저지할 만한 무서운 권력을 주기 쉬운 것이다. 서구적 국가들은 민주주의 자체를 포기하기를 원하지 않으며, 각종의 이익단체로 형성된 방대한 하부구조를 통해 이루어지는 참여와 창의, 그리고 노력의 분산에 민주주의가 보다 깊게 기초를 둔다는 것도 포기하기를 원하지 않으므로, 그 해결책은 오직 사람들을 교육하여 그들의 참다운 이해관계 뿐만 아니라 모든 서구적 국가들과 세계 전체에 대한 공통된 일반적 이익관계까지도 이것을 관찰하여 명확하게 이해하게 한다는 멀고 먼 그리고 힘드는 것만이 있을 뿐이다.

원 조

내가 서구적 국가들의 일반경제 정책의 재조정이 첫째로 중요하다는 것을 강조하고, 그리고 일반적으로 그들의 저개발국과의 거래 방법의 재조정이 가장 중요하다는 것을 강조할 때 이것은 물론 원조가 불필요하거나 혹은 중요하지 않는 것을 의미하는 것은 아니다.

실제로 저개발국에 대해 상당히 수준이 높은 자금 및 기술 원조를 항구적으로 확립하는 것이 시급하게 요청되고 있는 것이다. 그것이 확립된다면 무엇보다도 아주 중요한 통상적인 경제관계의 건전한 발전을 위하여 보다 견고한 기초를 만들게 될 것이다.

세계적인 규모로 불시에 큰 소득균등화를 가져오게 한다는 것은 불가능한 목표인 동시에 그렇게 중요한 목표가 아니라고 나는 믿고 싶다. 그러나 보다 넓은 경제정책 체계의 일부로서 제한된 소득 재분배를 의미하는 정책수단이 사회적 이유에서뿐만 아니라 경제적 이유에서도 필요하다는 것은 확실하다.

무상원조와 기술원조 분야의 현황에 관한 나의 주된 비판은 미국이 그러한 원조의 거의 전액을 지불하게 되어 있다는 것이다. 이렇게 된 이유를 설명하기는 어렵지 않다. 그 유형은 여러 해 전에 결정되었다.

제2차 세계대전 말기에 이르러서 미국은 그들 연합국과는 달리 군사행동에 의한 피해가 없었을 뿐만 아니라 전쟁 초기보다도 경제적으로는 크게 유복하게 되었던 것이다. 이러한 상황에서 미국이 재건과 부흥에 필요한 자금 원조를 거의 혼자 힘으로 맡은 것도 당연한 일이었다.

이러한 원조의 훨씬 큰 부분은 서구의 국가들에 보내졌지만 이들 서구의 국가들은—남구의 국가들을 별개로 한다면—북미와 대양주와 더불어 어떠한 국제적인 비교에 있어서도 소수의 경제적으로 유복한 국가의 일부로서 포함되지 않으면 안 된다.

한 부유국이 다른 부유에 비상업적인 원조를 준다는 양식은 '마아셜 플랜'과 '구주부흥계획'에 의해 강화되었지만, 이들 계획에 대한 대외자금은 미국이 이것을 공여했던 것이다. 그러나 여기서는 미국이 서구에 주었던 이러한 대규모적인 원조가 구주(歐洲), 나아가 세계 전체에 주었던 모든 건전한 효과를 논의하려는 것은 아니다. 그러나 여기에서는 전후 관계상 그 유해한 도의적 영향의 하나만을 지적해야 할 것이다.

그것은 미국 자체와 서구의 쌍방에서 국민도 정치가도 미국이 세계의 어느 지역에도 필요한 곳에 국제원조를 제공하는 데 대한 자금 부담의 거의 전부를 도맡아야 하고, 다른 모든 경제적 선진국은 겨우 이름만의 공헌을 하는 데 그치는 상태를 정상적이고 정당한 것으로 받아들이도록 조건지워지기에 이르렀다는 것이다.

물론 미국의 생산과 소득이 부유국 전체의 총생산과 총소득의 극히 큰 부분을 차지한다는 것이며, 따라서 어떠한 공정한 국제원조 계획에 있어서도 미국의 부담분은 이때까지 미국이 부담해 왔던 만큼 크지 않더라도 크다고 보고 있다는 것을 명심해야 할 것이다. 국제적으로 뿐만 아니라 국내적으로도 모든 소득 재분배 계획에서 아주 중요한 도의적 요소는 그 부담이 공정한 방법으로 분담되어야 한다는 것이다.

스톡홀름, 제네바 혹은 브류셀에 살고 있는 사람들이 오하이오주의 콜럼버스, 미시간주의 디트로이트 혹은 콜로라도주의 덴버에 살고 있는 같은 소득층에 속하는 사람들과 똑같이 저개발국에 대한 원조를 분담하지 않는다는 것은 공정하지 못하고 또한 공정하다고는 결코 생각되지 않을 것이다.

우리들이 갖는 현재의 원조계획에서 불완전하거나 잘못된 것의 대부분은 원조의 자금조달이 이렇게 공정을 잃고 있다는 데에서 생겨나는 것이다. 비록 미국의 이러한 사태에 대해서는 거의 아무 말이 없다 하더라도 그것이 공정치 못하다고 생각되는 것은 당연하다.

확실히 이것은 왜 상정된 원조 담당안이 의회에서 끊임없이 삭감되는 위험에 놓이게 되는지를 설명할 뿐만 아니라 또한 왜 저개발국에 대한 원조 수준을 더욱 높인다는 것이 정치상으로 불가능하게 되는지를 설명해 주는 주요한 이유이다.

그것은 또한 미국에서 원조 지출의 증액을 역설하고 있는 사람들의 일부가 그 주장을 왜 정치적 혹은 심지어 군사적 전략이라는 입장에서 말하고 싶어 하게 되고, 보다 일반적으로 원조 지출을 정치적 모든 조건으로부터 분리시키는 것이 왜 그렇게 어렵게 되는가를 설명하는 데에도 도움이 된다. 그 때문에 당연히 경제원조로 되어야 할 것의 더욱더 많은 부분이 자연히 군사원조로 불려지게 되는 결과를 낳게 된다.

국제적 원조가 일방적인 것이 되고 이리하여 정치가 그 배분에 개입하게 된다면 도의적 기준은 허무하게 사라져 버리게 될 것이다. 경제적 기준 또한 지탱하기가 더욱 곤란하게될 것이다. 정치적 이해관계에 따르는 선택은 빈곤도가 적은나라라든가 혹은 원조를 경제적 진보를 위해 효과적으로 이용할 수 있는 능력이 가장 적은 나라에다 원조를 분산시킨다는 것을 반드시 의미해야 하는 일이 자주 일어난다. 원조를받는 나라에서도 일방적인 원조는 똑같이 불행한 결과를 가져 올는지도 모른다. 원조의 정치적 조건은 수원국(受援國)사람들의 원망을 사게 된다. 실제로 정치적인 끈과 이면의동기는 그것이 실재하지 않아도 존재한다고 의심받게 되는것이다.

많은 경우, 원조의 용도에 관한 지도와 통제도 그 능률이떨어지게 될 것이다. 저개발국은 국제기관으로부터의 조언은기꺼이—행복하다고까지 생각하고—받아들이지만 그것이 어느 한 나라에 의해 촉구되는 경우에는 받아들일 용의가 없거나 대중의 분개로 말미암아 받아들일 수 없게 된다. 더구나촉구하는 나라가 아주 부유하고 강대하며, 또한 공적 발언에서 조심성이 없는 경우에는 조언을 받아들일 가능성이 적어질 것이다.

이러한 사실들은 물론 왜 원조는 국제기관을 통해서 이루어지는 것이 가장 좋은지를 설명하는 중요한 이유가 있다.그러나 한 나라가 거의 모든 비용을 지불하고 있는 한 전체원조의 흐름 가운데 근소 부분—실로 상징적인 소부분—에 지나지 않는 것을 국제기관에서 취급해야 한다고 제안하는 것은 거의 불합리한 일이라고 본다. 그러므로 자금적 부담 배분의 공평성을 제고시킨다는 것은 저개발국에 대한 원조와 기술원조의 대부분을 다각적이고 진실로 국제적인 제도적 구조 속에다 옮겨놓기 위한 조건인 것이다.

원조의 방향

저개발국에 대한 원조는 명확하고 더욱 합리적 우선순위를 가져야 한다는 것을 오랫동안 느껴왔다. 이러한 형의 국제협력—거기에는 통상적인 거래관계라는 의미에서는 아무런 대상도 없다—은 몇몇 분야에만 집중되어야 한다는 것이 나의 의견이다. 그렇게 되면 원조는 특히 자연스러워질 것이고, 또한 원조를 주는 나라와 그것을 받는 나라가 다 같이 당연한 것으로 생각하게 될 것이다.

첫째로 식량이 부족한 저개발국민에게는 적당한 영양수준을 달성하는 데 필요한 것이 주어져야 한다. 부유국은 기아에 허덕이는 사람들에게 식량을 팔아서 돈을 벌겠다는 생각은 말아야 할 것이다. 많은 나라에서 실업자와 불완전 취업자가 취업을 하게 될 때에는 그들이 입수 가능한 식량 이상을 소비하지 않을까 하는 당연한 걱정이 경제개발을 크게 제약하는 요인으로 되어 있다.

다른 여러 나라가 같은 시기에 식량과잉의 문제로 골치를 앓고 있을 때 식량부족에 대한 경제개발의 제약은 잔혹할 뿐만 아니라 불필요하고도 참으로 어리석다는 것을 알아야 할 것이다. 그렇지만 이것은 과잉식량을 갖는 부유국만이 그러한 원조의 비용을 부담해야 한다는 이유로는 되지 않는다. 적어도 합리적인 국제협력 계획에 있어서 그 계획을 위한 비용은 모든 부유한 나라가 분담해야 할 것이다.

더욱이 원조는 빈곤에 관한 모든 문제에 대해 영구적인 해결책이라고 생각되어서는 안 된다. 원조는 언제나 자조(自助)에 대한 도움이 되어야 할 것이다. 그러므로 식량의 무상 공여에는 명확한 기한을 정하고 또한 원조를 받는 나라는 농업생산을 향상시키기 위해 할 수 있는 일을 다 한다는 조건이 따라야 할 것이다. 그렇지 않으면 식량원조는 단지 안일을 지지하는 데 불과하다는 위험이 언제나 내재한다. 따라서 둘째로는 저개발국이 소비용 식량의 농업생산을 향상시키는 것을 도와주기 위해 도구와 설비, 기술원조 및 훈련과 같은 것을 해외로부터 도입하는 것이 그들에 대해 실제적이고 경제적인 경우에 부유국은 이러한 모든 것을 무상으로 빈곤한 나라에 공여할 것을 결심해야 할 것이다.

비료의 잉여분이 있다면 그것도 원조의 일부로 될 수 있을 것이다. 다른 방법으로 비료생산을 위한 조건이 유리한 저개발국에 대해서는 비료 대신에 비료공장을 설립하기 위한 원조가 주어져야 할 것이다.

급속한 경제발전을 가능하도록 하기 위해 충분한 식량을 공여한다는 이러한 문제는 합리적인 국제협력 계획에서는 편협한 국내적인 문제로서가 아니라, 지역적 아니 참으로 세계적인 문제로서 고찰되어야 할 것이다. 몇몇 저개발국은 현재에도 식량수출국이고 또한 장래에도 더욱더 그렇게 되어야 할 것이지만, 한편 다른 저개발국은 비식용 농작물과 제조 공업품의 수출에 더욱더 집중할 수 있을 것이다.

식량 수출국의 이익은 보호되지 않으면 안 된다. 물론 그들은 부유국처럼 식량을 양여(讓與)할 만한 입장이 못 된다. 많은 경우에 그 나라들이 상업적 수출을 위해 식량을 증산할 수 있도록 경제원조가 주어져야 할 것이다. 만일 저개발국의 식량 수출이 식량을 수입하는 저개발국에 그 나라가 받는 원조의 일부로서 가게 된다면 부유국이 할 수 있는 공헌은 전자에 대해 후자에다 식량을 수출한 대가를 지불해 주는 데 있을 것이다.

셋째로는 식량을 증산한다는 기본적 요구를 충족시켜 주는 외에 위생과 보건, 각 수준의 교육과 자연자원의 탐색을 포함 등 각 부분에서 저개발국이 어려움을 무릅쓰고 급속한 진보를 갖도록 하기 위해 부유국은 해외로부터 제공할 수 있는 것은 무엇이나 설비·조언·요원의 훈련 등 형식으로 제공하는 것에 동의해야 할 것이다.

이러한 세 가지 방향을 취하는 원조에 대해서 하나의 일반적 조건 즉 피원조국은 원조를 경제적이고 능률적인 방법으로 사용한다는 조건이 있어야 한다. 만일 내가 지금 제안하고 있는 것처럼 부유한 나라가 몇몇 저개발국이 필요로 하고 있는 추가적 식량의 전량, 그리고 저개발국이 농업 생산성의 향상과 위생·보건·교육·훈련 등 각 수준을 향상시키기 위해 효율적으로 처리할 수 있는 자금적 원조의 모든 것을 자진해서 제공하겠다고 선언하더라도 그 비용은 서구적 부유국의 경제 수준을 현저하게 저하시키는 것을 의미하지는 않을 것이다.

이러한 특정 목적을 위해 원조를 아낌없이 공여하는 것이 매우 바람직하다는 것은 서구적 부유국의 일반대중에게 비교적 쉽게 이해될 것이다. 만일 원조가 굶주린 사람들에게 먹을 것을 주고, 자력으로 식량을 증산하게 하고, 그리고 가난한 국민의 보전과 교육의 수준을 향상시키기 위해 주어진다면 부유국에서는 원조의 공여에 있어서 정치적 조건을 문제로 하거나 차별을 하고자 하는 사람은 더욱 적어질 것이다.

원조를 '연화대부(軟貨貸付)'라는 모호한 말로 얼버무리고자 하는 생각도 조금쯤을 일어나게 될 것이다. 저개발국 자체에서도 원조의 배후에 있는 동기를 수상히 여기는 일이 없어질 것이며, 원조는 순수하게 인도주의적인 노력으로 된다는 것, 혹은 그렇게 되어야 한다는 것이 이해되고 또한 승인될 것이다.

이러한 세 가지 형태가 필요하게 되는 이상으로 저개발국 원조에 이용될 수 있는 자금의 여유가 있다면 넷째의 우선순위는 관개(冠蓋)·전력시설·항만·도로·창고 등 각종의 사회적 간접자본 형성을 가속화하기 위한 설비와 그 밖의 생산적 필수품의 수입대금을 지불하는 일 등에 주는 것이 좋은 것이다. 그와 같은 대규모적인 투자는 공업과 농업의 양면에서의 발전의 기초를 위해 필요하게 된다.

이러한 투자는 경제개발에서 특별한 전략적 중요성을 갖는다. 왜냐하면 이 투자는 노동집약적이고 따라서 저개발국에 남아도는 생산적 자원, 즉 노동을 이용할 수 있기 때문이다.

만일 식량이 오늘날 많은 나라에서 보는 바와 같은 잔혹한 험로로 되지 않는다면, 그리고 만일 이러한 사회적 간접자본에 대한 투자 개시가 외환을 얻는 데 다른 부문과 경쟁하는 일이 없다면, 저개발국은 그러한 투자에다 높은 우선순위를 주는 것이 유리하다는 것을 알게 될 것이다.

국제부흥개발은행의 대부의 대부분은 이러한 목적을 갖고 있지만 많은 저개발국이 이러한 방향으로의 노력을 강화하기 위해 무상원조를 이용하는 것이 합리적이다. 만일 이러한 형태의 경제원조가 상당히 대량으로 이용될 수 있다면 모든 저개발국 자체의 노력에 맡겨 두어도 더욱더 많은 희망을 걸 수 있을 것이다.—어쨌든 공업개발은 그러한 노력에 의존하지 않을 수 없다—현재로는 식량부족 그리고 인플레이션 과정에서 종종 식량부족이 증대하고 있다는 것에 대한 불안이 모든 개발, 특히 급속한 공업화에 대한 제한요인으로 되어 있다는 사실에 대해서 이미 말한 바 있다. 지금은 그러한 제한 요인이 당연히 배제되어 있을 것이다.

모든 저개발국에서 보건·교육·훈련·조사 등의 수준이 향상된다면 공업화에 대한 다른 저지요인의 영향도 줄어들 것이다. 이용할 수 있는 사회적 자본의 기초를 확대한다는 것도 같은 효과를 갖게 된다. 더욱이 저개발국의 공업 관계에 유리한 다른 조건은 이미 말한 바와 같이 만일 부유국이 보통의 통상정책과 금융정책, 그리고 거래관계에서의 변화를 시도할 결심을 가지고 있었다면 벌써 마련되어 있었어야 할 것이다. 그러한 변화는 국제적 통합에 대해서도 매우 이로울 것이다. 마지막으로 무역과 자본 이동에 관한 이러한 개혁은 재발을 위한 어떠한 무상원조보다도 중요하다는 것은 말할 나위도 없다.

이러한 변화를 빈곤국이 현재의 정부 간의 조직을 최대한으로 이용하면서 서로가 협력하여 지속적인 압력을 가하는 이외에, 어떻게 실현할 것인가는 쉽게 알 수 있다. 만일 원조가 개개의 정부에 의해 일방적으로 배분되는 대신에 정부 간의 기관에 의해 국제적으로 계획되기에 이른다면 원조와 기술원조의 합리적 조직화, 특히 위에서 말한 유형의 우선순위 제도의 발족이 비로소 가능하게 된다는 것은 물론이다. 그리고 오직 원조의 국제화만이 원조의 수준을 끌어올리게 하는 정치적 및 심리적인 기초를 마련하게 될 것이고 그러한 기초에서 마침내 원조가 저개발국의 경제 발전을 위한 참으로 중요한 정책수단이 될 것이다.

국유화의 문제

이 장은 새로운 세계적 안정을 달성하기 위해 부유한 나라 측의 방향전환을 요구하는 모든 문제에 한해 검토한 것이다. 그러한 검토로서는 적어도 앞 장에서 말한 '서구의 자산'의 국유화라는 문제에 관해 언급하지 않는다면 그것은 불완전하다고 할 것이다. 거의 모든 저개발국에는 외국인이 대규모 기업, 특히 1차 생산물인 자연자원을 약탈하는 대규모 기업을 소유하는 것에 대해 강한 반감을 가지고 있다.

외국 소유의 큰 엔클레이브에 대한 이 같은 반감은 아주 강하고 일반화되어 있으므로 아마 멀지 않아 저개발국에서 외국 자산에 대한 국유화가 더욱 많이 일어날 것으로 보인다.

외국 자산에 대한 빈곤한 나라의 반감은 실로 당연한 바가 있다. 우리들을 놀라게 하는 것은 이러한 반감이 서구적 세계에서 그처럼 맹렬한 반대와 그처럼 둔한 몰이해에 부딪치고 있다는 사실이다. 이러한 부정적인 태도와 주주와 다른 이해관계자에만 국한되어 있는 것이 아니라 노동자와 농민 그리고 모든 종류의 일반인들 사이에서도 강하다. 그러나 이 점에 관해서는 저개발국의 사람들도 실제로는 서구적 세계의 사람들과 별 차이가 없다.

저개발국의 사람들은 자기의 국가적인 경제적 독립을 확립하는 것을 목적으로 하고 있을 뿐이다. 그 독립은 서구적 국가들이 현재 가지고 있는 것이고, 또한 언제나 가져오고 있었던 것이다.—적어도 현재에는 당연한 것으로 생각될 만큼 장기에 걸쳐 가지고 있었던 것이다.

비교를 위해 스웨덴과 같은 조그마한 부유국을 골라 보기로 한다. 만일 스웨덴에서 개업한 외국 기업이 스웨덴인과 경쟁적인 생산에 착수하려고 한다면 이러한 외국기업은 확실히 그곳에서 거의 다른 어떠한 나라에서보다도 따뜻하게 환영을 받는다. 그들은 필요한 인원만큼의 직원과 기사 및 노동자를 대동할 수 있는 것이다. 그리고 스웨덴은 외국무역이 이례적으로 관세나 다른 장벽 때문에 구속을 받는 일이 없으므로 그들은 원료·반제품·기계 등 무엇이든지 원하는 것을 수입하는 데 어떠한 곤란도 받지 않을 것이다. 그러나 이러한 문호 개방책은 스웨덴의 경쟁력이 아주 강하여 외국인이

열린 문호를 아주 많이 이용한다는 것을 그다지 유리하지 못하게 하는 암묵적인 가정 위에서 채용되고 있다는 것을 깨달아야 할 것이다.

만일 스웨덴에서 외국 기업의 수가 늘어나고 특히 토지나하천 그리고 광산에 까지 손을 뻗치기 시작한다면 스웨덴인 측으로부터 상당히 심한 반대가 일어날 것이다. 그렇게 되면 재빨리 다음과 같은 모든 법률이 실시될 것이다. 실제로 그 법률은 오래 전에 보수적인 의회가 법률 문서에 기록해 두었던 것이고, 그 후 몇 세대 동안 사용하지 않은 채 두었던 것이지만 어느 외국인이건 스웨덴에서 부동산을 소유하거나 스웨덴의 보통법인의 주식을 취득하고자 원하는 자는 정부의 허가를 필요로 한다는 것이다. 만일 현재의 법률이 외국인이 토지를 매입하거나 혹은 중요한 공업부문에서 지나치게 강대화하는 것마저 저지하기에 철저치 못한다면 스웨덴인은 필요하다고 생각하는 만큼 과격한 새로운 법률을 제정하는 데 주저하지 않으리라는 것을 나는 부언해 둔다.

다른 대책이 없다면 그들은 외국인 재산을 국유화하는 일을 함에 주저하지 않을 것은 확실하다. 이렇게 말하는 모든 생각은 스웨덴에서는 아주 이상스럽고 가설적인 것으로 받아들여지고 있으며, 이에 대한 유일한 이유가 수세기에 걸쳐 스웨덴의 국민사회는 외국기업에 대해 매력적인 것이 되지 못했고, 또한 외국 권익이 이 나라에 대거 침입하는 것이 유리하다든지 실행이 가능할 만큼 스웨덴인 측의 재능과 자금원이 빈약하지 않다는 데 있다는 것은 물론이다. 그리고 이번에는 이러한 사실이 이 조그마한 부유국—이 나라는 나폴

레옹시대 이래로 교전하거나 침략을 받거나 외국인에게 점령을 당한 일도 없었으며, 또한 자기 나라의 최후의 식민지를 우연히 1세기 이상이나 앞질러 매각시켜 버렸다—에 살고 있는 보통의 남녀로 하여금 빈곤한 나라에서의 경제적 독립을 위한 노력에 대해 참다운 이해와 공감을 거의 갖지 못하게 하고 있다.

스웨덴 사람들은 사소한 입씨름을 하기는 하지만 모든 일을 자기들 힘으로 아주 훌륭하게 민주적으로 처리하고 있으며, 전체적으로는 아주 선량한 시민이며, 극히 유쾌하고 친절한 이웃 사람이며, 직장에서는 다시 없이 협조적인 친구이며, 매우 순응성이 있는 결혼 상대이기도 하고 또한 이해심과 애정이 대단히 풍부한 부모임에도 불구하고 일단 일상생활에서의 자기들의 경험 밖의 일에 반응할 때에는 생각이 모자라고, 박정하고, 의식적으로 하는 것은 아니지만 거만하게 되기 쉬운 것이다. 그곳에서의 그들은 무지와 안이한 편의주의와 그리고 자기들과 매우 비슷한 입장에 있는 다른 부유국에 대한 무분별한 충성심이라고 하는 것에 얽매이게 된다.

스웨덴인이 신문—그곳에서는 옹호할 기득권익을 가진 서구적 세계 대국들의 기관이 국제 뉴스를 거의 독점적으로 제공하고 있다—에서 어떠한 멀리 떨어진 후진국에서 토착민 편동가가 열대농원과 광산 혹은 그 밖의 잘 관리된 사업회사를 국유화 하고자 원하고 있다는 것을 읽었을 때 그들은 아연실색한다.

스웨덴인은 식민주의의 합리화에 대한 사상의—그것은 오늘날에는 편의주의적인 이유에서 이전만큼은 공공연하게 알려지지는 않고 있지만 아직도 꼬리를 끌고 있다―노선에 빠져 들어가기 쉽다. 그러나 외교의 배후에서 그들은 다음과 같이 생각하고 있다. '도대체 이들 토착민들은 그들 기업에 대한 값싼 노동과 신(神)이 우연히 그 토지에다 뿌려 놓은 자원에 의한 것을 제하고 어떤 공헌을 했단 말인가. 더욱이 그 지표상에서 토착민들은 그들의 선조가 생활을 했던 것과 마찬가지로 비참한 생활을 하고 있으며, 물론 그러한 자원을 창조한 것도 아니고 그렇다고 해서 백인이 오기 전에는 자원을 개발하고자 하는 기미조차 없었던 것이 아닌가'라고 그들 선동가는 비록 그가 수상이건 대통령이건 민주주의와 자유세계에 대항하는 국제공산주의자의 음모에 의해 고취되었음에 틀림없다.

국제관계에 관한 한 부유한 나라의 노동자나 농민까지도 해외의 참으로 빈곤한 사람들에 대한 그들의 태도에서는 상층계급이다. 그리고 지식층은 흔히 편의주의적인 무지와 이와 관련해서 불행히도 구식민강국인 서구적 세계와의 일체감에 더욱 밀착하게 되는 것이다.

수년 전 스에즈운하 위기 때 나는 하나의 소견을 발표한 적이 있었는데, 소련은 부유한 나라에서는 다소 독창적인 것으로 생각되었으나 중요한 해운권익을 가진 나의 고장 스칸디나비아에서는 확실히 독창적인 것이었다. 나는 스에즈운하와 같은 것이 우연히 미국·영국·프랑스·노르웨이 혹은 그 밖의 어떠한 서구적 국가의 영토를 가로지르고 있다는 것을 가정해 보았다.

이들 국민의 어느 한 명도 이 운하가 거의 최후까지 그 국민을 책임 있는 지위에 채용하는데 저항까지 하는 외국법인에 의해서 오랫동안 통제되고 관리되고 자금적으로 착취되는 대로 묵인할 것을 진실로 믿는 사람이 있을까. 나아가 수세대 전에 이집트가 종속국이었을 뿐만 아니라 실제로 외국 군대의 점령하에 있었을 때 체결되었던 국제협정이 이집트인에게 제약감을 느끼게 한 것과 같은 정도로 이들 나라의 국민이 제약감을 느낄 수 있을까. 또한 서구적인 어느 나라가 그 자연자원을 약탈하기 위해 다른 커다란 엔클레이브를 익명의 외국법인의 손에 넣고 있는 것에 만족할 것인가. 더구나 이 법인은 그 본국에서도 역시 아주 거대하므로 그 나라의 대외정책, 특히 대외경제정책을 좌우할 수 있을 것이라고 생각된다.

우리들의 큰 결점

다시 여러 가지 문제를 제기해야 할 필요가 있다. 이미 그러한 문제를 제기함으로써 실제로는 서구적 세계가 아직도 저개발국민을 서구적 국민과 마찬가지로 자기들의 국민생활을 돌이켜 볼 수 있는 권리를 가진 대등자로서 받아들일 준비가 되어 있지 않다는 것이 명백하게 된다. 평등의 기초가 진정하게 확립되어 있지 않은 데에서는 인간관계는 언제나 그렇게 되지만, 우위에 서는 자는 자기들의 차별적인 사고방식을 의식하지 않고 있는 것이다.

우리들에게는 큰 결점이 있다. 서구적 세계의 서민인 노동자와 농민은 엔클레이브에서의 한 법인의 가장 부유한 주주와 마찬가지로 저개발국민이나 그 지도자들—그리고 자와하랄 네루와 같이 뛰어난 교양을 가진 사람이나 혹은 우 누와 같이 신앙이 깊은 사람조차도—이 선진국의 상술(上述)의 서민들은 제국주의적이며 식민주의적인 사고방식을 벗어나지 못하는 경향을 가지고 있다고 비난할 때 그들이 선진국민을 중대하게 아주 불공정하게 판단하고 있는 것으로, 그리고 가장 심각하고 정직하게 확신한다고 나는 생각한다. 그러나 명백한 사실로서 저개발국의 국민과 그 지도자들이 옳은 것이다. 그리고 서구적 세계의 국민이 이러한 극히 명백한 편견을 마음속으로부터 불식하는 것이 빠르면 빠를수록 그들이 저개발국이 가진 의심할 여지가 없이 상당히 큰 권익에 대해 그만큼 도움을 줄 것이다.

경제적 식민주의의 해체

실제적인 여러 문제는 상당히 복잡하고 곤란한 성질을 띠고 있다. 즉 장기에 걸친 식민주의나 경제적 종속성으로부터 계승되어 온 아주 큰 외국 자산의 관계 일체를 어떻게 청산할 것인가. 부유한 서구적 세계와 저개발국에 후자가 독립국민이라는 것에 입각해서 어떻게 새로운 경제관계를 세울 것인가, 그리고 이것을 수행하는 데 서로가 되도록 선의를 잃지 않고, 또한 생산과 무역의 양편이 다 같이 경제적 가치나 이익을 최대한으로 보호하고, 또한 증진시키려면 어떻게 해야 할 것인가 등에 관한 것이다.

이것이야말로 부유국과 저개발국 쌍방에서 자유롭고 건설적인 사고와 정치적 수완이 대처해야 할 도전인 것이다. 빈곤한 나라는 시기를 기다리면 은근한 압력과 교섭에 의해 획득할 수 있는 것을 일방적인 행동과 힘에 의해 탈취하지 않는 것이 좋을 것이다. 부유한 나라에 대해서는 식민주의로부터의 유산이며, 지지할 수 없는 다음과 같은 사고방식을 그들에게서 일소하는 것이 마찬가지로 매우 중요한 이익이 될 것이다. 즉 빈곤한 나라의 사람들은 부유한 나라의 사람들이 하는 것처럼 당연한 것으로서 생각하지도 희망하지도 싫어하지도 또한 행동하지도 않아야 한다는 것이다. 그것이 평화적으로 이루어져 부유국과 빈곤국 서로의 이익이 되도록 현명하게 처리될 것인가,—그것은 이론적으로는 매우 가능할 것이다—혹은 주로 격심한 충돌과 위기를 통해서 가치와 선의가 파괴될 것인가— 그 어느 편이라 할지라도 저개발국에서의 식민지적인 경제적 엔클레이브의 구조가 점진적으로, 그리고 아마도 급속하게 해체된다는 것은 피할 수 없는 역사적 과정이며, 그것은 끝까지 그 집행을 멈추지 않을 것이다.

근본적으로 그것은 서구적인 방향을 따르는 움직임일 것이다. 그것은 현재 서구적 세계들이 도달하고 있는 것보다도 더 완전한 국민적 공동사회를 지향하고 있는 것이다. 다만 만일에 서구적 측으로부터 중대한 학대를 받는다면—이러한 사실은 최근 역사가 가리키는 바와 같이 제외될 수는 없다— 그것이 저개발국을 소련블록과의 동맹으로 몰아넣을 것이고, 그리하여 그들의 계획양식을 소련형으로 하게 하는 간접적인 영향도 줄 것이다.

제14장 정부 간 경제조직의 성장

국민경제계획은 국제계획의 필요를 낳게 한다

국제적 통합은 오늘날에는 다만 이민·통상·자본과 기업의 이동에 대한 장해를 타파하는 것만으로는 부활될 수 없다. 이 통합은 조직화되어야 한다. 국민경제는 이미 국제 분야의 변화에다 자기를 조정함으로써 모든 나라의 안정성과 신축성 그리고 최대의 공동이익을 자동적으로 일어나게 할 수는 없는 것이다.

실제로 이러한 자기 조정은 설령 그것이 자유무역이라는 낡은 균형이론으로 논의된다 해도 결코 실현성은 없었다. 이제는 정부나 국민이 그들 국가적 이익을 위해 이러한 자동조정을 거부하는 그들의 의지와 힘을 의식하게 되었으므로 이 자동 조정은 전보다 더욱 진실치 못하다.

국제적 통합을 증대시키려는 목표, 그리고 불규칙적인 변화나 통일성 없는 국민정책으로부터 생겨나서 결국 모든 국민을 해치는 조잡한 국제적 불조정을 방지하고자 하는 목표는, 오늘날에는 정부 간의 협력과 교섭을 통해서 이것을 협의하고 해결하지 않으면 안 된다. 그러므로 일단 서구적 부유국에서 복지국가가 생겨나고, 또한 일단 저개발국이 독립하는 데 국민적 발전을 위해 개별적인 국민경제정책을 추진하게 된 이상, 계속적인 국제경제의 붕괴를 대신할 수 있는 방도는 복지세계를 향한 노력 외에는 사실상 아무 것도 없다고 내가 말했던 것은, 분석에서 얻은 추론으로서의 명제이지 결코 단순한 가치판단은 아니다.

국가계획의 추세는 인과관계의 과정을 통해 국제적 정합과 계획화에 대한 필요를 낳게 한다. 전체주의적이고 단일체계적 독재국가인 소련권 나라에서 과격하고 기본적으로 유형이 다른 국가경제계획이 출현한다는 것은 나머지 세계에 대해 이상의 결론을 강화할 뿐이고—이것은 또한 세계 전체에 대한 장기적인 희망과 노력으로서 그 결론을 강화하는 것이다.

국제적 정합과 계획화에 나타나는 제도적 형태는 정부 간의 조직이다. 그러므로 서구적 나라에서의 계획화의 추세와 이러한 추세가 갖는 국제적 의미관련에 관한 우리들의 연구를 매듭짓게 됨에 이르러 나는 이제 이러한 연구과정에 있어서 이 조직의 역할에 관한 나의 견해를 명백히 하고자 한다.

조직화 된 정부 간 협력의 억양

지금까지 내가 말해 온 것을 고려한다면 이러한 국제적 분열의 시대에 외교 기구를 마련한다는 야심적인 과제를 가지고 세계적 규모의 정부 간 조직을 확립하려고 하는 사상 초유의 현실적 노력이 일어나게 되었다는 것에는 아마 놀라지 않을 것이다. 이 외교 기관은 모든 정부가 자기 나라의 국민 경제를 조화시킴으로써 더욱 정합된 세계경제를 건설할 목적으로 통일적 행동을 취할 수 있도록 하는 장소로 이용될 수 있는 것이다.

실제로 이러한 기도는 지난 반세기 동안에 세계가 겪어야 했던 연속적인 국제 위기의 바로 정상에서 두 차례에 걸쳐 추진되었다. 한번은 제1차 세계대전이 끝남으로써였고, 또 한 번은 더욱 큰 규모로 굳은 결의와 함께 추진된 제2차 세계대전의 종언으로써였다.

정부 간 조직의 현체계의 기본 형태는 제2차 세계대전 말기의 마지막 몇 년간에 결정되었다. 몇 가지 조직은 제1차 세계대전 후에 설립되었던 구조직의 잔해 위에 세워졌고, 나머지 조직은 아주 새로운 것이었다. 희망에 부푼 그 무렵에는 어떠한 조직을 창설하고 창설하지 않는가 하는 것은 사실상 다소는 역사적 우연에 의한 것이었다. 이를테면 만일 주택문제의 전문가가 계속 활약했다면, 현재 농업이나 영양에 관한 전문기관이 있고, 또는 임업이 그 기관 속에 장소가 예약되었음과 마찬가지로 그들은 틀림없이 주택을 위한 특별한 기관을 얻게 되었을 것이다.

제안되었던 저개발국의 경제개발을 위한 세계적 기구는 아직도 실제적 효과를 거두지 못한 채로 있으나 만일 그 당시에 이런 제안이 강력히 요구되었다면 이에 대한 저항은 아주 적었을 것이다. 그리고 국제무역기구가 좌절되었던 것도 입안자들이 유리한 기회를 이용하여 실제적인 무역문제를 협의

하기 위한 기구를 설립하려고 하는 대신에 하나의 전체적인 원리, ―즉 모든 종류의 유보 조건을 갖는 자유무역의 원리 ―를 추상적인 용어로 조문화하고자 하는 야심을 가졌던 결과였다.

왜냐하면 입안자들이 이 원리의 정확성에 관해 입씨름을 하고 있는 동안에 시간은 흘러서 정부 간의 조직을 발족시키기 쉬웠던 수년이라는 세월이 지나고 말았기 때문이다. 이러한 시기에는 환멸이 지상(至上)의 것으로 군림하게 된다. 이러한 방향을 따르는 어떠한 창의도 의심이나 무관심으로 받아들여지는 것이다.

정부 간 경제협력기구를 창설하고자 하는 이러한 활발한 활동은 파시즘 반대라는 명분으로 연합되었던 서구적 부유국의 창의와 계획으로 생겨났던 것이다. 그것은 주로 이들 각국 정부가 전시 중의 그 국민의 고난과 불안에 대해 주어진 해답이었다.

긴밀한 국제협력을 증진한다는 약속은 군인이나 후방 국민의 사기를 앙양시키려는 노력의 일부―가장 필요한 일부―였고, 또한 적국 내의 반전 세력을 확대하려는 목적도 아울러 갖는 것이었다. 일단 전쟁이 승리로 끝날 경우 세계는 근본적으로 개조되어 보다 행복하고 조화적이며 안정적인 곳이 될 것이며, 그것에서는 광범위하게 계획된 진보와 안전은 모든 국민이 공동이익 때문에 협력한다는 것에 의해서 얻어진다는 것을 사람들은 믿지 않을 수 없었다.

이러한 희망을 조장한다는 것이 정부의 편의주의적인 이익으로 되었다. 참으로 전후기(戰後期)에 정부 간의 모든 조직을 계획하거나 선전한다는 것은 파시즘적 강대국에 대항해서 위대한 동맹이 심리전의 중요한 요소였다. 미래의 국제협력에 대한 가장 큰 환상이 널리 퍼져 있었다.

사상가나 계획자는 각자의 분야를 얻었고, 그들은 가끔 정치적 권위까지 얻게 되었다. 전선과 후방의 국민에게는 종전이 되면 완전고용이나 사회보장, 경제발전 그리고 생활수준의 급격한 상승뿐만 아니라 이 모든 것에 대한 기초로서 조직화된 평화와 긴밀한 국제협력도 약속되었던 것이다.

우리들은 서구적 국가들의 책임 있는 지도자들이 당시에 설립되었던 정부 간 경제조직의 효율성을 믿고 있었다는 것을 생각하게 된다. 세계경제의 안정화 특히 저개발국의 경제적 진보의 가속화를 위해 실천적인 모든 청사진이 만들어졌다.

새로운 상황에서 국제적 통합은 이전과 같은 경제적 자동체제를 보다 고도로 회복하려는 기도로서만 추구될 수 없으며, 부유국에서 복지국가가 형성된 때와 마찬가지로 계획되고 정합된 노력의 결과이어야 한다는 것이 판명되었던 것이다. 이리하여 특권과 독점의 해체, 공통의 규칙에 관한 협정, 그리고 위험과 부담의 분권원칙을 국제관계에도 적용한다는 것 등이 목적 달성이 올바른 수단으로서 널리 승인되었다.

일반적 이상으로서 이러한 모든 정책이 조직의 설립문서에 기록되었다. 이들 여러 정책은 보다 광범하고 정확하게, 당시 기획되었던 모든 조직의 이데올로기적 기초를 형성했던 수천의 서적과 논문 및 연설 속에서 공식화 되었던 것이다.

몽상가뿐만 아니라 극히 엄격한 많은 경제학자·정치학자·법률가, 그리고 실천적 정치가도 실제로는 이 이상의 것을 기대하고 있었던 것이다. 당시의 저작을 연구해 보면 명백하게 알 수 있듯이 이러한 조직이 참다운 세계사회에까지 발전할 것으로 마음속에 그려 본 사람이 적지 않았던 것이다.

이러한 세계사회는 모든 국민의 의사와 서서히 완성을 본 초국가적 헌법에 규정된 바에 따라 적절한 절차로 얻어진 법률과 공동으로 결정하는 데에 기초를 두고 있다. 이렇게 기능하는 세계사회에서는 모든 국민은 복지적 이해의 연대감을 갖게 될 것이고, 모든 국민의 충성심도 평화와 진보·자유·평등 및 보편적 우애라고 하는 이상을 더욱더 완전히 실현한다는 공동의 목적을 향해 자라날 것이다.

국제연합헌장의 첫머리의 말이 이 위대한 기획의 창시자로서 '우리들, 전체 국민들'이라고 호소했을 때 이 말은 다만 허울 좋은 과장이 아니고 수년에 걸친 대참화때문에 널리 사람들이 가지고 있었던 진지한 희망과 헌신을 표현한 것이다.

상대적 실패

그러나 모든 전쟁이란, 그 뒤에 국민주의의 강화를 가져오기 마련이다. 전쟁이 끝나면 전쟁 중의 동맹은 대체로 분열되어 버린다. 각국의 정부도 또한 모든 정부 간의 협력이라는 문제에서 부정주의의 뿌리 깊은 전통을 가지고 있으며, 우리들은 그 배후에 있는 제도적·심리적인 기구를 연구했던 것이다. 이리하여 국제조직은 실제로 기대했던 것과는 아주 다른 것이 되어 버렸다. 중대한 긴장의 몇 년 동안에는 그처럼 위안이 되었던 환상이 이제는 쓰라린 환멸로 전환되어 버린 것이다.

기능하고 있는 세계사회의 급속한 출현이라는 빛나는 미래에 대한 구상—그것은 대부분의 사람들에게는 이제는 더욱 먼 가망으로 사라져 버리고 말았다—은 고사하고, 경제 분야에서의 정부 간의 조직을 위해 설립 당시에 합의를 보았던 직접적인 실천적 과제만을 고찰한다 하더라도 이러한 조직이 상대적으로 실패했다고 결론을 짓지 않을 수 없다.

이들 조직은 예상되고 계획되었던 것보다도 훨씬 낮은 정도에서 협력과 교섭을 통해서 참으로 실제적인 국제문제를 해결할 수 있는 기관으로 모든 정부에 의해 인정받아 왔을 뿐이다.

정부 간의 경제 조직에서 이루어졌던 노력의 대부분은 공허하고 적대적인 논쟁이나 행동이 불가능하다고 언명하는 전략적인 자기방어의 입장을 고수하는 데 헛되게 소비되는 것이다. 그렇지 않으면 도달할 아무런 결론도 없이 그저 형식적으로 동의를 논의하는 것으로 끝나기 일쑤이다. 이렇게 말하는 것은 지나치게 솔직한 표현이겠지만 이러한 중대한 문제에 있어서는 최대의 건전한 솔직성 외에는 아무 것도 없다.

이리하여 국제연합의 '경제사회이사회'나 '총회'는 주로 국민주의적 선전을 위한 토론의 광장이나 연단으로 되었다. 그것들은 국제연합헌장에 주어진 주요한 모든 목적, 즉 경제분야와 사회분야에서 광범한 국제 활동을 창시하고 정합한다고 하는 두 가지 목적을 지향하는 활동이라는 점에서는 거의 이렇다 할 중요한 전진을 하지 못하고 있다. 근년에 이르러 특히 이사회는 이렇게 선언된 목적에서 본다면 거의 괘씸하게 생각될 만큼 그 중요성을 잃고 말았다.

'지역경제위원회'는 이것들보다 현실적이어서 매우 실제적이고 전문적인 모든 문제에서의 지역적인 협력과 교섭을 향해 조심성 있게 발족을 하고 있다. 그러나 중대한 경제문제에 접근하고자 하는 시도는 그 대부분이 허사로 돌아갔다.

'식량농업기구'는 농업에서의 증산 방법과 농민의 번영 증진뿐만 아니라 잉여농산물의 처분을 위한 국제 활동에 의해 영양수준을 인상하는 것과 같은 모든 문제를 취급할 것을 위탁받고 있다. 그렇지만 이러한 보다 광범위한 문제에 관한 제안이나 토의는 아직까지 실제적인 해결을 보지 못하고 있다. 그러한 제안은 실현 불가능한 이상주의라고 의문시되고 있다.

'국제노동기구'는 한 세대 전에 이미 뒤떨어지고 있었지만 몇 해에 걸친 전시(戰時)라는 속죄의 기회나 전후(戰後)의 새 출발을 이용하여, 포괄적이고 보다 광범위하게 기초를 둔 사회정책에 불가결한 정부 간의 조직으로는 되지 않았다.

사회문제를 그 경제적인 배경에서 다루는 국제노동기구의 기본적인 접근방법, 즉 사회문제를 노동자의 문제로서 보는 접근방법—그것은 이 기구의 강령이나 그 관행에, 그리고 정부 이외에는 노사라고 하는 이해관계자만을 대표하는 세 당사자의 구조에 구체화되어 있다—은 비스마르크시대의 독일이나 로이드 조오지시대의 영국에서 구상되었던 상황이라든가 공식화되었던 문제 등을 실제로 반영하고 있지만, 서구적 세계의 선진적인 민주적 복지국가에서는 전쟁 전에 이미 형성되었던 실제의 상황이나 문제를 반영하고 있지는 않다.

이러한 사실과 다른 여러 나라의 경제적 정체는 정부 간의 통일행동으로 각국의 경제정책을 시간적으로 일치시켜 그에 의해서 어떠한 사회적 목표를 달성하려는 한, 이 기구를 당시에 있어서도 사실상 문제에 부적절하다고 운명지웠다. 전후에는 이러한 사실이 더욱 두드러지게 되었다.

이 기구가 저개발국에서 노동법규나 그 밖의 문제를 전취하는 데 성공했다는 부분적인 영향력—그리고 서구적 국가에서는 이 기구가 실제적인 영향력을 갖는 것이 더욱더 적어짐에 따라 특히 저개발국에서의 일이 점차 더 그 활동의 주요한 초점으로 되어가고 있지만—은 반드시 저개발국의 경제발전에 공헌하는 것은 아니다. 이 기구는 빈번히 자주 저개발국에서 되는 대로 기능하고 있는 다음과 같은 모든 경향을 조장할 뿐이다. 그러한 경향이란 사회정책이 최저의 소득계급까지는 도달하지 않는다는 경향과 일반적 사회보장을 위한 노력이 저개발국에서는 공업노동자가 구성하고, 또한 장래에도 계속 구성하게 될 것으로 생각되는 소수의 중산계급에 대해 특권을 보장하는 방향을 취하는 경향인 것이다.

'국제통화기금'은 국제적 지불에 대한 규칙적인 경로를 조직화하는 동시에 이미 각국의 당국이 일방적으로 결정하지 못하도록 된 환시세를 의식적인 국제협력에 의해 결정지우는 기관을 준비한다는 목적에서 설립되었다. 연구—협의 그리고 권고의 분야를 제외하고 기금의 기능은 주로 긴급대출금의 배분에 한정되었지만, 당연히 그것은 중요하지 않은 것은 아니었다. 그러나 기금에 주어진 주요한 활동분야에서는 아직도 그 기능을 시작하지 않고 있다.

자본 원조를 배분하는 국제기관, 즉 '국제연합 경제개발 특별기금'을 설립하자는 제안은 미국을 위시한 서구적 강대국에 의해 봉쇄되고 말았다. 이 기관이 미약하기는 하나 존재하고 있는 오늘에 있어서까지도 자유로이 처분할 수 있는 그 금액이 너무나 근소하기 때문에 그 활동은 거의 상징적인 중요성 이상으로는 나가지 못하고 있다. 현재에 이르기까지 국제무역기구를 설립하는 계획은 방해되었다.

한편 GATT(관세 및 무역에 관한 일반협정)는 주로 관세인상을 저지한다는 한정된 활동을 해왔던 것이다. 특히 가난한 저개발국에 대해 막대한 손해를 끼치고 있는 제1차 생산물의 국제가격의 변동을 상쇄시키기 위해서 중요한 실천적인 협정은 아직 체결되지 않고 있다.

더욱이 산업카르텔의 국제통제계획은 소리도 없이 매몰되고 말았다. 해운의 국제적 기관은 되도록 기득권익을 침해하지 않도록 꾸며졌다는 사실에도 불구하고 그 실현은 오랫동안 저지되었다. 그 밖의 정부 간의 기관은 가혹한 독점적 해운시장을 그 연구대상으로서 관심을 갖는 것마저 서구적 국가에 의해 강력히 저지되고 있지만 그것은 마치 석유시장이나 약품의 제조와 판매 등에서 활동하고 있는 다른 국제적 독점에 대해서 정부기관이 손을 대는 것을 금지하고 있는 것과 마찬가지다.

대변란(貸邊欄)

대변에 플러스로 기입할 만한 것으로서 많은 정부 간의 조직이 참다운 업적으로서 과시할 수 있는 것은 여러 분야에서의 통계와 그 밖의 기술적 자료의 수집과 철시, 그리고 모든 나라의 학계·민간산업·상업 및 개별적인 정부 자체에 대한 아주 중요한 여러 연구를 속출했다고 하는 것이다. 그 결과 우리들은 세계에서 일어나고 있는 일이나 문제가 되어 있는 것에 대해서 아주 많은 것을 알게 되었다.

또한 정부 간 조직은 정부 간 그리고 때로는—국제연합의 각 지역위원회에서처럼—수개 국에서의 산업이나 산업조직 상호간의 협의, 그리고 외교적 접촉의 중요한 매개체로서도 기능하고 있음과 함께 많은 난문제가 이러한 협의에 의해 해결되고 있다. 얼마의 조직체는 모든 종류의 기술적 문제에 있어서 정부와 산업 간의 규칙적인 협력을 조정하는 데 실제로 성공하고 있다. 모든 조직체는 지난날 모든 국가의 일치협력이라고 불려졌던 것을 가장 결정적으로 완성하고 확대했던 것이다.

대부분의 정부 간 조직은 여러 해에 걸쳐 활발하게 저개발국에 대해 기술 원조를 해 왔으며, 또한 많은 조직체에서는 이것이 주요한 활동으로 되어 있다. 기술 원조는 전후의 극히 중요한 혁신의 하나이고 그것은 과소평가해서는 안 될 진실한 업적을 대표하고 있는 것이다. 그러나 또한 과대평가해서도 안 된다.

우리들은 정부 간의 조직에 의해서 이루어지는 것에 개별적인 정부가 국제연합 밖에서—주로 미국의 '포인트 포 계획 (Point For Program)을 통하거나 '콜롬보계획(Colombo Plan)을 통해서—실시하고 있는 아주 대규모적인 기술 원조를 더한다 하더라도 그것은 규모에 있어서 아직도 극히 작은 것이다. 이것은 기술 원조를 주는 나라의 예산을 기준으로, 혹은 받는 나라의 참다운 필요를 기준으로 보더라도 옳은 것이다.

모든 조직은 실제로 존재하고 있다

정부 간의 조직에 관해서 가장 중요한 것은 그것이 실제로 존재하고 있다는 사실이며, 또한 계속 존재하게 될 것이라는 사실이다. 일단 생기게 되면 그것은 평화시에는 없어지지 않을 것이다. 모든 정부는 이것이 중대한 기능을 하는 것을 방해할지도 모른다. 그러나 정부는 감히 그것을 해산시키는 데 대한 책임을 지려고 하지는 않을 것이다. 그러한 의미에서 정부 간 조직은 인간이 만든 제도 중에서 가장 안정된 것이다.

약체화되었을 때도 조직은 그 해체에 대해서는 놀랄만한 저항을 보이지만 그것은 일반적으로는 국제문제, 그리고 특수적으로는 정부 간 조직의 활동에 관한 모든 나라의 여론이 자주 불안정하다는 것과는 심한 대조를 이루고 있다.

'국제연맹'은 계속 존재하여 전시 중에도 활동을 계속했다. —경제조사나 경제계획의 분야에서의 그 활동은 덧붙여 말하자면 업적과 중요성을 가지고 있었던 것이다. 나중에 국제연맹이 정식으로 해체된 것도 다만 연맹을 대신하여 그 일을 보다 큰 규모로 수행하기 위한 국제연합과 수많은 신기구가 창설되었기 때문이다.

국제노동기구도 마찬가지로 전쟁을 이겨내어 대폭 증대된 예산을 가지고 재출발하였다. 더우기 그것이 자체 활동의 효과를 더욱더 줄어들게 하는 것 같은 시대에 뒤떨어진 구조와 접근방법에 보수적으로 집착하고 있었다는 사실에도 불구하고 재출발하게 되었던 것이다.

바아즐의 국제결제은행은 제2차 세계대전 중에 파시스트 정부와 협력한 것에 대해 맹렬한 공격을 받았다. 여러 번 그것은 화상(畵像)으로 만들어져 불에 태워졌으며, 마침내는 브레톤 우즈에서 엄숙하게 그 사망이 선언되었고, 정식 결의에 의해 매몰되었던 것이다. 언론인들은 그 묘 위에서 춤을 추기도 했다. 그러나 오늘날 국제결제은행은 전보다도 더 강하게 되살아나 구주결제동맹을 효과적으로 운영하기 위한 선택된 기구로 되었다. 그리고 이 동맹은 서구의 경제협력 속에서는 보다 구체적이고 견고한 업적의 하나였던 것이다.

이 놀랄 만한 일반적인 경험을 설명하려고 하는 사회과학자는 정부 간 조직을 지속시키는 힘으로써 공헌하고 있는 많은 요인을 지적할 수 있을 것이다. 그 하나는 사무국 직원이 자기의 직무와 생계에 대해 가지고 있는 기득권익이다. 그렇지만 책임 있는 직원은 국제협력이라고 하는 공통된 대의명분에 대해 근본적으로 충성을 다하고자 하는 충동을 느끼고 있으며, 따라서 어떠한 역경에 대해서도 버티어 나가고자 원하고 있는 것이다. 그러나 이러한 사무국 직원에 의한 정부 간 조직의 자기 보존을 위한 정력은 그 자체로서 그다지 중요한 것이 못된다.

더욱이 모든 가맹국에서는 수백, 수천에 달하는 아주 많은 사람들이 있으며, 그들에 대해서는 이 조직은 국제주의자적 이상에 봉사하는 수단인 것이다. 이들의 경우에 있어서도 조직은 본국의 신분적인 요소를 지니고 있다. 이리하여 어떤 사람에게 조직은 규칙적이고 존경할 만한 여행의 이유를 제공해 주는 것이다.

다소 장시간의 회합을 전문으로 하고 있는 국제노동기구와 같이 착실하게 운영되고 있는 기구에 대해서는 정부와 사용주, 그리고 노동자의 3당사자 간이라고 하는 구성이 적극적 참가와 기득권익이라고 하는 기구의 기초를 각국마다 보다 널리 퍼지게 하고, 심지어는 국가 행정의 테두리 밖에까지 미치게 하는 데 가장 큰 정치적 중요성이 있을지도 모른다.

이상(理想)이 갖는 힘

이러한 피상적 요인을 인정하지 않는다는 것은 비현실적일 것이므로 나는 지금까지 그러한 피상적인 요인에 대해 말해 왔던 것이다. 그렇지만 그것들은 다만 도움을 줄 수 있을 뿐이다. 정부 간 조직이 가장 실망시키는 시기를 통해서도 대체로 살아남게 된다는 사실의 주요한 설명은 사람들이 정면에서는 국민주의적인 태도를 가진 체 하면서 그 배후의 마음속에서는 틀림없이 국제협력을 굳게 믿기도 하고, 또한 희망도 하고 있다는 것이다. 비록 그들의 태도가 그 시대의 개개의 문제에 대해서 아무리 부정적이라 할지라도 역시 이것은 그들의 일반적이고 장기적인 신념인 것이다. 사회적인 힘으로서 국제협력이라는 이상은 구체적인 문제에 대해 취한 입장을 아주 지배하거나 조직체의 효율성을 억제하거나 하는 국민주의적인 감정·의심·적의 등과 조금도 다름없이 실질적이다. 내가 되풀이해서 지적했던 바와 같이 이 이상은 건전한 이성에 의해서 뒷받침되어지는 것이다. 그것은 사람들이 믿고 있는 종교와 같으며 만인의 평등이라든가 인간이 가지고 있는 생명과 자유, 그리고 행복의 추구 등 빼앗을 수 없는 권리인 민주적 이상에 대한 사람들의 집착과도 흡사한 것이다.

모든 나라들의 태도나 행동에 일상적인 모든 결함이 있다 하더라도 그것들이 이러한 이상을 말살하는 것도 아니고, 또한 실제로 우리들이 느끼고 생각하고 그리고 행동함에 따라 이들 이상이 갖는 중요성을 잃게 하는 것도 아니다. 참으로 우리들의 사회제도는 만일 그것이 두드러지게 장엄하고 종교적이거나 혹은 준종교적인 제도적 배경에서만 보통 충분하게 표현된다고 하는 종류의 아주 일반적인 규범에 의해 끊임없이 뒷받침을 받지 않는다면 붕괴될 것이고, 무질서가 가정이나 이웃 공동사회나 국민과 국가에서 널리 퍼지게 될 것이다.

일상생활에서는 이러한 규범은 편의주의적인 과오에 의해 계속 침해되고 있지만 원칙에 있어서 의심을 받지 않고, 또한 착실하게 장기적인 영향력을 가지고 있다. 우리들의 생활상의 이상이 갖는 힘을 알아차리지 못하는 이른바 융통성이 없는 연구는 분명히 비현실적인 것이다. 그것은 인간이 가진 제도의 의미를 결코 파악하지는 못할 것이다. 그것은 또한 이러한 제도가 역경을 이겨내는 힘이라든가 혹은 순경(順境)에서 힘과 완전성을 더해 가고 있는 경향이라든가를 설명할 수는 없을 것이다. 국내에서의 이상이나 제도에 비한다면 국제적 이상은 사회적인 힘으로서는 아직 상당히 약하며, 또한 국제사회는 제도로서는 아주 공고하지 못하다는 것이 차이라면 유일한 차이로 될 것이다.

자주 국제적 이상의 충격이 부정적인 것으로 보이는 일이 있다. 나는 국제적 이상에 대한 공격의 대부분의 피학대 속에서 쾌감을 느끼는 비뚤어진 성격에 대해서 이미 지적한 바가 있다. 사람들은 끊임없이 자기의 이상에 반항하고 있으며 이로 말미암아 이상주의는 단지 착한 것만을 가져오게 하는 것은 아니다.

사람들은 제도로서의 국제연합과 유네스코 혹은 그 밖의 정부 간 조직의 하나 혹은 전부에 노여움을 느낄 수도 있다. 그러나 이러한 조직은 결국 모든 정부가 서로 협력하고자 하는 노력을 형식적으로 조직화한 것에 불과하며, 따라서 사려 깊은 사람에 대해서는 그가 한 시민인 국가에 대해서와 마찬가지로 엄격한 의미에서 원한의 대상이 되지 못하며, 또한 국제간의 조직도 원한의 대상은 될 수 없는 것이다.

그렇지만 보다 기본적으로 그리고 장기적으로 이상은 적극적인 영향을 주는 것이다. 그리고 인간이 갖는 모든 약점을 무릅쓰고 추세를 결정하는 경향이 있다. 편의주의적인 단기적 태도의 혼란 속에서도 국제적인 이해나 협력을 찾는 일반적인 희망도 또한 존재하고 있으며, 그것이 또한 인간생활의 타협적인 행동에다 그 나름의 영향을 주는 것이다.

이상은 정부 간의 조직이 일단 생겨나기만 하면 그 지속을 뒷받침하게 되는 것이다. 그러므로 어느 조직이든 그 조직이 그다지 효과적이 아닐 때에도, 그것을 확보하는 데는 모든 나라가 매우 명백하게 주저하게 된다.

어느 나라에서나 사람들이 마음속에다 국제적 이해와 국제적 이상주의를 간직하고 있다는 것을 간접적으로 입증하는 것으로는 다음과 같은 사실이 있다. 즉 멀리 떨어진 각 지방 행정부서로부터 흔히 발탁되어 정부 간 조직의 사무국에 있게 된 보통 사람들이 공통의 권익을 위한 봉사가 자기들의 당연한 역할이라는 상황에서 생활하는 기회를 갖게 될 때는, 그들은 거의 아무런 노력도 하지 않고 이러한 공동의 충성심에 옮겨간다는 사실이다.

실제로 국제협력에서 아무리 작은 것이라도 무엇인가가 달성될 때에는—이를테면 석탄의 통일적 분류라든가 국경을 넘어서 수송되는 상품의 세관수속 간소화 등에 관한 협정, 상품협정과 무차별 관세율의 협정 등—언제나 이러한 업적이 또한 참가국의 대표자에게 일체감이나 보다 큰 사회에 봉사하는 만족감을 주게 되는 것이지만, 그것은 국제기관의 직원이 경험하는 것과 다름이 없는 것이다. 모든 실천적 업적은 아무리 보잘 것 없는 것이라 할지라도 모든 실패와 마찬가지로 누적 효과를 가지고 있다. 왜냐하면 그 업적이 국제협력에 대한 태도에 작용하고 이 태도는 동시에 업적의 조건이 되기 때문이다.

국제협력을 보다 효과적으로 하기 위해 극복해야 할 심리적 장애는 모두가 어떻게 하면 정부와 그 배후에 있는 의회,

그리고 궁극적으로는 국민에게 공통의 대의명분에 대한 충성심을 경험하게 하는가. 더욱이 실제로 국제적 협력이 아직도 아주 미약할 때 어떻게 그것을 경험하게 되는가에 관련되어 있다. 왜냐하면 한편으로 국민 사이에 이렇게 보다 큰 충성심을 육성하기 위한 주요 수단은 실제로 협력하는 데 있는 것이지만 협력이라는 것은 충성심이라고 하는 기초가 없이는 발전할 수 없기 때문이다. 이것은 인간과 그 제도라고 하는 영원한 문제인 것이다. 제도의 발전은 그것에 알맞는 인간의 태도를 전제로 하지만 그와 같은 태도는 제도 자체 속에서 생활하는 것에 대응해서만 발달하게 된다.

이러한 것이 국제협력의 기본적인 심리적 곤란이다. 많은 다른 사회문제와 마찬가지로 이러한 곤란을 극복한다는 것은 마치 자수성가하는 것과 많이 닮은 것이다. 그럼에도 불구하고 역사상에서는 몇 번이고 나쁜 하향 선회는 저지되고 누적적인 상승과정으로 전환되었던 것이다.

우리들의 하나의 자산은 우리들의 가치 판단 영역의 높은 수준 위에서의 기본적인 국제주의이다. 이것은 내가 이미 지적한 바와 같거니와 또한 그것은 국제협력이 합리적이고 우리들의 공통의 이익, 즉 만인의 이익이 된다는 명백한 사실에 의해 지지를 받게 되는 것이다.

허위의 낙관주의는 환상이다

이 국제적 이상의 힘이 기록을 위조함으로써 강화될 수 있다고 믿는 것은 환상이다. 근거 없는 낙관주의를 주입한다는 것은 그 실제적인 빈도를 부정확하게 낮추어 보도하는 선전에 의한 범죄나 가정쟁의를 근절시키고자 노력하는 것과 다름이 없다.

모든 경우에 명백한 사실만을 말하는 것은 진전하며 그와 반대로 환상이나 부정확한 선전은 결국은 언제나 해를 끼치게 된다고 믿는 것은 과학자가 습득한 조건반사이다. 그러나 이 특수한 경우에는 나는 이러한 신념이 실제적인 경험에 의해 저지를 받고 있다는 것을 알게 되었던 것이다. 근거 없는 낙관주의는 일련의 우발사건이 편의주의적으로 퍼져 있으나 옳지 못한 신념을 시정할 때는 역효과를 나타내는 경향이 있다.

적어도 주요한 업적에 관해서는 국제주의자는 정부 간의 경제 조직이 지금까지 상대적으로 실패했다는 사실을 자신 혹은 대중으로부터 은폐시킴으로써 도리어 자기의 명분을 해치게 되는 것이다. 만일 국제주의자가 할 일을 다 하지 못한 것을 핑계로 정부 간의 조직을 비난하는 것을 회의주의자와 비꼬는 사람, 그리고 반동적 국민주의자—그들은 정부 간 조직의 노력에 반대하고 그 성공을 원치 않고 있다—의 독점물로 남겨 둔다면 그는 현명하지 못하다 할 것이다.

정부 간의 조직 자체의 선전부문이나 그리고 이상주의를 표방하는 각국의 개인이나 집단에 의해 이루어지는 많은 칭찬할 만한 선전은 이들 조직의 여러 가지 분야에서 이룩한 아주 많은 종류의 보잘 것 없는 업적을 과찬하고, 실제로는 조직이 해야 할 일이지만 하지 않고 있는 것에 대해서는 모두 침묵을 지킴으로써 이상을 제기하고자 하지만 그것은 방향이 틀린 것이다.

조직의 선전부문이 세계의 얼마나 많은 국제협력이 있어야 하는가, 그리고 어찌하여 이러한 국제협력은 실시를 보지 못하고 있는가 등에 관한 매우 중요하고 아주 필요한 정보를 퍼뜨리는 것을, 조직을 지배하고 있는 정부는 기꺼이 승낙하지 않기 때문에 이러한 조직이 어떠한 선전기관을 조금이라도 가지고 있는지는 매우 의심스러운 것이다.

어쨌든 모든 나라의 국제주의자는 회의주의자와 비꼬는 사람 및 국민주의자에 대항하여 스스로를 방위적 입장에 고정해 두어서는 안 될 것이다. 그 대신에 그들은 현실적이고 건설적인 방법으로 정부 간 조직의 기능—즉 조직을 구성하는 모든 정부, 따라서 조직이 그 임무를 다하거나 다 하지 못하거나 하는 것에 대해 책임을 지는 모든 정부의 활동이나 불활동—을 솔선해서 비판해야 할 것이다. 불만을 표시할 권리를 갖는 사람은 바로 이를 국제주의자인 것이다.

왜 이러한 일이 일어났는가?

정부 간 조직에 관한 이와 같은 건설적 비판을 실천하고 또한 노력을 국제협력의 전진에다 집중시키기 위해서는 우리들은 왜 이러한 일이 일어났는가, 왜 15년 전에 각계각층의 사람들이 품고 있었던 희망이 지금 이렇게 크게 꺾이고 말았는가를 물어볼 필요가 있다.

종전 무렵에 이러한 진전을 넓은 의미에서 예견했던 극소수의 사람들 속에 우연히 나도 끼이게 되었다. 나는 전후에 일어날 것으로 보이는 국제정치 상황—이것은 당시 대부분의 사람들이 조화를 기대한 나머지 아주 희망적인 생각을 품고 있었던 소련과의 관계에서만은 아니다—을 분석하는 데 있어서 보다 고차적인 현실주의가 필요하다는 것을 주장했으며, 그리고 새로운 정부 간 조직의 일반적인 강령을 입안할 때 나아가서 이러한 새 조직이 단기간에 이룩될 수 있는 일에 큰 기대를 거는 데는 더욱더 자제가 필요하다는 것을 주장했던 것이다.

그러나 나는 주어진 정치적 조건하에서 국제협력을 최대로 효율화하기 위해 새로운 조직을 창설하거나 그것을 기능시키는 노력에 반대하도록 권고한 것은 아니었다. 10년 동안 이 일에 직접 관여해 보고 또한 지켜본 끝에 우리들은 올바른 궤도에 올라 서 있고, 또한 그 노력은 계속되어야 한다는 것을 다른 어느 때보다도 오늘날에는 더욱 확신하고 있다. 나아가서 나는 희망이 없다고는 보지 않는다. 만일 대전쟁이 회피된다면 추세는 정부 간 경제 조직의 중요성이 증대하는 방향을 취하게 될 것으로 믿고 있다.

이러한 경제 조직은 모든 국가 간에서 이루어지는 외교의 장래 형태를 의미하는 것이다. 금후 또 다시 15년이 경과한다면 우리들은 아주 다른 종류의 대차대조표를 제시할 수 있을 것으로 믿어진다. 그러나 정부 간 경제조직이 발족했을 무렵에 사람들이 널리 기대했던 것에 비한다면 당분간은 그것은 상대적으로 실패했다고도 할 수 있을 것이다.

우리들은 러시아 국민과 이른바 냉전이라고 하는 정치적인 세계 분쟁에다 책임을 전가함으로써—우리들은 늘 그렇게 하려고 생각하는 것이지만—책임을 면할 수는 없을 것이다.

소련이나 그 밖의 대부분의 소련권 국가들은 ITO(국제무역기구)의 설립 준비에 이렇다 할 적극적인 역할을 하지 않았다. 그럼에도 불구하고 이 기구는 실현을 보지 못했다. 그들의 비협조적인 태도가 반드시 나머지 세계에 의한 그 기구의 발족이나 정상적인 운영을 방해하는 것은 아니었다. 소련권 국가들은 세계무역 전체의 극히 작은 부분 이상을 차지하는 것이 아니고, 또한 그 비소련적 국가 전체의 총무역 속에서 차지하는 비중은 더욱 작은 것이다.

이러한 상황에 따르는 뜻밖의 결과는 수년 전에 두드러지게 나타났다. 그때 소련 정부는 이 문제를 재검토하고 자기들이 이전에는 잘못했다는 결론에 도달했음을 공표했던 것이다. 즉 그들이 이전에 목표로 했던 쌍무적 무역협정 이상의 것이 필요하다는 것인데 '국제무역기구헌장'은 우수한 문서였으며, 소련은 지금은 그 기구에 참가할 용의가 있다는 것 등이다.

미국—원래는 국제무역기구를 위해 헌장에 관한 작업을 추진하는 데 주도권을 쥐고 있었지만 뒤에 이르러 헌장이 준비되고 거의 합의를 보게 되었을 때 그것을 격침해 버렸던 미국—에 있어서는 소련의 이러한 움직임은 말하자면 최후의 일격으로 되는 것이다. 그러나 그 일격은 당시 이미 죽어 있는 국제무역기구에 대해서가 아니라 그 문제 'GATT'(관세와 무역에 관한 일반협정)의 주재하에서 작성되고 제안되었던 보다 온건하고 미봉적인 대안을 미국도 결국은 수락하게 될 것이라고 보았던 실제적인 희망에 대해서 가해졌던 것이다.

마찬가지로 만일 국제통화기금이 국제적 지불에 필요한 정규의 통로를 제공하거나 다각적 수속에 의해 환시세를 규제하는 소기의 강력한 정부 간의 통화 당국이 되지 않았다 해도, 그것이 소련권 국가들이 결국은 기금을 설립하는 데 협조하지 않았던 것에 대한 원인이 될 수는 없다.

소련권 국가들의 비협조가 다른 모든 나라들—그것들을 한데 묶는다면 세계무역, 특히 그 자체의 무역에 있어서는 현저하게 더욱 중요한 지위를 차지하고 있다—이 각자의 금융관계를 만족한 방법으로 조직하려는 것을 방해했을 리는 없다.

지금 말한 바와 같은 정부 간의 조직뿐만 아니라 국제연합에 속하는 모든 조직은 사실상 '비동방적' 조직으로서 그 활동을 개시하지 않으면 안 되었다. 왜냐하면 소련권의 모든 정부는 극히 최근에 이르기까지 이러한 조직에 적극적으로 참가하고자 하는 관심을 보이지 않았기 때문이다. 또한 그것은 조직의 효율을 높여주는 데 이바지하는 것도 아니었다.

서구적 열강의 과오

정부 간의 경제조직이 설정된 여러 목표나 설립 당시에 우세했던 기대에 부응하지 못하고, 상대적으로 실패했다는 데 대한 원인도 이것을 오직 전후기의 아주 균형을 잃은 세계상황 탓으로만 돌릴 수는 없는 것이다. 실제로 이들 조직은 다름아닌 이러한 장래의 상황에 대처한다거나 전후에 크게 달라진 상황하에서 세계의 경제적 균형을 회복하고, 그것을 장래에도 지속할 수 있도록 면밀한 계획을 작성하려는 목적을 달성하기 위하여 제안되고 설립되었다.

정부 간 조직이 진정한 경제계획과 교섭, 그리고 협력을 위한 능률적인 기관으로서 기대한 만큼의 기능을 다하지 못한 근본적인 원인은, 단순히 개개의 국민국가의 정부나 그 배후에 있는 국민이 그러한 마음가짐이 없었다는 데 있다는 결론은 면할 길이 없다. 좀 더 구체적으로 말하자면 모든 정부와 그 배후에 있는 국민은 협력이라는 말 자체가 암시하고 있는 국민경제계획의 분야에서의 자기 나라의 자유의 제약, 그리고 각 나라 상호간의 이해관계에 대한 고려 등을 받아들이려고 하지 않았던 것이다.

이러한 실패에 대한 책임은 국제협조에서는 월등하게 유력한 서구적 부유국들이 져야 할 것이다. 저개발국은 국제조직을 행동으로 계속 몰아대는 노력을 하고 있다. 이러한 노력의 대부분은 충분한 준비가 갖춰지지 못했고, 또한 잘 정합되지 않았음은 사실이다. 그렇지만 저개발국의 진언(眞言)이 결실을 보지 못한 주된 이유는 부강한 서구적 국가들의 저항에 부딪치게 되면 그 진언도 전혀 힘을 쓰지 못하게 된다는 데 있다.

국민적 통합과 국제적 분열

서구적 나라들 뿐만 아니라 그 밖의 모든 나라에서의 경제

계획과 참으로 몇몇 저개발국에서 국가적인 정합과 계획을 필요로 하고 있는 분산적 형태의 국민정책마저도 세계사의 현 단계에서는 국제협력을 해치고 있다. 개개의 국민의 내부에서의 결속의 강화나 국민적 경제계획 규모의 확대가 국제적 분열을 촉진하는 경향이 있었다는 사실은 극도의 불안을 가져오게 한다.

만일 우리들이 국제적 분열은 국내적 통합의 필연적 귀결이라고 믿어야 한다면 우리들은 절망에 빠질 운명에 놓여질 것이다. 왜냐하면 국민적 통합은 거역할 수 없을 만큼 뿌리 깊은 역사적 추세이며, 우리들도 또한 그것을 역전시키고자 원하고 있지 않기 때문이다.

그렇지만 정부 간 경제조직을 창설한 배후에 있는 사고방식이란 세계의 경제적 균형과 동시에 각국의 국민적 안정과 진보라고 하는 것이 국민적인 정책을 공동의 이익을 위해 정합하는 것은 지향하는 정부 간의 계획과 통일된 행동에 의해 확보되어야만 한다는 것이었다. 바로 이러한 국민적 경제정책의 국제화가 이때까지 주로 방해를 받아왔던 것이다. 모든 조직은 이러한 합의된 목적을 위해서는 근소부분 밖에 이용되지 않고 있다.

한층 더 기본적인 수준에서 국제경제조직의 상대적 실패의 원인은 개별적인 나라에서의 국민주의적 감정과 국경 밖에 있는 국민들과의 참다운 인간적 일체감의 결여였던 것이다. 이것은 이 책 제2부의 지금까지의 여러 장에서 분석의 주제로 되었던 것이다.

민족주의의 심리과정

우리들은 모든 구체적이고 실천적인 국제협력의 모든 문제는 기술적 견지에서 아주 착잡하고 극히 어렵다는 것을 이에서 상기할 필요가 있을 것이다. 나 자신의 10년간에 걸친 다각적인 정부 간 교섭에서의 개인적 경험은 이러한 기술적 곤란, 그리고 타결을 보는 데 요하는 아주 힘들고 시간이 걸리는 직원의 업무를 과소평가한다는 것은 현명치 못하다는 것을 나에게 확신시켰던 것이다. 그러나 타협할 의사만 있다면 이러한 곤란은 극복될 수 있을 것이다.

그런데 이것도 내가 경험한 것이지만 각국은 제나름의 이해관계가 확실히 일치하여 협정에 도달하려고 하는 때에 있어서도 거의 언제나 이러한 의사가 결여되고 있는 것이다. 각국에는 특수한 이해관계를 옹호하기 위한 조직과 정당 및 압력 단체가 있는 반면에 국제협력이라는 일반적인 이익을 위해 한 나라가 해야 할 역할을 옹호하는 강력한 조직은 어느 나라에도 존재하지 않는 것이다.

특수이해 단체는 언제라도 환기시킬 수 있는 민족주의적 감정에다 마음대로 호소할 수 있게 방임되고 있다. 그 결과 입법부와 정부 및 행정부는 일반대중 가운데서 계몽되어 있는 사람들의 태도에 따르기 보다는 훨씬 편협하게 국민주의적으로 행동하는 경향을 갖는 것이 보통이다. 따라서 국제회의에서 교섭하는 사람은 자기 나라의 1페니를 위해 맹렬히 싸울 줄 알지만 일반적으로 바람직한 1파운드를 잃는 것은 모르고 있다.

이것이 바로 편협한 민족주의의 심리과정이며, 모든 나라가 전체의 이익이 되게 할 타협적인 협정에 도달하는 것을 방해하고 있는 것이다. 나는 가끔 개화된 관용의 결핍에 대해 깊이 생각해 보았지만, 그것은 절충의 특징으로 되어 있으며, 또한 대기업의 거래방법과도 크게 다른 것이다.

대기업은 진정한 수지균형에 대한 감각과 큰 이윤을 얻기 위해서 작은 양보를 한다는 실속 있는 속셈을 가지고 보다 큰 호기나 상호 신용과 신뢰의 정신으로 거래를 하는 것이다. 그리고 한 번 더 노동쟁의가 거의 일어나지 않고 있는 약간의 고도로 정합된 복지국가의 노동시장에서 볼 수 있는 조직화된 단체교섭과 비교하더라도 정부 간의 교섭은 마찬가지로 불리하게 되어 있는 것이다.

이것을 구제할 수 있는 방법은 오직 하나인즉 시민을 더욱 계몽하는 이외에는 다른 방법이 없다. 도대체 무엇이 조직화된 국제적 경제협력을 지향하는 거의 모든 기도(企圖)의 상대적 실패로서—지금까지는—인식되어야 하는가에 대해 신중하게 다시 생각해 볼 필요가 있을 것이다. 그렇지만 이러한 권고는 지속적인 노력의 의욕을 꺾기 위해서가 아니라 도리어 그 노력을 더욱 현명하게 지도하기 위한 것이다.

이러한 노력은 모든 사람이 갖는 국제적 이상주의에 바탕을 두어야 할 것이다. 이러한 국제적 이상주의는 편협한 국민주의적인 고려나 부정적인 충동에 의해 흔히 밀려나고 있지만 이 같은 이상이 하나의 현실이라는 것을 나는 믿어마지 않는다.

이러한 토대에 입각하여 다음과 같은 지식을 가장 널리 지속적으로 보급시키려고 노력하지 않으면 안 될 것이다. 즉 국제협력을 지향하는 전진의 모든 일보가 아무리 사소한 것이라고 그것으로부터 모든 국민에게 돌아가게 될 이해에 대한 지식, 그리고 맨 나중에 말한다고 해서 가장 중요하지 않다는 것은 아니지만 특히 서구적의 부유국에 살고 있는 우리들 자신의 이러한 추세를 가져오게 한 책임에 관한 지식 등이 그것이다.

역자 후기

이 책에 수록된「현대복지국가론」의 저자 카알 군나르 미르달은 1899년 12월 6일 스웨덴 구스타프스에서 태어났으며, 이른바 북구학파(北歐學派)의 대표자중 한 사람으로써 널리 알려진 경제학자이다.

그는 칠순이 넘은 오늘날에 있어서도 그의 위대한 사상과 심오한 학리(學理)를 통해 세계평화를 지향하는 여론조성에 지대한 공헌을 하고 있으며, 1974년 노벨경제학상을 수상하였다.

간단히 그의 경력을 소개한다면, 1923년 스톡홀름대학원을 졸업하고 잠시 법률사무에 종사한 후 1927년 동대학의 강사로 재직했다. 그 후 1930년 제네바의 국제문제연구소의 부교수로 있다가 이듬해 다시 스톡홀름대학으로 돌아가 정교수로써 1938년까지 경제학을 담당했다.

그의 처녀작은「가격형성문제와 경제변동」이었고, 여기서는 마아셜 · 나이트 · 피셔의 큰 영향을 받아 카셀의 정학적(靜學的) 가격이론을 동학화(動學化)하고자 시도했던 것이다. 그러나 그의 명성을 높이게 한 것은「경제학설과 정치적 요소」였었고, 이것은 정치적 이데올로기를 배격하는 그의 방법론을 가장 집약적으로 나타낸 것이다. 이 저서는 4반세기에 가까운 세월이 흐른 1953년에 부분적인 것이긴 하지만 개정되어 영문판으로 재간행될 정도였으니까 가히 그의 필생의 역작이라고 말할 만하다.

1933~1938년 사이에 그는 스웨덴정부의 경제사회정책 고문으로 근무했고, 1933년 1월에 있었던 불황대책으로서의 2억 크로네에 달하는 공공투자는 유효수요의 창출을 도모하는 케인즈적 정책이었다. 그 후 스웨덴 은행의 중역, 사회민주당의 상원의원, 정부위원, 상무성장관 및 국제연합구주경제위원회의 위원장을 역임한 바 있다.

그가 스웨덴 정부의 불황대책을 제안했던 것은 약관 35세 때였으므로, 그 후 그가 스웨덴의 발전에 얼마나 크게 이바지했는가는 짐작할 만하다. 스웨덴이 세계 최초의 복지국가를 실현한 나라임을 생각할 때 이에 대한 사회민주당의 공헌을 말한다면 거기에서 미르달의 이름을 빼놓을 수는 없을 것이다. 그러므로 그의 업적은 그를 순수이론가로서 특징지우기보다는 오히려 정치와 이론을 한 몸에 지닌 박학한 실무자로서 부각시키게 될 것이다.

일찍이 웨버는 과학에 있어서의 가치판단의 배제를 주장하면서 스스로는 실천무대에서 주역을 맡게 되는 정치가가 되기를 원하고 있었고, 미르달도 또한 웨버와 마찬가지로 정치적 이데올로기를 배격하면서 스스로는 그 교차로에다 몸을 두고 있었던 것이다. 웨버는 결국 선거에서 패배하여 실의에 빠지게 되었지만 미르달은 성공하여 그의 깊은 통찰력을 발판으로 계속 힘차게 발언하고 있는 것이다. 이러한 사실은 양자의 정치적 수완의 차이에서 생겼다고 하기 보다는 도리어 시대의 요구가 다른 데서 온 결과였다고 할 것이다.

이처럼 분주한 실천적 활동에 몸을 던지고 있으면서도 미르달은 끊임없이 그의 조국 스웨덴을 비롯하여 세계 각국의 경제개발의 실제 문제에다 학문적 열의를 쏟았으며, 또한 이러한 현실과의 관련에서 경제이론을 재검토하고 재구성하는 것을 게을리 하지 않았다.

우선 그는 서구적 국가들의 계획화가 무의식적으로, 실용적으로 또 점진적으로 그리고 부분적으로 이루어지게 되었던 사실의 분석으로 출발한다. 이를테면 철도의 부설과 같은 목적에 정부가 개입하는 것이 되풀이됨에 따라 그 양과 복잡성을 증대하게 되었다는 역사적 과정이 계획화를 추진하기에 이르렀다. 이러한 계획화로의 경향을 추진했던 것은 제1차 세계대전 이후의 국제관계의 붕괴와 정치적·경제적인 불안정성이었다. 그리고 근년에 이르러서는 냉전하에서 자국의 안전과 이익을 지켜야 한다는 것이 새로운 국가의 개입을 필요로 하게 한 원인으로 되어 있다. 그러나 국제적인 관계에만 의존해서는 모든 것을 설명할 수가 없다. 강력한 국내적 요인이 없다면 오늘날 보는 바와 같은 계획화로의 진전은 일어나지 않았을 것이다.

국내적 요인으로 첫째로 들어야 할 것은 시장의 조직화라는 사실이다. 완전경쟁의 이론은 더욱더 현실에 대한 타당성을 잃게 되었다. 개개의 경제단위가 시장에다 영향을 주게 되고 가격을 조작하기에 이르렀다. 이와 같은 개개의 시장의 조직화에 의해 일어나는 사회의 붕괴를 방지하기 위해 대규모적인 국가간섭이 필요하게 되었던 것이다.

둘째로는 공업화로의 전개, 지리적 및 사회적인 활동영역의 증대, 통신 보도의 보급에 따라 사람들은 전통적인 인습(因襲)으로부터 해방되어 경제적인 합리성을 갖게 되었다. 이와 같은 심리적 변화가 계획화를 촉진하는 요인으로 되었고, 그 반대로 계획화가 사람들의 합리성을 촉진했던 것도 사실이다. 나아가서는 이러한 심리적 변화로 인해 제도적인 변화가 생겨나게 되었다. 이제는 제도 자체의 변화마저 불가피한 것으로 되게 했다.

셋째로 선거권의 확대에 의한 민주화의 진전은 평등을 요구하는 대중의 갈망에 응해 정부가 적극적으로 개입할 필요를 낳게 했다. 이러한 요구는 오늘날에는 보수당마저도 무시할 수 없는 것으로 되어 있는 것이다.

넷째로 소득과 생활수준의 끊임없는 향상의 요구이다. 특히 그것은 성장률이 높은 소련의 도전하에서 큰 작용을 미치고 있다. 이러한 요구는 생활수준이 높아진다 하더라도 그칠 줄을 모를 것이다. 아니 오히려 풍족하게 되면 풍족될수록 사람들은 현재의 자기의 운명과 바람직한 상태 사이의 간격을 보다 크게 느끼게 될 것으로 보인다.

시장의 조직화에 대해 서방 나라의 정부는 어느 정도 이러한 경향을 억제하고 자유경쟁을 부활시키고자 시도했지만 그러한 시도는 성공하지 못했다. 이리하여 각국의 정부는 이러한 추세를 받아들이지 않을 수 없게 되었고, 마침내 공공의 이익이 질서 있게 그리고 평등하게 보호되도록 그 과정을 규제하는 정책을 답습하는 데 노력해 왔다. 그리하여 자유시장경제는 집단교섭 경제로 서서히 바뀌게 되었다. 각 이익집단 간의 교섭에 의해 모든 가격이나 임금이 결정되기에 이르렀고, 모든 수요와 공급곡선은 정치적인 것으로 되었다.

이러한 모든 조직에 의한 시장 개입의 증대는 국가 개입의 필요를 유발하고 국가에 의한 조정의 필요를 가져오게 했다. 드디어 국가는 모든 조직 간의 교섭의 조건을 바꾸고 그것을 대중의 의사와 일치되도록 조정하지 않으면 안 되게 되었다.

이와 같이 미르달은 계획화로의 진전을 역사적 사실로서 인정하지만, 그러나 그 계획화가 민주주의에 의해 뒷받침을 받지 못한다면, 복지국가로의 길로는 되지 못한다는 것을 지적하고 있다. 즉 그는 이렇게 말하고 있는 것이다. 복지국가는 대중의 민주적 참여 위에 그 인간적 기반을 구축하고 그것을 유지하도록 노력하지 않으면 안 된다. 그러한 노력이 없다면 복지국가는 강력한 사적 조종자의 기득권익에 의해 움직이게 되고 관료적이고 중앙집권적인 것으로 되어버리고 만다. 그렇지만 일단 대중이 조직을 만드는 자유와 국가의 정책에 대해 평등한 발언권을 얻은 이상, 복지국가가 그러한 것으로 타락하는 것을 민중이 용납할 리가 없다는 것이다.

그러나 그 완성된 형태로서의 복지국가는 아직은 어디에서도 찾을 수가 없다. 다만 그것은 꾸준히 실현되어 가는 과정에 있을 뿐이다. 국유화의 목적은 이미 다른 수단에 의해 달성되고 있으며, 그것은 필요하다거나 혹은 바람직한 것으로는 되지 않았던 것이다.

장래의 복지국가에 있어서는 공적 소유와 공적 관리가 보다 큰 역할을 하게 되는 수도 있을 것이다. 그렇지만 그것은 단번에 강행해야 할 성질의 것은 아니고, 그것은 정치적인 원리의 문제라기보다는 실제상의 편의문제에 지나지 않는 것이다.

복지국가 내에서는 각 집단 사이에 창조된 조화가 생겨나게 되고, 자유주의와 사회주의 · 자본주의 · 자유기업 대 집산주의라는 원리의 대립은 적어지고, 국내의 정치적 논의는 더욱 기술적인 성격을 띠기에 이른 것이다. 이러한 조화는 어떠한 의도된 결과는 아니었고, 특수한 이익을 추구하기 위한 시장에의 개입, 다른 이익과의 충돌, 양자 간의 조정이 필요하게 된다는 일련의 과정 속에서 사람들이 갖는 합리적인 태도와 정치적 민주주의, 경제수준의 향상에 따르는 관용 등과 같은 요소가 중화적인 작용을 미치게 됨으로써 생겨나게 되었던 것이다.

복지국가는 일종의 규제된 사회이기는 하지만, 그 속에서는 사람들은 조금도 그것에다 불평을 갖지 않는다. 그 이유는 사람들이 그것에 친숙하게 되었다는 데에 의하는 것이지만, 보다 중요한 것은 그러한 규제가 위로부터 강제되는 것이 아니라, 사람들이 직접 참여하고 있는 사회과정의 귀결로 된다고 느끼고 있기 때문이다.

그 속에서는 사람들은 보다 자유를 느끼게 될 것이고, 또한 보다 많은 자유를 누리게 될 것이다. 이렇게 되면 문화 자체도 크게 달라지게 되어 일종의 '복지문화'라고 할 만한 것이 생겨나게 되는 것이다.

그런데 국가 개입에 의한 계획화의 다음 단계는 국가 개입이 감소하는 단계로 되지 않으면 안 된다. 그 전제는 지방 자치정부의 강화와 복지국가의 각종 하부구조의 균형 있는 성장이고, 이것은 또한 이들 양면에서의 시민의 참여와 지배의 강화를 전제로 하는 것이다. 거기에서는 국가는 다음의 두 가지 역할만 하면 된다.

첫째로는 외국무역·환거래·조세·노동입법·사회보장·교육·보건 및 국방의 분야에 있어서 일반적인 테두리를 유지, 강화한다는 것, 그리고 우편·전신·전화 등의 공익사업을 영위하는 것이다. 둘째로는 지방적 및 부분적인 하부구조 조직이 민주적으로 지배될 수 있는 관행의 확립과 감독을 행하는 것이다.

이와 같은 내일의 복지국가는 일찍부터 밀·마르크스·록·제퍼슨에 의해서 그려졌던 이상과 일치하는 것으로 될 것이다. 요컨대 계획의 목적은 우리들의 정책목표를 보다 능률적으로 달성하는 데 있을 뿐만 아니라 국가의 관료화를 방지하고 사람들을 위로부터의 간섭에서 해방시키기 위해 국가의 개입을 간소화하고, 하부구조인 공동체와 조직체에다 많은 것을 위임하지 않으면 안 되는 것이다.

다음으로 미르달은 계획화와 민주주의와의 상호관계에 관해 흥미 있는 견해를 피력하고 있다. 민주주의가 계획화를 가져오게 했다는 사실은 계획화가 민주주의를 파괴할 가능성이 없다는 것은 아니다. 과연 그러한 위험이 있을 것인가.

지방자치의 발전과 복지국가 내에서의 제도적인 하부구조의 강화는 시민 스스로가 운명을 결정짓는다는 것을 의미한다. 국가 자체도 보다 크게 대중의 지배하에 놓이게 될 것이고, 사적인 조직의 내부에서도 민주주의의 원칙이 강조되고 있다. 그러므로 문제는 이러한 민주적인 결정수단이 실제로 행사되어 민주주의를 강화하게 될 것인가의 여부와 그 정도 여하에 달려 있다. 그러나 시민의 참여가 바람직한 정도에까지는 이르지 못하고 있다 하더라도, 그와 같은 지방적 내지 부분적인 조직의 존재와 그것이 기능하고 있다는 사실 자체가 사람들의 태도를 현실의 이해관계에 더욱더 깊숙이 관련되게 하여 보다 합리적으로 보다 신축성 있게 할 것이다.

사람들의 태도가 이렇게 변화됨에 따라 민주주의가 강화되는 것임에 틀림없다. 실제로 역사적인 사실에 비추어 본다 하더라도 계획화가 민주주의의 진전을 저해한 사례는 없다. 러시아의 경우에는 처음부터 민주주의가 존재한 일은 없었으며, 그곳의 계획의 성격은 서방측 계획과는 아주 다른 것이다.

반대로, 민주주의는 계획을 위기에 빠뜨리게 할 것인가. 확실히 민주주의의 과정은 적어도 계획의 합리성을 해칠 우려가 없지도 않다. 그러나 그것은 사람들이 자기 자신의 이익과 진실을 알지 못하는 경우에 한해서 타당할 뿐이다. 그러므로 이러한 위험은 교육에 의해 해결할 수 있는 문제라고 미르달은 단언하고「현대복지국가론」의 제1부를 끝맺고 있는 것이다.

이와 같이 서방의 부유한 나라들의 국내에 있어서는 소득과 주식의 평등화와 경제적인 진보가 조직화된 각종의 집단 간의 간섭과 조정의 과정과 정치적 민주주의에 의해 실시되기에 이르렀던 것이고, 그러는 한 이러한 계획화로의 길은 한 나라의 이익만을 목적으로 하는 것이었다.

세계적인 통합을 잊어버린 한 나라의 계획화는 국내에서는 그런 대로 성과를 거두게 되었다고는 하나, 바로 이 때문에 국제무역은 축소되고 세계의 유대는 파괴되기에 이르러 국제관계의 측면에서 큰 혼란을 야기하게 했다.

이리하여 제1부에서 각국의 복지국가로의 길을 확인했던 미르달은 제2부에서 그의 눈길을 세계로 돌리고 있다. 현대의 복지국가가 그 발전의 첫걸음을 내디디게 된 것은 제1차 세계대전의 초기였지만 그것은 결정적인 중요성을 가지고 있었다. 즉, 이 무렵에 점차 높아져 가고 있었던 복지국가의 모든 목표에 대한 요구는 국제관계가 해체되거나 위기에 부딪치게 되었으므로, 국민주의적인 정책의 채택을 불가피하게 했던 것이다. 다시 말하면, 그 발생기에 있어서의 국제환경의 성격은 매우 위험한 것이었으므로 각국은 그러한 위험에 말려들어가지 않도록 자기 나라를 방위하기 위해 국민주의적인 방향으로 복지국가를 건설하지 않을 수 없게 되었던 것이다.

더욱이 복지국가 내에서의 계획화는 원래가 국민주의적인

제도를 갖고 있다. 왜냐하면 국내의 수급은 예측하기가 용이하고 또한 바람직한 방향으로 끌고 갈 수도 있으나 해외의 수급에 대해서는 쉽게 그렇게 할 수 없고, 특히 제도화 되고 관행으로 굳어져 구현되어 가고 있는 복지국가의 모든 이상을 희생하여 국제면에서의 변화에 적용한다는 거의 불가능한 일이기 때문이다. 복지국가의 국민주의는 일면에서는 국제적인 분열의 소산으로 되는 것이지만, 반대로 복지국가가 이처럼 자기 나라 안의 경제적 복지에 전념한다는 것은 국제적 분열의 경향을 강화하는 것이다.

그렇다면 복지국가는 복지세계로는 될 수 없을 것인가. 당초부터 복지국가의 이념은 자유와 평등 그리고 우애였었다. 이들 이념은 국경 내에서만 적용되는 것으로 그쳐서는 안 될 것이다. 국내 경제정책은 국제적으로 조정되지 않으면 안 된다. 그리하여 보다 넓은 '창조된 조화'가 생겨나야 할 것이지만, 그것은 이전의 국제적인 자동조정기구에 기대할 수는 없는 것이다.

뿐만 아니라 복지국가를 국민주의적으로 되게 하는 데에는 보다 깊은 심리적·제도적인 요인이 있다. 복지국가 내에서의 민중은 이미 말한 바와 같이, 그 하부구조로서의 각종 조직이나 지방자치체에 참여하고, 스스로 여러 가지 공공적인 성격을 갖는 정책의 결정에 실질적으로 참여하게 된다. 그 결과 민중 사이에 광범한 연대감이 생기게 되고, 국가의 정책을 자기의 것으로 생각하는 경향이 생겨나게 된다. 복지국가의 발전과 더불어 커져 가게 되는 이러한 국민적 연대감의 증대는 고쳐 말한다면, 국제적인 연대감의 희박화를 의미하게 되는 것이다.

그리고 한 나라 안에 있어서는 조직된 이익집단 간에 협력과 교섭이 이루어지게 되고, 거기에서는 어떤 종류의 조화가 창조될 수 있음에 반해, 국제적인 협력이 가져오는 이익은 그것이 아무리 크다고 할지라도, 특정한 집단에 속하는 것이 아니라 많은 나라의 많은 성원(成員)에 분산되는 형태로 생겨나게 되는 것이다. 따라서 그것을 강력하게 주장하는 효율적인 조직은 생겨날 수 없을 뿐만 아니라 강력한 활동도 전개될 수 없다.

그것은 마치 국내에서 소비자의 이익을 위한 주장이 충분하게 조직화 될 수 없다는 것과 마찬가지다. 다시 말하면 일단 국경을 넘어서면 특수한 이익에 대항하여 공통의 이익의 주장을 살리기 위한 조직력이 존재하지 않고 있다는 것이다. 게다가 국제적인 이상이나 권익에 대한 관심의 결여는 단순한 무관심으로서의 중립적인 성격으로 머물러 있을 수 없는 사정이 있다. 구체적으로 말한다면 대외관계는 민중의 억압된 적개심과 개혁욕에 대한 배출구로 되기 쉬운 분야이기 때문이다.

　모든 대립의 건설적인 해결이 가능하다는 것은 개별적인 복지국가의 내부에 있어서 하나의 전제로 되어 있다. 이것은 국제적으로도 적용되어야 할 것이다. 국제적인 국제협력이 낮은 수준에 머물러 있다는 것은 모든 나라에 손해가 된다. 이러한 사실은 복지국가의 국민주의적인 경향을 바꾸게 하는 기반으로 될 수 있다. 만일 이제부터 생기게 될 국제적 위기를 과도한 국민주의적인 정책과 민중 상호간의 공포와 적개심을 일으키지 않고 극복할 수 있게 된다면, 그러한 합리적인 타협을 거듭하는 동안에 국제적인 통합의 경향을 가져오게 할 수 있을 것이다.

　가난한 자는 더욱 가난하게 되고, 부유한 자는 더욱 부유하게 되어 마침내는 가난한 자가 폭력에 의한 혁명으로 권력을 획득하게 될 것이라는 마르크스의 예언이 서구에서는 적중하지 못했다. 그러나 이 희곡은 마르크스가 생각했던 것보다도 훨씬 대규모로 국제무대에서 연출되어 가고 있다. 있는 나라와 없는 나라 사이의 소득의 수준은 더욱더 확대되어 가고 있다. 그리고 공산 진영은 자기들의 이익을 위해 없는 나라들의 불만을 이용하고자 하고 있다. 서방의 부유한 나라는 빈곤한 나라에 대해 자유뿐만 아니라 평등까지도 주지 않으면 안 될 것이다. 그리고 국제적인 계급투쟁의 폭발을 피하고 세계의 안정을 유지하기 위해서는 보다 넓은 의미에서 조화의 창조가 필요하게 된다.

이러한 국제간의 조화를 가져오기 위해서는 자본이나 기술의 원조만으로는 충분하지 못하다. 대외경제정책에 대한 전체로서의 국민주의를 타파하지 않으면 안 된다. 지금까지의 예로는 원조에 있어서 관대한 나라도 무역이나 금융에 있어서는 특정한 산업집단의 이익에 좌우되어 이기적으로 되는 경향이 많았다. 그러므로 국제관계의 분열을 방지하기 위해서는 '복지세계'를 구하여 노력하는 이외에 다른 방도는 없다. 즉, 한 나라의 계획화로의 추세 자체가 국제적인 계획화와 정합을 필요로 하고 있는 것이다. 이를 위해서는 국제적인 조직화가 필요하게 된다.

이미 국제연합을 비롯하여 수많은 국제조직이 출현하고 있다. 이러한 것들은 바람직한 성과를 거두지는 못하고 있으나 몇 차례의 위기를 넘어서서 현재도 엄존하고 있다. 이것은 사람들 마음속에 있는 국제협력에 대한 기원을 나타내는 것이다. 그것은 전세계의 경제균형, 그리고 모든 나라에서의 안정과 진보는 공통의 이익을 위해 국내정책을 국제적인 계획과 협력에 정합시키는 방향으로 노력하는 데에서만 얻어질 수 있다는 신념의 결정체이기도 하다. 그러므로 국제협력에로의 전진이 이루어질 때마다, 여기에서 생기는 사람들의 이익을 인식시키기 위한 노력이 있어야 할 것이다.

그와 동시에 현존하는 국민주의적인 경향이 가져오게 될 위험과 서방국가들의 이에 대한 책임이 널리 알려지도록 설명되어야 할 것이다. 이러한 국제적 이상주의는 편협한 국민주의적인 고려와 부정적인 충동에 의해 자주 밀려나고 있지만 이 이상은 하나의 현실이라는 것'을 미르달은 믿었던 것이다.

이러한 생각을 그는 미국에도 적용시켜 그의 다른 저서「풍요에의 도전」(*Challenge to Affluence*, 1963)에서 다음과 같이 말하고 있다. '미국은 풍요의 대상으로 구조적 실업과 국제수지의 악화라고 하는 2대 모순에 골치를 앓고 있지만 전자는 오오토메이션과 인종문제에서 생겨난 것이고, 또한 미국의 장기계획과 균형된 하부구조의 결여에 기인한다. 그리고 국제수지의 악화를 두려워한 나머지 미국이 국민주의적 정책으로 기울어진다면 그것은 국제적인 불행이다. 그러므로 미국은 자유와 평등이라는 본래의 미국의 전통으로 되돌아가 참다운 조화를 창조해야 한다'는 것이다.

미르달은 그의 노구를 무릅쓰고 아직도 힘차게 북유럽의 한 곳에서 세계에 대한 제안을 계속 발표하고 있으며, 거의 같은 사상이 네덜란드가 낳은 세계적 석학 틴버어겐에 의해서도 전재되고 있다. 이제까지 세계의 지도적 지위를 차지하고 있었던 미국경제학을 대신하여 스웨덴이나 네덜란드라는 유럽의 소국에서 세계의 지향이념을 밝혀주는 횃불이 타오르고 있다는 것은 결코 우연한 일은 아닐 것이다.

끝으로 미르달의 대표작을 번역할 수 있는 기회를 마련해 주신 고승제 박사님과 이 역서가 출판되기까지 여러 가지로 수고해 주신 경제과학심의회의 배기민 실장님에게 마음으로부터 감사의 말씀을 올리는 바이다. 또한 번역과정에서 시종 좋은 길잡이가 되어 주셨고, 또한 번역에 필요한 각종 문헌을 주선해 주신 동료 부광식 교수님을 포함한 여러 동료 교수님들의 조력을 잊을 수 없다.

미르달의 원문은 강연조에다 가필조가 혼합되어 문장은 매우 아름다운 것이지만, 그만큼 착잡한 것이어서 역자의 천학비재(淺學菲才)를 가지고서는 건너야 할 강(江)이 너무나 많았다. 그럼에도 불구하고 역자로 하여금 이 작업을 끝내 계속하게 해 준 채찍이 있었으니 그것은 역사는 인간이 만드는 것이고, 인간은 장기적인 관점에서는 언제나 그 이상인 자유와 평등, 우애의 구현화를 향해 움직인다는 미르달의 부르짖음이었다.

비록 복지국가를 넘어서 복지세계를 건설해야 한다는 미르달의 적극적인 제안이 아직은 충분히 실현을 보지 못하고 있다고는 하나, 그의 제안에는 과학이 있고 양심이 있고 정의가 있고 진전이 있는 것이다. 그리고 핵무기의 출현으로 대량 살상이 가능하게 된 오늘날에 있어서 인류의 공멸을 피할 수 있는 방도는 그 길이 아무리 멀고 험하다 하더라도 복지 세계를 향해 진전하는 이외에는 달리 방도가 있을 수 없는 것이다.

　이 서투른 역서가 독자에게 무엇인가 그러한 것들을 느끼게 할 수 있다면 역서가 기대한 바는 충분히 달성된 셈이며, 역자로서는 그 이상 바랄 것이 없다고 생각한다.

　　　　　　　　　　　　　　　　　　역 자 식

역자 약력

- 일본 상지대학 예과 졸
- 서울대학교 문학부 졸
- 경북대학교 경상대학장
- 경제학박사

주요 역서

- 「현대복지국가론」「빈곤의 도전」「풍요에의 도전」
- 「아시아의 드라마」외 다수

개정1판 발행 | 2018년 5월 1일
발행처 | 서음미디어
등 록 | 2009. 3. 15 No 7-0851
서울시 동대문구 난계로 28길 69-4
Tel (02) 2253-5292
Fax (02) 2253-5295

저 자 | K. G. 미르달
역 자 | 최광열
발행인 | 이관희
본문편집 | 은종기획
표지일러스트 | 주야기획

ISBN 978-89-91896-04-8

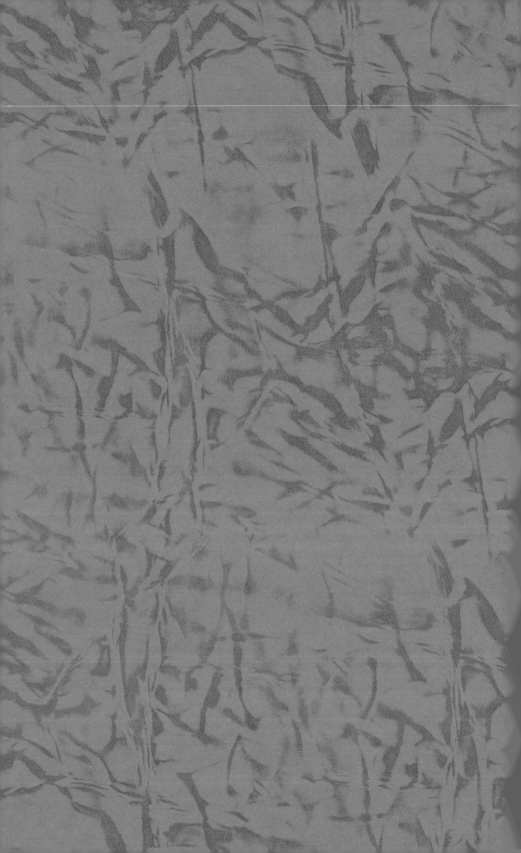